Herança compartilhada

SHARED HERITAGE

PARCERIA INSTITUCIONAL:

Dados Internacionais de Catalogação na Publicação (CIP)
(Jeane Passos Santana – CRB 8ª/6189)

Herança compartilhada = Shared heritage / organização de Matthew Shirts, João Kulcsár; versão para o inglês Michele A. Vartuli. – São Paulo: Editora Senac São Paulo; São Paulo: Edições Sesc SP, 2013.

Bibliografia.
ISBN 978-85-396-0367-1 (Editora Senac São Paulo)
ISBN 978-85-7995-059-9 (Edições Sesc SP)

1. Cultura 2. Emigração e imigração – Aspectos sociológicos 3. Herança cultural I. Shirts, Matthew. II. Kulcsár, João. III. Shared heritage.

13-108s CDD-306.446

Índice para catálogo sistemático:

1. Sociologia : Cultura : Emigração e Imigração 306.446

Herança compartilhada

SHARED HERITAGE

ORGANIZADORES

MATTHEW SHIRTS

JOÃO KULCSÁR

VERSÃO PARA O INGLÊS:
MICHELE A. VARTULI

Edição de Texto
Marília Gessa

Preparação de Texto
Luiz Fukushiro

Revisão de Texto
Globaltec Editora Ltda.
Luciana Lima (coord.)

Projeto Gráfico, Capa e Editoração Eletrônica
Antonio Carlos De Angelis

Foto da Capa
Autor desconhecido. Nova York, NY (EUA). 1907. Museu da Imigração de Ellis Island (Ellis Island Immigration Museum).

Impressão e Acabamento
Pigma Gráfica e Editora Ltda.

Coordenação Editorial
Clívia Ramiro
Isabel M. M. Alexandre

Produção Editorial
João Cotrim

Colaboradores
Marta Raquel Colabone
Cristianne Lameirinha
João Paulo Guadanucci

Editora Senac São Paulo
Rua Rui Barbosa, 377 – 1o andar – Bela Vista
CEP 01326-010 – São Paulo – SP
Caixa Postal 1120 – CEP 01032-970
Tel.(11) 2187-4450 – Fax (11) 2187-4486
editora@sp.senac.br
http://www.editorasenacsp.com.br

Edições Sesc SP
Avenida Álvaro Ramos, 991
CEP 03331-000 – São Paulo – SP
Tel. (11) 2607-8000
edicoes@edicoes.sescsp.org.br
http://www.sescsp.org.br

Shared Heritage

ORGANIZERS:

MATTHEW SHIRTS

JOÃO KULCSÁR

ENGLISH VERSION: MICHELE A. VARTULI

Contents

Preface

Thomas A. Shannon*

On the stone façade of the United States National Archives, where we hold our Declaration of Independence and other founding documents of our nation, there is an inscription: "What is past is prologue". This sense of the past shaping the present and the future is mirrored in the histories of Brazil and the United States. We share a common heritage; not only in how we were founded, but also in how we have grown and developed over five centuries from colonialism to independence to republicanism and now to shared leadership.

As Ambassador of the United States to Brazil, I have the opportunity to see every day how our two countries mirror each other. Showing this common heritage and celebrating our shared values through educational and cultural exchanges builds and ensures that this strong partnership for the XXI century is not just a relationship between governments, but is also a continuing bond between our people.

In that regard, the Shared Heritage festivals, which have been co-sponsored over the last nine years by Sesc, Senac, and our Consulate General in Sao Paulo, highlight the bonds of race, ethnicity, immigration, governance, and equality (including the abolition of slavery) that bring us ever closer together.

The Shared Heritage festivals have shown our cultural connections and similarities as young, large, democratic, and multi-ethnic societies, placing us side-by-side to address the global challenges of the XXI century. Earlier Shared Heritage Festivals focused on how African, indigenous and immigrant populations merged in both countries to create new beginnings and societies. Who we are today has much to do with the influence of these groups. Our music, art and cultures have become an essential part of our national identity. In a more globalized and connected world, our diversity and blending of cultures portends a greater role for the United States and Brazil. Few countries have the ethnic, cultural and social diversity of our two countries, and as such, we are both able to understand the complexities and challenges that affect the world.

But societies are ever-changing. The continuing immigration to the United States and Brazil from all parts of the globe continues to change not only our individual countries, but how we interact with each other. The Japanese who came to Brazil at the beginning of the XX century have become fully integrated with their European and African neighbors, as have those from the Middle East. In the United States, the arrival of Asian, Hispanic and Arabic immigrants has changed how we view ourselves and the world.

This book illustrates not only our shared heritage and experience but also explores ways in which we can work together in facing the challenges of our new century. We have a shared history, but the United States and Brazil also have a shared future.

I hope you enjoy the *Shared Heritage* book and come away convinced that we are indispensable partners in pursuit of the well-being of our citizens and mankind.

* The United States Ambassador to Brazil.

Preface

Abram Szajman*

One of the commitments made by institutions dedicated to the development of social and educational actions is to participate critically in today's discussions. This commitment is in tune with a responsible business vision, which collaborates effectively with the development of society and the individuals who form it. According to this vision, the understanding of current phenomena has a major role and is a tool for actions of consequence.

Sesc São Paulo and Senac São Paulo, entities maintained by businesses in the sales, services and tourism areas, by involving themselves in the conception and publishing of *Shared Heritage*, express the certainty that the discussion of ideas is the driving force that broadens human possibilities. This proposal reveals itself even more relevant when that discussion refers to the main challenges that test the capabilities of cities and countries. Such is the case for the recent migrations phenomenon that transforms urban space into a place of plural and dynamic coexistence among the most different nationalities. To face that challenge concretely, it is essential to know it deeply.

The intense flow of people around the world holds special significance in Brazil and in the United States, countries with populations formed by successive migratory currents over the centuries. This common experience allows Brazilians and Americans to reflect and learn from each other, perfecting strategies to face difficulties and take advantage from the benefits of such a process. After all, one of the ways for a country to achieve a degree of excellence in its various spheres of action resides in the wisdom of valuing the plurality of its human potentials, which stem from the cultural diversity that characterizes every society.

The incentive to initiatives such as the festival and the book *Shared Heritage* represents more than a step towards a possible future in which human actions will be conceived and evaluated in their more global sense, breaking the barriers among countries and collaborating to peoples' development; in which the limitations between the areas of knowledge and action – politics, economy, culture, science, etc. – will be replaced by wholly planned practices, aware of the connections that necessarily exist among those areas. It is in the name of that conviction that nowadays effective interventions should be oriented so that progressively such a future may be built, marked by the respect to all that is multiple; a future that extracts its vigor from such multiplicity.

* Chairman of the Regional Council of Sesc São Paulo and Senac São Paulo.

FOREWORD

Through the Looking Glass and Back

Matthew Shirts*

For a young American in love with Brazil, there was nothing like Richard M. Morse. I had the great fortune of studying with Professor Morse in the early 1980s at Stanford University in Palo Alto, California. He was often alone during those few years. His wife, Emerante, had decided to return to her native Haiti, where she lives still today. And his daughter, Marise, had not yet moved to the southern peninsula of San Francisco. So I could spend a lot of time with Morse, who quickly became my guru and, over the years, my friend. I watched him load the carriage of his blue Remington typewriter to begin what is now his classic work, *Prospero's Mirror.*[1] It started as an eight-page paper for a conference in Mexico at which the professor had been invited to speak by his friend, the poet Octavio Paz, whom he respected enormously. Morse wrote in his high--ceilinged office in the History department. I would stop by often in the afternoon, after classes– that is how long ago it was –, to smoke a cigarette and see how he was doing.

The paper grew quickly into a small book, which covers some 1,500 years of Iberian and, in the continental sense, American history. I can't remember how much of it he ended up taking to the conference in Mexico. But I do remember how tickled he was when Paz, years later, based the two opening chapters of his biography of the XVII century Baroque poet, Sor Juana Inés de la Cruz, on *Prospero's Mirror*. Today, it is the intellectual starting point for cultural comparisons of Brazil and the United States.

Although it was written in English by a respected historian who had held senior positions at Stanford and Yale, Morse had difficulty finding a publisher for this particular work in the United States. The editor at one university press called it un-American (in the national sense). And to hear Morse tell it, that was pretty much why no one wanted anything to do with *Prospero's Mirror* in the States, despite its warm reception in intellectual circles south of the Rio Grande, where it was published in Spanish by Siglo XXI (1982) and in Portuguese by Companhia Das Letras (1988). Morse was very angry about this. I heard him comment at least once, not without a touch of outlaw pride, that the United States' university presses would publish any old-garbage dissertation, as long as it was politically correct, but not his book, which, as I would point out, some had labeled an "instant classic", and which the foremost Brazilian literary critic, Antonio Candido, had called one of the most inspiring and original comparisons – ever – between Iberian and Anglo-Saxon America. Morse was adverse to the political correctness of American academia. He thought it contained its own set of prejudices and it stifled creative thought. But that was in the 1980s. I have no idea what he would have to say about the intellectual universe today.

* Matthew Shirts is editor-in-chief of *National Geographic Brasil* and coordinator of the Planeta Sustentável (Sustainable Planet) project, which boasts the participation of 38 magazine titles and sites published by Editora Abril as well as its own site. He writes a column for the weekly magazine, VEJA São Paulo. He was a regular columnist for the daily, *O Estado de São Paulo*, for 17 years. US-born, Shirts was raised in California and came to Brazil for the first time as an exchange student in 1976. He obtained a degree in Latin American Studies at the University of California, Berkeley, in 1981, studied History at the University of São Paulo, and went on to do graduate work at Stanford University in the early 1980s, where he was a student of the legendary historian Richard M. Morse. He is the author of the book *O jeitinho americano* [American Improv] (Santos: Realejo Edições, 2010).

[1] Richard Morse, *O espelho de Próspero: cultura e ideia nas Américas* (São Paulo: Companhia Das Letras, 1988).

Prospero's Mirror follows in the pathways of Latin American essayists like Peruvian José Carlos Mariátegui, Uruguayan José Enrique Rodó, Argentine Hugo Sarmiento, and Brazilians Gilberto Freyre and Sérgio Buarque de Holanda, not to mention Paz and his *The Labyrinth of Solitude*. It captures echoes of *In the American Grain*, by William Carlos Williams, and *Democracy in America* by Alexis de Tocqueville, to cite two works closer to intellectuals in the Northern hemisphere.

It is not an easy book to read (unless you happen to be Antonio Candido, who finds it "clear and suggestive"). The erudition of *Prospero's Mirror* can be daunting. But what Morse is trying to get at is the same question he tried to answer from "the beginning", ever since he saw Carmen Miranda dancing on stage in New York City, when he was still an undergraduate at Princeton, before shipping off to the war in the Pacific: What makes Latin America in general, and Brazil, in particular, so special?

"I had never seen a woman move that way", he told me once, by way of explanation of what got him started on Latin America. After he returned from World War II, when he served on a U.S. Navy destroyer, Morse went on to graduate school at Columbia University, studying with the legendary Frank Tannenbaum, an anarchist labor organizer who had lived in Mexico and helped president Lázaro Cárdenas formulate educational policy in the 1930s. I wish YouTube had existed back then. It would be something to watch one of the famous Latin American seminars with Tannenbaum, the young Morse and the anthropologist Charles Wagley, among many others. I wonder if anyone ever filmed a session. If they did, we should get it up on the Internet.

Like Tannenbaum and Wagley, Morse was awed by Latin American civilization. He recognized quickly what a different take on life it contained. In the late 1980s, he asked me to leave São Paulo, where I had married and established residence since I studied with him, and move to Washington D.C. to help him run the Latin American program at the Woodrow Wilson International Center for Scholars. I accepted the invitation. I had little idea what I was getting into, but never once questioned how much I would learn. Working with Morse was a unique opportunity for any student of Latin America, and particularly of Brazil. I lived in the basement of his house in Georgetown for a couple of months before my family arrived from Brazil. I drove his car for him, organized the office, went shopping for TV dinners at the supermarket, attended conferences and luncheons, and spent days on end producing intellectual events and invitations for speakers. Morse and I spent most of our time discussing writers and scholars and what sort of work we could support. The criterion for his evaluation was always whether or not said person or institution "got it".

I knew what this meant. "It" was the wealth of civilization below the Rio Grande. Our mission was to determine whether or not the work or person in question advanced the richness of Latin American culture, or at least our understanding of it. So we talked a lot, Morse and I. So often, in fact, that when someone asked my then three-year--old son, Lucas, what his father did for a living in Washington D.C., the answer was: "He talks to Morse".

The English language bibliography that emerged about Latin America following the Cuban revolution fared poorly. When I met Morse in 1981, he was well into a campaign to defend the region from foreign specialists.(see, for example, *Stop the Computers, I Want to Get Off!*[2]). What troubled him was that Latin America

[2] Richard Morse, "Stop the Computers, I Want to Get Off!",

was consistently looked upon as a problem, one that could be analyzed and perhaps even "solved" by "modernization" or a proper understanding of "dependency".

As a young student, in the early 1980s, it had taken me a long time to understand that Morse was never particularly concerned with the "problems" of the region. Development, corruption and poverty, to take three examples, were never high on his intellectual agenda. From the beginning, he saw Latin American culture as a solution, a creative, lively and deeply emotional answer to the most basic questions of mankind. He thought it should be understood and studied in the same fashion as ancient Greek or Roman culture, or, at the very least, United States literary, musical and intellectual traditions. He considered it presumptuous of foreigners to try and "solve" or even analyze its "deficiencies" without first understanding what it was all about.

This is why in his writings and seminars Dr. Morse put such an emphasis on intellectual history, I think, although he never said so. It did not make sense to Morse for any student of Brazil or Haiti or Mexico or Peru to start writing or teaching about those places without a broad understanding of the history of local intellectuals and artists, including Spaniards, Portuguese, Aztecs and Incas, Creole singers and poets, the whole *enchilada*, as he was fond of saying. And that, no doubt, was a central part of his peculiar contribution as a professor, a veritable guru for generations of students of Brazil and Mexico, Peru, Chile, Argentina or the Caribbean, me included.

in *New World Surroundings: Culture and Ideology in the Americas* (Baltimore: Johns Hopkins University Press, 1989).

Morse himself undertook a trip in either the late 1940s or 1950s, which is, unfortunately, undocumented, as far as I know. I can only share what he told me about it after a couple of drinks. As a young professor of Latin America, he found his own understanding of the region lacking, and so decided to explore it on his own, somewhat in the fashion of Jack Kerouac in *On the Road*, or Che Guevara in *The Motorcycle Diaries*. He began in Mexico and worked his way south along the Western part of the continent and then North from Buenos Aires through Brazil on the East Coast of South America. I cannot be certain of the details. I regret not having recorded, documented and written about this trip at the time Morse told me the story, which started at the bar and emerged in bits and pieces over time. It would be a wonderful project for a young graduate student, or writer, to undertake. But maybe it is just too late now.

He was proud to say his research method at the time consisted of asking a single simple question every time he arrived in a new city: "*Donde están los poetas?*" As he told the story, he was usually directed to a bookstore or a nightclub, a bar, or a café. This is how he became friends with Octavio Paz, Rubén Darío, Pablo Neruda, Salvador Allende and others. I'm sure there is a similar story for how he met his dear Brazilian friends Antonio Candido, Sergio Buarque de Holanda and Florestan Fernandes. He wanted to learn what all of them had to tell him about Ibero-American culture. What they thought. What he should read. Whom he should meet.

Morse concluded that the civilizations north and south of the Rio Grande are distinct, almost opposite, and this applied to his favorite country in Latin America in the 1980s: Brazil (followed closely by Haiti). So any attempt on the part of North and South to understand each other should take these differences into account, in the Morsian view. Otherwise, such comparisons would produce only static, otherwise.

These differences are the stuff of Roberto DaMatta's essay in this book, *Brazil & the United States: the Proof is in the Music.* He says: "What Donald Duck says, Joe Carioca turns into its reverse. Like heads & tails on a coin, or the shape & background in a Gestalt figure, there is between these two ways of life a strange complemental opposition."

This complementary opposition is what we are trying to understand here: how two countries on the same continent, the two largest entities in the "New World", could be both so similar and so different at the same time. In a deeply researched article, professor Antonio Pedro Tota recounts how the then wealthiest man in the world, the American Nelson Aldrich Rockefeller, became fascinated by Brazil in the years before and after World War II, and how he interpreted it and worked to develop it.

Rockefeller also shows up in Carlos Eduardo Lins da Silva's comparison of journalism in the United States and Brazil, inaugurating the first Brazilian TV broadcast, Channel 3, in São Paulo. Brazilian journalism was deeply influenced by newspapers, television and magazines in the United States. But, as Carlos is careful to point out, elaborate adaptations were always necessary, since the two cultures were so different. Barry Moreno examines this in immigration, which followed similar patterns in both countries, with similar groups, but on quite different scales. Jeffrey Lesser explains that Brazilians and Americans have different perceptions of immigrants.

Perhaps the most surprising essay in this collection is Dain Borges' *Agrarian Heritage of Urban Nations: Brazil and the United States.* Brazilians might be unsettled to learn that they invented the emotional concept of "saudade" (roughly, "pining for something far away") decades after Southerners in the United States. Many Americans will be amazed that rodeos in Brazil attracted ten times more spectators than they did in the United States in 2010.

My point is that this is the world we live in now. As the authors of this book so eloquently point out, it is a world in which Brazil and the United States are closer than they have ever been. Our differences and similarities are becoming ever more apparent as they are pushed together on different sides of the looking glass. Professor Morse would be satisfied to see that at least in intellectual terms there is now great respect for both cultures. Brazil is no longer looked at as a problem. Solutions are on the horizons of both countries.

FOREWORD

Brazil–United States Visual Heritage

João Kulcsár*

> A photograph isn't worth a thousand words, but rather a thousand questions. ALLAN SEKULA

Can photography contribute to expand knowledge about differences and similarities between two countries? Can it collaborate to the understanding of our history? Can it, furthermore, help to promote tolerance among different cultures?

Images may not have the power to argue this or that point; however, they can certainly feed us ideas, facts and intuitions about issues which are pertinent to the political and (multi)cultural scene of our time.

It was with the intention of provoking intercultural reflections that the Senac University Center, through its partnership with the United States General Consulate in São Paulo, created, in 2004, the Center for Brazil–United States Studies (Cebe). Among the various projects developed at this center, we highlight the Shared Heritage Festival (from which this book takes its name), where photography played a fundamental role in the discussion of issues of mutual interest for Brazil and the United States, such as those related to the native and Afrodescendent populations.

* João Kulcsár is currently a Professor of Photography at Senac University, in São Paulo, Brazil. He was a visiting scholar at Harvard University's Graduate School of Education (2002-2003). Kulcsár has a Master's degree in arts from the University of Kent, where he studied visual literature. He coordinates the Center for Brazil-United States Studies (Cebe) and served as curator of numerous photography exhibitions, in Brazil and abroad. Since 1990 he has been working in public and state institutions, training professors to use photographs in the classroom, using the concept of visual literacy.

Contemporary essays

To date, four editions of the Shared Heritage Festival have been held, with the participation of Brazilian and American photographers creating "crossover look" essays – that is, the photographers visited each other's countries.

The first photographic documentation was made in 2005, and its topic was the influence of African culture in Brazil and the United States. The process of the photographic exhibition went through several different moments: it began with a workshop led by Dudley M. Brooks, from *The Washington Post*, during which young people from Despertar and Meninos do Morumbi organizations, plus students from Senac São Paulo's college photography course, roamed the old streets of downtown São Paulo. Afterwards, alone, Dudley followed families in Capão Redondo, went to hip-hop concerts, *capoeira* demonstrations, visited the former Febem (currently Fundação Casa), and the Rosário Church. He also went to a *quilombo* (a retreat founded by escaped African slaves during the slavery period) in Itatiba and, in Salvador, visited families who lived on the outskirts of the city.

Denise Camargo, a photographer and teacher at Senac, went to the United States and visited, in New York, parts of Harlem, Bronx, and Brooklyn. In the latter, she visited schools and institutions, such as The Brotherhood/Sister Sol, an entity that develops programs for teenagers and children living in risky situations, and the New Amsterdam Musical Association, an important space for Black music. In New Orleans, she explored the Jazz Heritage Festival and the religious practices of voodoo.

In 2007, the festival showcased the presence of Native culture in both countries. Then it was Walter Bigbee Comanche's turn to come from the United States to record the culture of three Guarani villages: Krukutu, Tenondé Porã and Jaraguá, in the capital of São Paulo state. At the same time, Caimi Waiassé traveled to the United States and followed the daily lives of a Seminole tribe in Florida. The resulting exhibition also held photographs taken by students from Senac's college photography course, who participated, along with natives from the Tenondé Porã village, in the workshop developed by Walter. Ideti and the National Museum of the American Indian, in Washington, were our partners in this project.

The topic in 2010 was European immigration at the end of the XIX century and the marks that European cultures have left on Brazil's and the United States' demography, economy and art. This time, the partnership was with the Immigrant Memorial and the Museum of Portuguese Language, both managed by the Secretariat of Culture of São Paulo, Ellis Island Immigration Museum and CineSesc. In the photography department, Brazilian André Cypriano recorded the Irish and Italians in New York, and from the American side, Jay Colton focused on São Paulo's Portuguese and Italians.

In the fourth installment of the Shared Heritage Festival, in 2012, the focus was recent immigrations: Marlene Bergamo went to New York and followed Puerto-Rican, Nicaraguan, Honduran, Chinese and Korean families in the Bronx, Manhattan, Staten Island and Harlem, while American Tyrone Turner came to São Paulo and visited the neighborhoods of Brás, Glicério, Bom Retiro and Pari, where he documented Angolans, Bolivians, Peruvians and Koreans. Sesc São Paulo and the Immigration Museum were the partners.

Historical images

This book contemplates an important set of photographs taken during the preparation of the past four Shared Heritage Festivals. To complete this set of contemporary images, we also sought to offer the reader some historical images in the first part of the book, with the intention of contextualizing other visual heritage references. They belong to important inventories from museums such as New York's Ellis Island Immigration Museum and São Paulo's Immigration Museum.

Important photographers from the XX century and late XIX created these images:

- Russell Lee and Ben Shahn, from the Farm Security Administration (FSA), the agency created during the 1930's Great Depression by the US government and charged with the farmers' relocation. One of the originalities of this program was its photographic survey of the country's rural and urban situations. More than 160,000 photographs were taken between 1935 and 1943, creating several XX-century iconic images.
- Edward Curtis photographed about 80 Native American nations, producing more than 4,000 images from 1901 to 1930. Part of that material was reproduced in the collection *The North American Indian*, one of the most important traditional representations of Native American culture. Curtis presents a cultural life unspoiled by the devastation and forced relocations of these nations, which were so common in the beginning of the XX century. His seminal images helped to define the popular vision of Native American culture. Photographically, he absorbed much of Photo--Secession founder Alfred Stieglitz's pictorialist movement; however, most of his interpretations

were ethnographic. His photographs reflect, therefore, the photographer's extraordinary talent and his dedication to the Native American people, whose majesty he sought to preserve in his images.

- Francis Sherman worked at Ellis Island from 1905 to 1920, documenting the immigrants who arrived to the island. An average of 5,000 people were appraised daily during the immigration peaks, from 1900 to 1914, which rendered photographic sessions very difficult, as the techniques of exposure and posing conventions of the day required a considerable amount of time. His images reflect the ethnic diversity of those people. Many photographs portray people wearing elaborate traditional or folkloric attire from their countries of origin, like Romanian shepherds or circus performers from Eastern Europe.
- Marc Ferrez left one of the most important visual heritages from different landscapes in Brazilian cities. He stood out in the portrait category with his photographic records of members of the Brazilian imperial family. In a decorated photographic studio in Mato Grosso, he shot a group of Bororo Indians, composing an estranged look on the exotic and the "tamed savage".
- Madalena Schwartz, with her careful look, produced portraits of anonymous people as well as actors, writers, politicians, artists, intellectuals, and other public figures, such as Darcy Ribeiro, Chico Buarque de Holanda, Millôr, D. Hélder Câmara, Carlos Drummond de Andrade, Jânio Quadros, Mário Schenberg, Joãosinho Trinta, Lula, and Clarice Lispector.
- José Medeiros was a well-known photographer for *O Cruzeiro* magazine from 1946 to 1962. He sought naturalism in his images, which had a refined lighting composition. He stood out whether he was recording daily life or the artistic and political scenes. Following the magazine's editorial policy, in several images, he tried to point out the nationalist ideology of the period, which looked at Brazil as a country on its way to development and modernity. Later, he worked as a director of photography for important filmmakers, such as Leon Hirszman, Cacá Diegues, Sylvio Back, and Nelson Pereira dos Santos.

Photographic aesthethics

All of the contemporary photographic essays were developed from the angle of documental photography, which is characterized by research and imagery production about a specific topic. This area of photography has undergone several different phases from the beginning of its development. The eight photographers who worked on *Shared Heritage* bring influences from various periods of that genre.

Its first phase was characterized by the "construction of opinion" and by the testimonial record of reformists, among whom we could mention Jacob Riis, who, at the end of the XIX century, showed the living conditions in New York, and Lewis Hine, who ten years later photographed the families of immigrants who arrived at Ellis Island, as well as child labor.

The second period of documental photography was marked by French humanism, which brought to center stage the sense of worth of the human figure and the role of solidarity between peoples. Finally, the third phase was characterized by a hybrid language that carries influences from the former periods of the documental genre, pointing out the photographer's concerns on issues of authenticity, representation, and evidence.

The portrait was the most frequently used form in the projects. It is characterized by a series of cultural, ideological, social, and psychological traits.

Each photographer, with his particular aesthetics, had the challenge of recording closely the different topics related to the natives, Africans and other immigrants. To us, spectators, it behooves us to perceive, through the imagery, not only the others, but ourselves and the various dimensions of our common heritage, because ethnic multiplicity and miscegenation are still a defining element for both Brazil and the United States.

These pictures intend not only to present an existing reality, but to transcend and discuss issues of identity, relocation and diversity which are present in the daily landscape and that, although often apparently invisible, are still fundamental to our cultural heritage. It's up to the spectator to decide which of those influences are stronger and which ones can leave their mark, because these are some of the roles of photography: to stir us, to move us, and to provoke a reflection aiming at the creation of a more fair, tolerant, pacific and democratic world.

Brazil & United States: the Proof is in the Music

Roberto DaMatta*

The use of ampersand, the notorious "&" used by commercial firms, in lieu of the simple conjunction "and", in order to connect in parallel or in opposition the names of two countries, cultures and societies – Brazil and the United States – has a purpose. I want to show that between these two collectivities there is more than merely a simple relationship: there is a characteristic link, that reveals historical-social experiences curiously reversed and opposed, as if two authors, connected by "&", were writing the same text or thinking about the same set of topics – love, subjectivity, property, family, loneliness, birth, death, holidays, money, political parties, the supernatural, religion, law, etc. – but always in a contrary way. What Donald writes, Zé turns into reverse. Like heads & tails on a coin, or the shape & background in a Gestalt figure, there is between these two ways of life a strange complemental opposition.

A superficial reading would immediately point out conflict or superiority. When it's seen from a sociological standpoint, however, everything occurs as if the two countries were perfect examples of one of Alexis de Tocqueville's most interesting perceptions. In his classic *Democracy in America*, published in two volumes, in 1835 and 1840 respectively, he remarked that the "modern" and the "traditional" point to "two distinct human conditions, each of which has its peculiar advantages and drawbacks, its inherent goods and evils"[1] – that is, such opposition corresponds to lifestyles which go along together and should not be seen as exclusive stages of a process that would inevitably flow into a hegemonically individualistic and egalitarian "modernity" as a final stage, encompassing all human history.

Having this in mind, it was my intense experience with the United States and within the United States that led me to rethink the Brazilian system, and vice-versa. Like many other travelers, I suffered the impact of individualism and equality, and this impact brought me back to Brazil acutely aware of our acceptance and familiarity towards all kinds of inequality, which led me to think about the relationship between the two countries in several pieces of work and one book in which I pay tribute to Alexis de Tocqueville.[2] An author – it is worth remarking – not read or incorporated by the best Brazilian thinkers into their reflections about Brazil.

Through the American experience, and with the help of Louis Dumont's thinking, I learned that "modern" does not refer to a historical period, but to a system in which the part (the individual) is made more important than the whole (the ensemble of society); while "traditional" rests upon a reversed vision – although complementary to the first. And beyond that, perhaps much more importantly, people or societies – hence the importance of Tocqueville's thinking – did not end up, by these polarizing concepts, defined exclusively as modern or as traditional. Much to the contrary, societies are also both of those things at the same time, because, in all social systems, the part and the whole are complementary and tend to be recurrent. The whole needs the part as much as the part ends up by meeting the whole and settling its scores with it, as seen in the

---

* Professor of Anthropology at PUC University, Rio de Janeiro, writer, author and essayist for the newspapers *O Estado de S. Paulo* and *O Globo*.

1 Alexis de Tocqueville, *Democracy in America*, trans. Arthur Goldhammer (New York: The Library of America, 2004), p. 833.

2 Roberto DaMatta, *Tocquevilleanas: notícias da América*, (São Paulo: Rocco, 2005).

environmental movement, which brings back the planet as a whole, in a world where the national states have a history of competition for the resources of this same planet.

That said, the United States amazes me with its egalitarianism and an individualism which borders on rejecting reciprocity and family relationships, emphasizing much more the marital ties; while Brazil frightens me with the endurance of its hierarchies and its emphasis on filiation and hereditary ties. In the United States, I once again remember Tocqueville:

> Equality fosters in each individual the desire to judge everything for himself. It inspires in him a taste for the tangible and the real in all things as well as contempt for traditions and forms.[3]

In the first place, such an attitude promoted the United States' wars against England, which formed the American national identity, following the style of revolutionary France; and then the Civil War that consolidated its egalitarian way of life, putting an end to slavery, but, on the other hand, originating the segregation which led to racial hatred against Blacks. In Brazil, conversely, all the transitions have been gradual (it took us 60 years to end slavery), giving the impression that rules aren't broken but bent, stretched and never followed whenever a debt of friendship, camaraderie or family ties is invoked, in addition to the countless exceptions in the legal system, all favoring those who have power in the state and government.

Emphasizing the paradoxical link between these two countries located in the New World was part of the way I found to express, through social anthropology, my experience as a born and bred Brazilian along with my experience in the United States of America. But I should begin by pointing out that Brazil is a stage which I have internalized because I entered its drama when I was born, in a relationship without any choice. Brazil is inside me (as I am equally inside it) in such a way that I cannot take it out of my being, which was shaped by it and which, therefore, belongs to it and certainly helps defining it. To me, Brazil is a set of ideals and "natural" feelings inscribed, like Rousseau used to say, in my heart. The United States, on the other hand, was learned by choice, from the outside in. First, through English lessons whose grammatical rules and vocabulary anticipated behaviors and norms written on paper, situations, people, feelings and errors; then, trying to live as a Brazilian amidst Americans; and finally, throughout my life, by means of the vision of the culture manufactured by Hollywood cinema, from which I have received (along with the generation born in the 1930s) much of my sentimental education.

Brazil & United States

When I first set foot on American soil, in September 1963, tasting its reality in the flesh in Cambridge, Massachusetts, at a Harvard made of grandiose austerity, a young mentor, Dr. Richard Moneygrand, lecturer at the then--famous Department of Social Relations and a great connoisseur of Brazil, told me the following: "Be here what you're not in Brazil! Whatever the situation, do always the opposite of what your heart's impulse or etiquette recommend!" Almost unequivocally I have, for obvious reasons, forgotten that wise piece of advice.

But I have kept his recommendation. The similarities and contrasts between Brazil and the United States have been fundamental to my work as a researcher interested in national rites such as Brazilian Carnival (a celebration of pleasure) and

[3] Alexis de Tocqueville, *Democracy in America*, cit., p. 522.

American Thanksgiving (a ritual of gratefulness or, as Sir James George Frazer would say, of the first fruits); between the mythologies which underlie and govern the United States and Brazil ("foundation" and "discovery", respectively); finally, between these two countries' lifestyles and social practices. I want to review here some of those attitudes, which, from a concrete point of view, make the American experience difficult, if not impossible, for a Brazilian (when, for instance, he understands that "no way!" is an absolute prohibition); and, conversely, render complex and confusing the Brazilian experience for an American (when he understands that only death cannot be remedied and that there is a personal and legal way to fix anything!). The only problem is, Americans have the Calvinist temptation of correctness (which is surely a constituent part of their behavior), and Brazilians' lack of self--esteem almost always leads them to negative comparisons, in which the United States is always read as advanced and Brazil as an example of total backwardness, as we all are a little sick and tired of knowing.

Only over the last ten years, after the Real Economic Plan in Brazil and the American and European financial collapses, has such a general attitude changed, but it still operates with the momentum which characterizes the ideologies or, if you will, the "superstructures" that remain alive even when the real world that has generated them renders them obsolete.

Consider, for starters, our tolerance of poverty and, by extension, the familiar way we treat subordinates who, to many of us, are only *socially* inferior. To Americans, according to a perspective of society in which equality is taken seriously as a constitutive value of its structure, the various Brazilian forms of hierarchization and social differentiation are absurd, reveal our indifference towards "slums" and "poverty", and at the same time hinder our dealings with our ubiquitous and indispensable domestic help. To us, poverty is a fact of life of the biblical kind, which will never go away; but to an American, poverty is a mistake and a flaw that can be corrected.

Let us think a bit more about the contrasts.

A Brazilian – trained to be waited on hand and foot by his mommy, his wife and housemaids during his whole life – cannot feel comfortable in an American self-service diner; the same way that an American is embarrassed to be formally waited upon at a Brazilian table, and discovers he does not use the utensils like his hosts: knife in the right hand, fork in the left – in the best European style. Besides, there is a noticeable discomfort in being waited on by the help, while we are left high and dry if we need to iron our own shirts.

The intimacy, intensity and apparent absence of limits in interpersonal ties upset Americans, and the distance in social relationships likewise upsets Brazilians. Hence our difficulty in following impersonal rules and living in utter anonymity. As I stated in an essay published in 1979, we are formed by the potential aristocracy of the "do you know who you're talking to?", while Americans level the field all the time, repeating as a reprimand their established "Who do you think you are?" to anyone who thinks he can do what is forbidden by rules or laws, and that no one – not even the president – can do.

"*Fire drill!*", said a colleague, peering casually inside my office door at Decio Hall, Notre Dame University, where I taught from 1987 until 2004. I got up, heard the siren that announced the drill, saw people leaving the building, but I decided to go back in and close my office door, because I did not believe that people took that drill seriously, considering there was no fire anywhere. Besides,

I was a teacher, and teachers should not count. I completely forgot the advice from my friend Moneygrand.

A few minutes later, someone knocked loudly on my door. I told the visitor to come in, and was startled to face a giant policeman in impeccable uniform and Batman-style utility belt. The policeman, with a straight face, sized me up as if I was an ET and ordered me to leave the building immediately, to which I complied without a peep. Downstairs, I joined a small crowd which chatted cheerfully outside the building watched by the policemen until the end of the drill.

I have never disobeyed a fire drill alarm again.

Rules are made to be followed, and therefore they should be reasonable, expressing common sense and usefulness.

The positive relationship with the law avoids the creation of unnecessary illegalities, as is the case in Brazil, where a game of chance invented by a baron at the end of the 19th century, in which numbers are ingeniously humanized through their equivalence to a list of animals – the famous "jogo do bicho" [animal game] – is culturally approved, but regarded by the law as a misdemeanor. A minor crime, but a crime, which goes against the bias of the modern world that, as it is shown by – among others – Albert Hirschman, has turned sin and passion into legitimate interests.

Here is an anecdote an American, accused of being a rule-follower, told me in the United States:

> Several castaways are shipwrecked. One of them says to another:
> 'Wanna bet how I can make everyone jump in the sea?'
> His colleague obviously doubts that. A bet of a few million in the event they would be rescued forces him to prove the strength of his idea.
> The player tells a British castaway: '*Tradition* demands you to jump!'
> After thinking for a while, the Englishman jumps in the sea.
> In the case of the Frenchman, the appeal is to *fashion*. To a German he says: 'These are *the Chief's orders*!'; and to a Soviet he invokes *socialism*, which makes the selflessness of its spirit defeat selfishness. They all hesitate for a second, but then jump in the water.
> An American and a Brazilian remain.
> 'If you jump, your wife will get two million dollars in insurance', says the bettor to the American, who jumps immediately.
> Then he looks at the Brazilian and says, very seriously: 'Did you know there's a *law* that forbids abandoning a ship?'. He barely finishes the sentence, and our countryman is already amidst the waves...

The anecdote points to the Brazilian discomfort towards rules which equalize them, as in traffic. That was the theme of my last book – *Fé em Deus e pé na tábua* [Faith in God and Pedal to the Metal] (2011) –, an essay about the way Brazilians go crazy in situations and under laws which irrevocably equalize them, while they get happy in contexts in which the owner, the boss or the superior is visible – something which is impossible to distinguish in any busy city streets or avenues. The American case is exactly the opposite. Watch how the criminal smiles after a kidnapping as he runs to his car, turns the engine on and simultaneously fastens (following the law!) his seatbelt.

I could go on and lengthen the list, showing such opposites in almost every one of the two societies' many domains. To be all by yourself is a sin in Brazil, but normal and healthy in America; here, dissent is a sign of rudeness, there, of positive critique; nothing is borrowed and no one asks for directions on the streets when there are maps and GPS available, in the United States where spacial coordinates are not given by particular signs (like "turn left when you see a green house"), but in numbers and cardinal points ("head north for three miles until you find 23rd Street..."); you are not required, as we are, to acknowledge the presence of your work buddies every single time you see them, which led me to think, many times, that my colleagues down the hall were rude or, even worse, very rude.

And to put an end to a long list, we need to remember that the formation of the American territory occurs side by side with its Protestant, libertarian, egalitarian and individualistic affirmation, in stages and through negotiations and struggles. Our territory was given us once and for all, since the Treaty of Tordesillas, signed in the Spanish town of that name on June 7, 1494, divided the world in two halves: a Portuguese half and a Spanish half. Brazil, therefore, was born with its territory practically ready to be pillaged by the Portuguese, who ventured over here in hopes of going back wealthy to Portugal. In America, on the other hand – no reason not to recall the old opposition already staged with classic luster by Sérgio Buarque de Holanda and retold by Vianna Moog –, Puritans came to stay and to build a city on a mountain top there – a new Jerusalem that ended up becoming the *New England*, cradle to its industrial capitalism. On one side, eternal frontiers; on the other, zones to be occupied, places to be tamed, preyed upon and taken. In the United States, the "new", added to a world which Tocqueville was the first to perceive as made by equals; here, the ongoing re-creation of the old, in governments of all hues, which define society outside the individual and are convinced that the world can only be changed by decree. This is why *legal*, in Portuguese, means both "nice" and "legal".

Images of Brazil and the United States in Popular Music

To avoid having only the pie and not giving the reader the chance of tasting it, I offer an analysis of the differences between Brazil and the United States based on popular music. It consists of a study published as a chapter in a book whose purpose was exactly to compare both countries, entitled *Tocquevilleanas: Notícias da América* [Tocquevilleanas: News from America], and as an essay for the newspaper *O Estado de S. Paulo*. May I be forgiven for this repetition, and allowed to remind you that repetitions are what underline differences, providing the rhythm of life and death.

Frank Sinatra's voice inspires this commentary. That Italian-American voice which dramatizes – by contrast to Bing Crosby's Irish and cool style – love defined as frivolous (*it was just one of those things*), tragic (*don't know why there is no sun up in the sky*), a delicate prayer (*there's a somebody I'm longing to see*), faithful (*I'll be loving you, always*), magic (*do that voodoo that you do so well*), sensual (*I've got you under my skin*) and purely sexual (*let's do it, let's fall in love...)*.

A love that wore as many faces as there were ethnic groups in America and, amidst an impetuous individualism which separated everything by means of territory – that is, systematically, digitally and cartographically (not allowing the remedy of mixing), left its mark.

In 1945, Sinatra celebrated the end of World War II recording one of the few songs that talk about the United States as a subject. The song is *The House I Live In (That is America to Me)*, written in 1945 by Earl Robinson and Lewis Allan[4]. What especially draws our attention to this song is the set of images of "modern" content which answer to its chorus and to the starting question: *What is America to me*?

Well, says the song, which I quote liberally, America is a name, a map and a flag. It is a certain word: democracy. That's America to me.

Then, as the song unfolds, other elements appear. America is also a plot of earth, the street, the grocer and the butcher, the people, the children in the playground and all races and religions. It is the place I work in and also the worker by my side. It is the little town, the city, the air of feeling free and the right to speak your mind out. That's America to me. And more: America is also the big things and the small: the corner newsstand and the house a mile tall, the wedding in the churchyard, the laughter and the tears, a garden all in bloom, the dream that's been a-growing and especially the people. That's America to me...

I am intrigued by this description of a society by means of modern symbols. America is not a land of Santa Cruz [Holy Cross] (blessed by the Catholic Church); it is, above all, a sovereign and free territory. It is also capitalistic activity and information: it is private property, housing, trade, money, newspapers, work, gigantism and technology, but without losing sight of the daily life which levels the field for everyone: the gardens, the laughter and the tears – the dream that grows integrating the contradictions between freedom and equality.

Dominating it all, the concept which illuminates the lyrics, and also represents a new or modern tradition, is sung: America, as a culture or as a society, is, above all, a collectivity permanently constructed by its citizens. It is not a Holy Empire or a kingdom by divine right; nor a production system where everyone is eternally poor or very rich. It is a political system – a democracy that is made and remade in big and small things.

What a contrast such an America, defined by modern citizenship, when compared to Jorge Ben Jor's *País Tropical* [Tropical Country] and especially to the country portrayed in 1939 by Ary Barroso's *Aquarela do Brasil*. Songs in which Brazil isn't defined by its citizens' actions, by public spaces and universal political creeds, but rather by its unique nature (or geography) and, more than that, by the experience provided by such nature, which is read as lush, abundant, beautiful, generous, inviting and seductive.

That is a surprisingly totalizing and ecological view, in which the geography – the rivers, seas, skies and forests – is also part of the world. Better yet, the stage is taken as the center of the world. A vision that becomes more and more present in our cosmovision immersed in the personal and collective individualism which has been the center and lever of modern countries, as the music that defines America demonstrates.

Both Ary Barroso and Jorge Ben Jor refer, as Antonil, in a 1711 text, and Gonçalves Dias in his famous poem *Canção do Exílio* [Exile Song], from 1843, did before them – just to mention certainly the most famous examples –, to a definitive scenario in the construction of a national identity.

Under such perspective, to talk about Brazil is to talk about the singing of its birds, the beauty of its nights, skies, stars and palm trees. Concrete, impositive and categorical nature, not social

[4] Pseudonym of the famous poet, elementary teacher and Communist Party USA member Abel Meeropol, who also wrote the famous anti-lynching song, forerunner of the civil rights movement in the United States, *Strange Fruit*, recorded by Billie Holiday in 1939.

institutions, is the key to this more inclusive and particularistic and, as we are learning every day, more necessary view.

In summary, I would say that in order to be an American it is enough to accept a set of written and consciously agreed-upon rules which may change over time. But in order to be a Brazilian it is necessary to accept and admire never-changing landscapes and, besides that, to dance the samba, to shake your hips, to mix, to drink, to sleep and to sing.

In our case, the key verb is *to be*, and with that, to be bonded with our landscapes and our unique nature. In the American case, the key is *to belong*. An overstatement? Without a doubt, but isn't that exactly what these songs express?

Appendix

The House I Live In (That is America to Me)

Earl Robinson and Lewis Allan (Abel Meeropol) – 1945.

What is America to me?
A name, a map, or a flag I see
A certain word, democracy
What is America to me?

The house I live in
A plot of earth, the street
The grocer and the butcher
And the people that I meet

The children in the playground
The faces that I see
All races and religions
That's America to me

The place I work in
The worker at my side
The little town or city
Where my people lived and died

The howdy and the handshake
The air of feeling free
And the right to speak my mind out
That's America to me

The things I see about me
The big things and the small
The little corner newsstand
And the house a mile tall

The wedding in the churchyard
The laughter and the tears
And the dream that's been a-growing
For a hundred and fifty years
The town I live in
The street, the house, the room
The pavement of the city
Or a garden all in bloom

The church, the school, the clubhouse
The million lights I see
But especially the people
That's America to me

Aquarela Brasileira

Ary Barroso – 1939.

Brasil, meu Brasil brasileiro
Meu mulato inzoneiro
Vou cantar-te nos meus versos:
O Brasil samba que dá
Bamboleio que faz gingar
O Brasil do meu amor
Terra de Nosso Senhor
Brasil, Brasil, pra mim, pra mim

Oh, abre a cortina do passado
Tira a mãe preta do cerrado
Bota o rei congo no congado
Brasil, Brasil

Deixa cantar de novo o trovador
À merencória luz da lua
Toda a canção do meu amor
Quero ver essa dona caminhando
Pelos salões arrastando
O seu vestido rendado
Brasil, Brasil, pra mim, pra mim

Brasil
Terra boa e gostosa
Da morena sestrosa
De olhar indiscreto
O Brasil verde que dá
Para o mundo se admirar
O Brasil do meu amor
Terra de Nosso Senhor
Brasil, Brasil, pra mim, pra mim

Oh, esse coqueiro que dá coco
Onde eu amarro a minha rede
Nas noites claras de luar
Brasil... Brasil

Oh, ouve essas fontes murmurantes
Onde eu mato a minha sede
E onde a lua vem brincar
Oh, esse Brasil lindo e trigueiro
É o meu Brasil brasileiro
Terra de samba e de pandeiro
Brasil, Brasil, pra mim, pra mim

Agrarian Heritage of Urban Nations – Brazil and the United States

Dain Borges*

Foreword

When people in the United States imagine rural Brazil – if they picture anything –, they see the Amazon and its feathered Indians and burning forests that can be seen from outer space at night. When people in Brazil imagine rural United States, they can vividly picture the Hollywood Far West of cowboys and Indians, and perhaps a pioneer bonnet in a covered wagon. Myths travel. The biggest rodeo in Brazil, the Festa do Peão de Boiadeiro of Barretos, was founded in 1955 by men who had really lived with horses and cattle ranching. They had also seen plenty of Hollywood westerns. By 1990 the Barretos rodeo was bigger than Rio de Janeiro's Carnival and many other rodeos were going strong. By 2001 the government had issued a law licensing rodeo riders as professional athletes. Indeed, rodeos in Brazil have quickly grown to be as big as soccer: each sold about 24 million tickets in 2000. And rodeos in the United States remain just as small as soccer: only 2.5 million attended either rodeos or professional soccer games in 2010.

Perhaps rodeos have been embraced and reinvented by Brazilians because the American sport fits their shared frontier heritage, their agrarian ways of life – or their idealized fantasy of the glorious independence of that way of life. Both Brazil and the United States today are urban societies with large, mechanized agribusiness and vast regions of rural unemployment and poverty. Both developed from slave societies and frontier societies of the Americas, and share the heritage of small farming and ranching that still defines a certain nostalgic utopia of authenticity and hard--suffering independence. Country music speaks to their hearts: Billy Ray Cyrus's *Achy Breaky Heart* becomes Chitãozinho and Xororó's *Pura emoção* [Pure emotion].

Neither Brazil nor the United States started out to be that way. European colonial settlement did not aim at small farming, but at lucrative trades. In a first phase, French and Portuguese spread along the Brazilian shorelines to trade fish hooks for precious logs of brazilwood. French, English, Dutch, and Iroquois traders followed the ever-dwindling supply of beaver fur up rivers and along lakes, deep into the North American continent. In both places, every trader and explorer was looking for silver mines that they never found.

In a second phase, the leading Portuguese settlers in Brazil invented the slave plantation, growing and milling sugar cane, using first Indian and then African slave labor. Small farms grew up as an inevitable auxiliary to the sugar plantations. Unlike Spanish Mexico and Peru, Portuguese colonists in Brazil found no peasant towns in place ready to be taxed and to sell food. Reluctantly they began to grow their own. In the tropical soils of Brazil, they adapted almost entirely to Indian methods. Portuguese olives, chestnuts, and grapevines could not be transplanted; wheat and barley didn't prosper. Cattle thrived on a new range, but no one can live on beef alone. So the Portuguese learned Tupi methods of toppling trees and burning the bush, then planting corn and

---

* Dain Borges works on nineteenth and twentieth--century Latin American culture and ideas. His current research project, *Races, Crowds, and Souls in Brazilian Social Thought, 1880-1920*, centers on the ways in which Brazilian intellectuals used race sociology and social psychology to understand popular religion and politics. He teaches seminars and courses on Latin American History, Comparative Nineteenth-Century Transformations, Ideologies of National Identity and Culture in the African Diaspora.

manioc fields among the charred trunks. Many of the Portuguese arrived as single men and took Tupi wives. In some towns further inland, almost all women were Tupi or their mestizo Portuguese-speaking daughters. Small farming was not only for food. Sugar milling had great economies of scale; its farming, however, almost none. A class of small and medium farmers subordinate to sugarcane farming formed alongside the big business of sugar milling, on land rented from the sugar lords who had gotten almost boundless land grants.

The Brazilian plantation system passed to British North America by way of Dutch merchants in the Caribbean. Dutch companies had captured Portuguese trading posts in Africa and had occupied the rich sugar province of Pernambuco for a generation, where they had learned the Brazilian technologies of sugar milling. When they were expelled, they sold African slaves and taught these techniques to Barbados planters. From there, African slavery spread throughout the English colonies, especially to the Carolinas and the Virginia tobacco fields. In both Brazil and the United States, slave-owning plantations tended to be smaller than in the Caribbean. Everywhere, medium and small farmers could grow tobacco or sugar cane at a competitive economy of scale. Slavery became a part of small farming: even small farms growing food crops to sell to plantations might have two or three African slaves.

Small farming and the self-sufficient family farm were more salient in North America, even turned into a utopia. In the Puritan colonies of New England and all along the North American coast, free settlers arrived to become independent small farmers, many of them working temporarily as indentured servants to pay for their passage. The temperate climate of North America made the reproduction of the European way of life easier: farmers could plow, apple trees would flower, wheat and barley did prosper. They took some crops, like corn and turkey, and techniques from the Indians, but intermarriage and co-residence with Indians was rare. As epidemics decimated Indian populations of the Americas, North America was repopulated less by Africans than by migrations of poor men and women from Scotland and Germany looking for cheap land and few obligations. For them, frontier Pennsylvania was "the best poor man's country in the world". Perhaps their outlook and ambitions were not the biggest, but they could agree that an ideal in life was to hold enough land for a "competency", not just enough property for a whole family's independent, secure subsistence, but also, on top of that, a chance to market produce or find work.

The great wave of migration to Brazil occurred during the 1700–1750 gold rush. The fifty-year gold boom in Minas Gerais nearly doubled the world's supply of gold, attracted many young adventurers from tiny Portugal, and purchased hundreds of thousands of young slaves from Angola. A few succeeded as gold miners; most ended up in the supply chains of the rich district. Demand from the scattered mines stimulated markets in food, mules, hardware, and cloth throughout South America. As gold and diamond output faded, it began to make frontiers. The receding boom left behind a large population settled far inland, over the coastal mountain ranges, ready to take advantage of opportunities. From the gold fields, rivers, and mule-train roads that served them, poor Brazilians tried their luck following captains willing to fight Indians in order to lay claim to fresh land.

This trend continued in both Brazil and the United States after independence. The long XIX century was characterized by westward movement. Settlers moved away from the Atlantic seaboard, or even migrated from Europe, toward cheaper and less populated land that could be taken from Indians.

In the United States, the post-1815 cotton boom in the New South and the 1849 California gold rush pulled people westward toward the Indian frontiers. For the sake of national sovereignty, territorial wars (against Mexico, against the Comanche and Apache) and small--scale Indian fighting were mixed up with public land auctions in the legends of Daniel Boone, the crafty frontiersman, Independence general and land speculator, and Davy Crockett, who died fighting for a slave frontier at the Texas Alamo.

Thomas Jefferson thought that small farmers would constitute a virtuous republic, an "empire of liberty". He and his Republican party backed this with big acts such as the Louisiana Purchase and laws designed to help settlers legalize both large, speculative land claims and small family homesteads. Early moves along the northeastern frontiers allowed the replication of small farming in the style of Pennsylvania and New England. As settlement pushed west of the Mississippi, farming required adaptation to dry grasslands, to hard, cold sod that required special plows, even to deserts. In the agrarian West, giant ranches and plantations became dominant. Americans learned to be cowboys from Mexican *vaqueros*, adapting Iberian styles of cattle raising that had earlier been used in Brazil.

In Brazil, the inland movement was less dramatic and almost unchronicled. As in the United States, settlement often started when a band of relatives followed a wealthy, entrepreneurial Indian fighter. If he then managed to swing a big land grant, he gave, or rented, or sold ranches and farms to his followers. As in the southern states in the USA, these free settlers brought their slaves with them; the chief often brought dozens or hundreds. In the Northeast of Brazil, thousands of settlers moved onto the semi-arid zone of *agreste* land, sandwiched between the interior desert and the humid coastal zone dominated by sugar plantations. Those who pushed into drier land often worked as cowboys; on the grass plains of the south of Brazil, they lived and looked much like the *gauchos* of Argentina's pampas. Cattle hides and cotton became the characteristic simple man's crops of the Brazilian interior.

The Brazilian government did little or nothing for these settlers, but it tried all sorts of experiments to create European immigrant settlements. The small farmer settlements of the United States had included new European immigrants since the XVIII century, and during the westward frontier movement of the XIX century, many more came. When the leaders of Brazil thought of immigration and settlement, they fantasized importing thrifty Swiss farmers or subservient Chinese coolies. Their recruitment mostly failed until the end of slavery. Abolition in 1888 and a federalist unclaimed land policy finally made Brazil attractive and opened its gates. The southern states of Brazil– Paraná, Santa Catarina, and Rio Grande do Sul – undertook very successful systems of awarding railroad companies and land speculation companies huge concessions of Atlantic Forest land to subdivide and sell to immigrant "colonies" of German, Italian, and Polish settlers. These settlements in the forest could farm in semi-temperate climates with crops and methods not much different from those in Europe and the United States. The colonies started out lonely and isolated: "In the first year all the children died". By taste and by force of circumstances, they remained enclaves, with a Bavarian Catholic priest or a Lutheran pastor sent by missions from the old country, a school in their own language, and deals with merchants of their own nationality. These Brazilian settlements were very much like the German and Scandinavian enclaves in Wisconsin or Missouri, with the key difference that they were surrounded by a much less organized society and less dynamic economy. They stood out more from the frontier society around them.

Indeed, the greatest difference between the agrarian United States and agrarian Brazil was the much denser American institutional context. Slavery does not explain their differences. If we compare the South of the United States to Brazil, the plantation and slavery prevailed in both societies. And alongside the plantation there were small farmers who owned just a few slaves, even just one slave. But the countryside of the slave states of the American South just before the Civil War had plenty of prosperous market towns and small cities, governed democratically and full of voluntary associations. One third of the nation's 300 state banks were located in the South. Southern frontiers and towns were linked by more than 2,000 miles of railroad tracks in 1848, before Brazil had yet opened its first rail line (1854). The public school movement had spread among the free population, and 80% of southern whites were literate, while literacy among the Brazilian free people was no more than 20%. Evangelical churches emphasized Bible reading and self-reliance; the South had dozens of colleges and led the nation in the rate of college education, while Brazil had only a handful of official professional academies. When intransigent ex-Confederates took exile in Brazil after the Civil War, they marveled at the land but missed the civic life of the South; many of them soon migrated from their Confederado settlements in rural São Paulo to the cities.

In Brazil, both European immigrants and native-born small farmers lived in much more improvised circumstances. Because of old practices of defining land grants as 'extending back from river or road frontage until it meets the lands of my neighbors', a lack of professional land surveyors, and the high cost of registering occupation of public lands, almost everyone had cleared, inherited, or bought a contestable farm. No one could feel secure without nearby kin and a nearby patron. Small farmers depended on the backing of the political bosses of their neighborhood, and in a way the landowners also needed them. Big landowners liked to assign tenants to plots at the boundaries of their claim, putting a sort of living fence between them and the next landlord. When they freed slaves, they assigned them a plot to farm on the fringes of their plantation.

Small farmers were required to enroll in the National Guard militia, and they were expected to vote with their kinsmen and patron on elections. Besides their patron, small farmers also gravitated to the parish priest, or to an itinerant mission priest in remote places. On market days, they met other figures of influence and authority: the county tax collector, the traveling singer, a miraculous healer, mule train bosses, peddlers, merchants. After 1850, provincial governments established more schools, and most county seats had an appointed schoolmaster. But the Brazilian countryside remained primarily illiterate, swayed by rumor and poetry, characterized by personal relations with strong men rather than by institutional power.

The politics of frontier farmers in the United States was partly an organized reaction to that modernized, thickening institutional environment, particularly to the growth of railroads, bank credit, and the national market in low-priced, standardized commodities. Jacksonian democracy had effectively enfranchised them since the 1830s, and the Democratic and Republican parties organized great whiskey parties on Election Day. The Granger movement of small-town farmers' clubs had protested railway freight charges and organized buying cooperatives since 1867. Distressed farmers who had bought land from the railway concessions in the dry Midwest prairies formed Farmers' Alliances in the 1880s to protest low prices and expensive credit. They assembled the independent People's Party in 1892 and merged into the anti-elite, anti-bank campaign of the Democratic Party in 1896. Whether Populism was progressive or reactionary, in the South it was a white farmer's movement, not always separate from reactionary racist movements such as the Ku Klux Klan. Black freedmen had briefly benefitted from post-Civil War Reconstruction policies, but by 1890 they were again confined in peonage, segregated through Jim Crow Laws, and disenfranchisement.

American rural households were also swept up into national military mobilizations. In the United States the issue of free soil frontiers led to the horrible Civil War of 1862–1865, which drafted and destroyed large proportions of the rural male population, yet left them after the war with pension claims on the government. Again and again, great wars drafted farm boys, trained them, sent them abroad and returned them. After World War I, a song asked, "How 'ya gonna keep 'em down on the farm, after they've seen Paree? [...] They'll never want to see a rake or plow, and who the deuce can parley-vous a cow?"[1] Each wave of military mobilization contributed to a growing sense of citizenship and entitlement.

Yet wars could have the opposite effect. Brazil's single great international war, the Paraguayan War of 1865–1870, also transformed politics by the way it reached into the rural population – even Indian mission villages and the slave quarters of the plantations – in order to recruit soldiers for a distant front. This heavy recruitment broke the back of everyday politics in the countryside. Tenant farmers and even independent small landowners had voted with the county bosses and in return expected the bosses to exempt their sons from the regular Army. During the Paraguayan War, the National Guard was called up and Army recruitment reached even the respectable peasants; inability to protect their followers discredited many patrons.

After the war, Brazilian farmers rioted and rebelled to be left alone. The 1874 Quebra-Quilos, a set of tax riots in which farmers marched into the marketplace to beat up tax collectors and smash the new metric kilogram weights, and the 1875 Rasga-Listas, riots in which women tore up the enrollment lists at new draft boards, persuaded the government to back off reforms that reached into the countryside. But agrarian political initiative stopped there. Repression of the Quebra-Quilos revolts was fierce, and coincidentally the 1873 Depression's slump in cotton prices and the Great Drought of 1877–1879 undermined the cash crop base of small agriculture. The great abolitionist movement of the 1880s found small farmers ambivalent. Most of them were descended from freed African and Indian slaves, tolerated *quilombos* (runaway slave camps) as neighbors, and feared being re-enslaved or slipping into subjection close to it. Yet half of them owned one or two slaves, a big stake in slavery. Farmers took no big role in Abolitionism until its very end. Around the same time, they were effectively disenfranchised by new literacy requirements. Until the rural labor movements of the 1920s and

[1] "How 'Ya Gonna Keep 'em Down on the Farm (After They've Seen Paree?)", lyrics by Joe Young and Sam Lewis, music by Walter Donaldson, 1919. Cf. Jack Burton, "Walter Donaldson", in *The Billboard*, 61(33), Aug. 13, 1949, p. 36.

1930s, Brazilian country people were effectively subordinated by county bossism or alienated from formal politics.

Two millenarian rebellions, the Canudos rebellion of 1896–1897 and the Contestado rebellion of 1912–1916, gave city people the measure of anger and alienation in the countryside. The Contestado could be described as a protest of squatters and small farmers against their dispossession by a railroad line; but the form it took was a prophetic movement in which the rebel cavalry fought the Army and Air Force wearing the costume of Charlemagne's Peers of France against the Moors. Canudos was even more of an enigma. Hopeful people had flocked to a new city in the desert built by a messiah, Antônio the Counselor. He clearly preached against the Republic's required civil marriage; like many he was nostalgic for the Emperor, and he also joined market tax protests. But was there something more? When police intervention escalated into a war, thousands of "fanatics" fought to the death rather than surrender.

A young military engineer, Euclides da Cunha, wrote an anguished history of Canudos, *Rebellion in the Backlands* (1902). Echoes of his dichotomies still define the countryside for Brazilian nationalists: backland rebels were superstitious and primitive, yet they were also Brazil's authentic bedrock, its energy. They had showed that coastal civilization was superficial and sickly. Da Cunha's *Backlands* seems to define a dualized and polarized Brazil, but the comparable conflicts around the same time in the United States, such as the 1890 Wounded Knee Massacre and the 1914 Ludlow Massacre, inspired no equivalent introspection. Instead, the United States got its Frontier Thesis, by Frederick Jackson Turner, first published in a paper in 1893, saying that Americans had progressively sloughed off the ways of Old Europe as settlers expanded westward onto increasingly egalitarian and democratic, even lawless, frontiers. These elegies for agrarian virtues are still with us.

Turner's frontier was a look backward from the city at a vanishing countryside. According to the U.S. Census Bureau, 1890 had marked the closing of the American frontier. In 1889 the indigenous territories of Oklahoma were opened to homesteading, dispossessing Indian nations and redistributing to mostly white settlers. The Oklahoma land rush was one of the last times the Homestead Act system formed small farms.[2] After 1900, U.S. homesteaders were often front men for land companies trying to aggregate timber and water rights: if the homestead law required a 12 by 14 house, they would build one 12 by 14 inches. A handful of people still tried to homestead at ever more miserable and risky margins. Homesteading was extended to the Alaska territories in 1898, and was spurred by the Yukon gold rush and World War II highways; but only 3,500 Alaska homesteaders had filed claims by the end of the program in 1986.

In the XX century, industrialization and mechanization of agriculture contributed to further erosion of utopias of agrarian autonomy. The United States population was already 24% urban in 1890, at least 50% by 1930. The absolute number of farms, ranches, and plantations continued to grow, until it peaked in 1930. But cities grew faster. And if urbanization is defined as *social*, that is, as the extension of urban standards and institutions into rural life, then the agrarian way of life had almost merged with urban standards, since the first Sears mail order

[2] Paul W. Gates, "The Homestead Act: Free Land Policy in Operation, 1852–1935", in Howard W. Ottoson (ed.), *Land Use Policy in the United States* (Washington: Beard Books, 2001), pp. 28-46.

catalogue of 1894 until the Great Depression of 1930.

Migration from farm life became more and more common. The 1910-1945 Great Migration of millions of black Americans fleeing from wretched conditions of oppression in the South to northern cities such as Chicago and Detroit was the most visible, because it met direct racist opposition. When the Great Depression farm bankruptcies of the 1930s coincided with the Dust Bowl droughts, millions of white "Okies" and "Arkies" migrated to the estates and cities of California. The Depression hit hardest the hundreds of thousands of Mexicans, including American citizens, who were forcibly deported by local police forces. Farm relief programs – debt relief, protective tariffs, crop price support –, that had been proposed by farmers' organizations with each business cycle since 1873, became thoroughly institutionalized with the New Deal programs. The Soil Erosion Service, the Federal Surplus Relief Corporation, the Drought Relief Service, and the Civilian Conservation Corps were all established as stopgaps. They became transformative reforms, making agriculture a highly subsidized, state-regulated sector.

American urban anthems of agrarian nostalgia are at least as old as Stephen Foster's sentimental minstrel songs, such as *My Old Kentucky Home*, composed in the 1850s. Brazilians think they invented *saudade*, but they invented it much later, in songs like Catulo da Paixão Cearense's *Luar do Sertão*, of 1914. In the United States, the sarcastic banjo laments of American folk music and the radical anthem of the Depression *This Land Is Your Land* eventually crystallized into the routine self-pity of country music: "What do you get if you play a country-western record backwards? First you get out of jail; then you get your dog back, you get your wife back, you get your truck back, you get your job back, and you stop drinking." In Brazil, the strong note of agrarian music has been the optimism of the migrant: Luiz Gonzaga's 1952 *Pau de Arara*, about making the trip from farm to city in the back of a truck, when "luggage was a sack and the padlock was a knot".

In Brazil, for better or for worse, the backwardness of commercial agriculture had spared family farmers some direct competitive pressure from mechanized, capital-intensive agribusiness. There were plenty of ox carts but only 1,200 tractors in the nation in 1920, and not very many plows. Brazilian sugar refining and cane farming had fallen far behind industry leaders such as the dynamic Cuban sugar industry; Brazilian rubber gathering was priced out of world markets after the rationalized British Malaysian rubber plantations opened in 1910; Brazilian jerky and wheat from Rio Grande do Sul could barely compete with imports from neighboring Uruguay and Argentina. The pressure on small farmers was the threat that they would be reduced to peonage by big landlords trying to squeeze profit from their uncompetitive plantations.

Two commercial crops were fully competitive, and both of them had some room for small producers. Cocoa in southern Bahia had started as a very successful homesteading frontier in the 1890s, but a process of violent land usurpation and buyouts had consolidated most of those small farms into plantations by 1910.[3] Brazilian coffee production in São Paulo dominated the world market, so much so that it made sense for the government to buy up surplus and hold it off the market to support world coffee prices. It may be that, like cocoa, the coffee boom was sustained

[3] Jorge Amado, in the novel *Terras do Sem-Fim* [*The Violent Land*], tells through fiction the fight among landowners and the arrival of immigrants looking for better opportunities in the chapter "Gestação de cidades" [City birth], in Jorge Amado, *Terras do Sem Fim*. pp. 136–139.

by small producers. Many of the giant São Paulo coffee plantations functioned on a sort of contract farming system, allocating plots to Italian immigrant families, lending them company-owned houses, letting them intercrop food and cash crops between the rows of young coffee bushes, paying them wage and piece rates for harvesting work. Brazilians, especially Afro-Brazilians, with distaste for anything reminiscent of the slave quarters, would not take this deal. But Italians who came to Brazil to make money took it, and some prospered.

By the time of Brazil's first agricultural census, in 1920, Italians who almost certainly had arrived as plantation workers owned 12,000 farms in São Paulo. Probably most of them had bought small family farms on depleted soil at the trailing edge of the "hollow frontier" of coffee.[4] A few Japanese, who had arrived no earlier than 1908, had also climbed the "agricultural ladder" from coffee plantation work to small farming. They specialized in truck farming for the São Paulo consumer market. In Rio Grande do Sul, Minas Gerais, and São Paulo, the Ford truck became the symbol of Americanism, but also of upwardly mobile, ambitious, small farming. Small farms also emerged around the German and Italian colony settlements of Espírito Santo, Paraná, Santa Catarina, and Rio Grande do Sul. All told, in those southern states, about a third of the commercial farms belonged to foreign-born immigrants and their second-generation children. By 1920 the ethnic and cultural division that has lasted to the present had already taken shape: there was a pauperized mestizo peasantry in the Northeast of Brazil, crushed by droughts and eviction, either migrating to the cities or sliding down into peonage, and a precarious white small farmer class in the south.

For Brazil, the 1929 crash also spotlighted agriculture and the export-oriented plantation as the great national problem. Prices toppled and devastated the coffee planters of São Paulo, and indeed, the producers of any exportable crop: cocoa, cotton, sugar. Merchant-bankers foreclosed on crop loans and found themselves as unwilling owners of idle plantations. In response, the government intervened heavily in crop marketing, offering planters a foreclosure moratorium, creating monopoly trade companies for coffee, cocoa, and sugar, and forcing planters to join cartels with production quotas.

The crash brought down the political system, too. Getúlio Vargas, backed by the army, ruled from 1930 to 1945, at times in the style of fascist dictator, at times in the guise of a pro-labor populist like Franklin Roosevelt. In the regulation of big plantations during the 1930s, Vargas's government half-heartedly attempted to extend labor rights to farm workers and sharecroppers. He began to regulate the quotas of cane farmers selling to sugar mills, but his policies were characteristically conservative: a rise in the drought relief programs of the 1920s, construction of little dams and reservoirs to mitigate Northeastern drought, and migration sponsorship to western frontiers.

In programs draped in nationalist propaganda and justified by geopolitical militarism, the Vargas government declared the March to the West and then a wartime Battle of Rubber that would settle Brazilian peasants on the nearly depopulated frontiers of the West and the Amazon. These official western frontier colonies were most prominent in official pamphlets, but they were

[4] There were 11,825 Italian farms in São Paulo, representing 14.6% of all establishments. Of those, 33.7% had less than 40 hectares. They were twice as represented in small farms (under 100 hectares) as they were overall. Their farms average area was 77.5 hectares. Cf. Brasil, *Recenseamento de 1920*, v. 1, part 3, (Rio de Janeiro: Typ. da Estatística, 1923), pp. 12–15; 52–53.

probably smaller than the unofficial, unsanctioned movements of displaced farm workers and squatters to any likely frontier, notably from São Paulo to the frostbitten foothills of western Paraná. Unemployed farm workers and foreclosed farmers from São Paulo cleared unclaimed forest, survived on corn, and planted coffee for a small cash crop. Some of them were the children of Polish, German, and Italian immigrants who had not been able to afford land in the vicinity of their parents' settler colonies. By the 1940s and 1950s, many of them had some experience with farm workers' labor unions, and they had begun to organize against land speculators who tried to evict them.

After World War II, both the United States and Brazil redefined their poorest rural regions as national crisis zones. In 1965 Lyndon Johnson created the Appalachian Regional Commission as one of the first acts of his national War on Poverty. The government began to recognize the new United Farm Workers union that had emerged from the 1965 California grape strike. In 1959 Juscelino Kubitschek created the regional agency Sudene to address social problems of the Northeast and supposedly carry out a land reform. Poverty, malnutrition, cyclical droughts, and near-feudal peonage there had become a national scandal. Sharecroppers and wage laborers on Northeastern sugar plantations organized peasant leagues calling for written contracts, fair wages, and rights to land. Land reform, more than any other issue, has divided Left and Right in Brazil since the 1950s. Planters evicted their tenant workers, rather than let anyone establish a claim for land redistribution. They hired back day laborers. Although both military and civilian governments after 1964 have seen to it that a major redistributive land reform never came, the specter of land reform put an end to the most shameless feudal rural systems.

The most utopian response to rural poverty is Brazil's Movement of Landless Workers (MST), which demands expropriation of "unproductive" lands and their redistribution to cooperatives of smallholders. The MST was founded in 1979, toward the end of the military dictatorship, with the help of radicalized Catholic Church social workers, as a response to the murderous land wars among government-sponsored settlers, squatters, indigenous groups claiming reservations, and agribusiness ranchers on the pioneer frontiers of the Amazon rainforest fringe. But its main thrust was to set up tent cities of poor families at the edge of disputed plantations or ranches in the south of Brazil, pressuring politicians to expropriate the land to end the standoff. Where the MST has won these encounters, it has attempted to set up cooperatives that model a future agrarian socialism, but that survive on the subsidies of a market society. But the MST is no real response to the magnitude of the collapse of agricultural employment in the Brazilian countryside: it is less about unproductive estates hoarding land, than about productive agribusiness plantations no longer in need of workers.

Is there more than a marginal future for small-scale agriculture and family farms in both countries? In the United States the number of family farms peaked in 1930, at a time when farm families derived 30% of their income from sources outside of agriculture; today, farm families derive 90% of their income from other sources. It is hard to estimate trends in the number of Brazil's smallest farms from the agricultural censuses, which until recently were not supposed to count subsistence farms and probably undercounted small farms. The number of medium farms (25 to 250 acres), big enough that no census could miss them, certainly increased: they likely quadrupled in number from 1920 to 1980, and at the very least they doubled. Larger commercial farms and ranches in the range of economically secure, viable family businesses (250–2,500 acres), tripled in number between 1920 and 1985, to about 500,000. By 1985, the census was counting subsistence farms more thoroughly; it found 3 million farms with less than 25 acres, almost five times as many as the 1940 census had been able to locate – certainly there was real growth in their number. These sub-family farms, at least a third of them less than 4 acres, provide only a fraction of a poor family's cash income and not enough food for subsistence. They remain an important feature of the Brazilian agrarian society. President Luiz Inácio Lula da Silva (2003–2010) was born on one of these farms in the northern state of Pernambuco in 1945, before his family migrated to a "better-off poverty" in the southern port city of Santos.

The growth of agribusiness in Brazil between 1950 and 1990 has produced an agro-industrial landholding structure that at the top is very similar to that of the United States. In both countries, most agricultural land is held by corporate or family--owned estates. Both are global exporters of food and fiber; they dominate sectors such as cotton, soybeans, pork, chicken, beef, and orange juice. In the United States, 173,000 farms are larger than 988 acres. They hold 68% of all agricultural land. In Brazil, 100,000 farms and ranches over 1,235 acres hold 56% of the land. While agriculture in the United States developed a relatively stable – even stalemated – set of policies and subsidies since the 1930s, in Brazil there was a reversal in 1990. From 1930 to 1990, for three generations, the government had built up agribusiness through an aggressive program of state subsidies to favored sectors, land grants on the Amazonian frontier, and price controls in an inflationary economy. Around 1990, many of the controls, state agencies and semi-official cartels were abruptly abolished. There were a few spectacular bankruptcies, but to everyone's surprise, Brazilian agribusiness corporations and the multinational grain companies accustomed to operating in Brazil flourished in a less regulated market.

The most dramatic surprise was the success of sugarcane-based alcohol. During the OPEC oil crisis of the 1970s, the military government subsidized the sugar companies and mandated the manufacture of cars that would run on alcohol. The national oil monopoly fixed the prices of gasoline and alcohol at the pump. It was a blatant boondoggle. But it worked. Brazilian innovations in cane agronomy, in distillation chemistry, and in motor technology made alcohol, now re-baptized "bio-fuel," or "bio-ethanol," a competitive fuel during the 2000s' oil price spikes. Fuel alcohol is not a de-regulated sector, nor is it yet a truly renewable source of energy, nor a sustainable system of agriculture, but it comes much closer than the competing corn ethanol sector in the Midwestern United States.

In this agribusiness environment, the agrarian utopias of cowboy honor, of small family farms, of the small-town way of life, and of a sustainable relation to the earth are nearly impossible to realize. Farm workers in the United States today are not even dispossessed children of farmers. They are almost all Mexican men displaced by the collapse of medium-scale ranches and plantations in their own country. Small farmers in both Brazil and the United States are either marginal survivors or an outsourced but heavily disciplined link in the integrated production chain of an agribusiness commodity, as contract farmers of chicken or tobacco. But farmers never give up. As the American joke goes, a Vermont dairy farmer wins the lottery, and a television reporter asks him what he's going to do: "Keep on farming until the money runs out".

Nelson Rockefeller and Brazil: Sowing Welfare*

Antonio Pedro Tota**

The United States of America created its own patterns and stereotypes to think about Latin American culture. Its neighbors south of the Rio Grande have always been seen through the eyes of rationality: Ibero-Americans were associated with nature, with emotional reactions; Anglo-Americans, with the rational culture of a materialistic society. However, according to Fredrick Pike, in a seminal essay,[1] there has been an inversion of those stereotypes at certain moments in history. One of such moments was World War II and, to a certain extent, a few years of the immediate post-war period. If before World War I we were perceived as "children who need to get a punishment", during the second conflict, we became well-behaved adults, that is, we became a country that could contribute and even act as a reference for the future of humanity.

Nelson Aldrich Rockefeller played a pivotal role in that transformation, as he helped Franklin Delano Roosevelt's government to better understand its neighbors. Nelson was the grandson of John D. Rockefeller, who, in the second half of the 19th century, founded the powerful and feared Standard Oil Company, the corporation that monopolized oil-related businesses for a long time, making him one of the wealthiest men – if not the wealthiest – in the world. His family was, in keeping with tradition, Republican and Baptist. His grandson, the young Nelson Rockefeller, was a liberal Republican, in the sense used in American politics, which means he wasn't a reactionary. That would be enough already for him to have positions close to those of the Democrats. But on top of that, he had sufficient political ambition to get close to Roosevelt. In crisis times, such as those of the year 1940, with France occupied by Hitler's forces, Britain being threatened and Africa assuming the shape of a launching platform aimed at America, the differences between a progressive Republican like Nelson and a "leftist" Democrat such as Roosevelt were almost imperceptible.

With the troubled situation in Europe, contacts between Rockefeller and Roosevelt were relatively frequent, but Nelson longed to discuss in greater detail the situation of United States–Latin America commercial relations. The moment came when Nazi troops invaded France. Roosevelt knew he had to help the British, and, without previous authorization from the Senate, he made a commitment:

> [...] [W]e will pursue two obvious and simultaneous courses; we will extend to the opponents of force the material resources of this nation, and, at the same time, we will harness and speed up the use of those resources in order that we ourselves, in the Americas, may have equipment and training equal to the task of any emergency and every defense.[2]

Note the plural used by Roosevelt: "ourselves, in the Americas". South America was part of

* This article was written based on chapter 3, 4 and 5 of the book *O amigo americano: Rockefeller e as receitas para salvar o Brasil*. São Paulo: Companhia Das Letras, forthcoming.

** Antonio Pedro Tota is professor at Pontifícia Universidade Católica de São Paulo. Author of books such as *The Seduction of Brazil: The Americanization of Brazil during World War II* (Austin, University of Texas Press, 2009).

[1] Fredrick B. Pike, "Latin America and the Inversion of United States Stereotypes in the 1920s and 1930s: the Case of Culture and Nature", in *The Americas – A Quarterly Review of Inter-American Cultural History*, 42 (2), October 1985, pp. 131–162.

[2] Robert Shewood. *Roosevelt e Hopkins: uma história da Segunda Guerra Mundial*, p. 162.

the United States' defense strategy. Republican isolationists made a big fuss, saying that Roosevelt was pushing the country into a war which wasn't theirs, but Nelson Rockefeller, a Republican, agreed with Roosevelt: he thought about the Americas and not simply about America.

However, the American president, the Department of State and Nelson all knew that in several Latin-American countries there were demonstrations, if not of sympathy, at least of admiration for those fantastic Nazi victories. In Brazil, especially, a Vargas proclamation had led many American politicians to believe that our president was declaring himself in favor of Germany. But one has only to read the proclamation to notice that such was not exactly the case.

On June 11, 1940, on board the Minas Gerais battleship, celebrating the anniversary of the Itararé Battle, in the Paraguayan War, the Brazilian president declared that the antagonism among American countries did not exist anymore. Wars between sister countries, like those of the previous century, could not happen. Now, he said, "we are united by ties of close solidarity to every American country, around ideas and aspirations and in the common interest of our defense. [...]"[3] Vargas made clear his support to the cause defended by the United States; according to him, the Americas should stick together.

The Brazilian president was almost repeating some of the ideas Roosevelt revealed in his speeches. To Vargas, "the era of improvident liberalism, sterile demagogy, useless personalism and chaos-mongers" was past.[4] He attacked improvident liberalism, yes, but not all liberalism; he condemned the exacerbation of nationalism, but not nationalism itself. Such statements were much closer to Rooseveltian thinking than to Fascist thinking. In his inaugural address, in March 1933, Roosevelt had said that, if need be, he would demand extraordinary powers to face the crisis provoked by greedy businessmen, party to "improvident liberalism". Even so, some American politicians wanted to equate Vargas to a South American Mussolini. Maybe that was due to the part of the speech in which the Brazilian president stressed the transformation period humanity was going through, a time for strong peoples to fight for their future, removing the "rubbish of dead ideas and sterile ideals". The fact is, Roosevelt himself had used that kind of point several times, and he, too, was considered at times a Fascist, other times a Communist, by both Socialists and hard-boiled Conservatives from his own country.

Labeling Vargas' government as Fascist was a trend that caught up amongst American liberal sectors and, perhaps by capillarity, the idea ended up being adopted by sectors of the Brazilian *intelligentsia*. The wellspring where Brazilians drank up that idea may have been the 1944 book *Brazil under Vargas*,[5] by Karl Loewenstein, the German political scientist tied to Max Weber who fled his country when the Nazis ascended to power. From 1942 to 1944, he worked for the Emergency Advisory Committee for Political Defense of the American Republics, created during an American chancellors' summit that took place, ironically, in Rio de Janeiro. It was probably within that agency in Roosevelt's legislature that he elaborated such a "misplaced hypothesis" about Vargas' Brazil. Mr. Loewenstein hoped to understand Brazil based on the concept of totalitarianism later developed in the classical essay by Hannah Arendt.

[3] Edgard Carone. *A Terceira República (1937–1945)* (São Paulo, Difel, 1976), p. 56.

[4] *Ibidem.*

[5] Karl Lowenstein. *Brazil under Vargas* (New York, The Macmillan Company, 1944).

> [... [O]nly two years after the beginning of the war, the Department of Press and Propaganda, DIP, was created as a special agency, separate from the central administration. The DIP was a finished form of Ministry of Propaganda, based on, or at least inspired by, Dr. Joseph Goebbels' well-known institution model [...] in terms of the law, some of the DIP's functions were reminiscent of the German concept of *Gleichschaltung*.[6]

Loewenstein uses the concept of *Gleichschaltung*, a word difficult to translate. It is something like *leveling*, a State with a hegemonic ideology. However, according to Richard Morse, "Ibero-American societies do not offer conditions for the elaboration of hegemonic ideologies".[7] It is impossible to think about that kind of situation in Brazil, even under the *Estado Novo*. Loewenstein's interpretation is simplistic to say the least, and perhaps that is exactly why it became a reference for studies about the period. As for the Brazilian singularity, it says nothing, absolutely nothing besides common sense, like one would find in the condensed books of *Reader's Digest*. Luckily, a few Americans, like Nelson Rockefeller, knew that "Brazil is not for beginners" – as the warning attributed to Tom Jobim states.

The overwhelming German victories turned South America into an important part of the United States' strategy. It was believed that, with France dominated, Germany would reach Spain, with or without Franco's government help. From there, to Africa, Senegal. From Dakar, supposedly, the Germans would easily reach Natal, in Rio Grande do Norte, a "safe" route to Miami. That was what people would then hear, and that rhymed with fear...

In order to reduce the German threat, Nelson proposed that the United States protect "[...] its international position through the use of economic measures that are competitively effective against totalitarian techniques [...]".[8] The American government should buy much more from Latin American countries; help them reorganize their production and reduce or eliminate most tariffs on products purchased from the other republics in the continent; cooperate with the industrialization and expansion of agriculture, buy the maximum possible of raw materials. The debt should be reassessed in more political terms, enabling new financial and commercial relations; diplomatic relations should be reformulated. "For example, in Central and South America there are only 230 consular agents [...] also the quality here and elsewhere in the service is inadequate for the jobs that now needs to be done [...]".[9]

Nelson had a considerable background of works with Latin America, especially in Venezuela, where he promoted social and economical reforms in his oil companies. These actions could be used as a model to create conditions in order to improve the infrastructure in South America.

According to Hopkins, Roosevelt's special advisor, that was the right moment: the Departments of State, of Agriculture, of Treasury and his own, of Commerce, were looking for a safer relation channel with Latin America in order to keep the continent united.

---

6 *Ibid.*, pp. 238–239.

7 Richard Morse, *O espelho de Próspero: cultura e ideia nas Américas* (São Paulo: Companhia Das Letras,1995), p. 24.

8 Donald W. Rowland. *History of the Office of the Coordinator of Inter-American Affairs – historical report on war administration* (Washington: US Government Printing Office, 1947), annexes.

9 *Ibidem.*

The American president summoned the multimillionaire's young grandson to establish a closer link between the United States and their Latin American neighbors. In August 1940, he became the newest – and probably the wealthiest – employee in the Democratic government, directing the Office of the Coordinator of Inter--American Affairs.

Brazil

At the beginning of 1942's Independence Week, Nelson Rockefeller arrived for the second time in Brazil, now as an American government worker. During the *Estado Novo*, celebrations for that date were, more than ever, part of the project to extol the nation's virtues. The envoy knew how to take advantage of the patriotic festivities, and let himself be photographed side by side with the leader of the nation on a few occasions, especially in the Jockey Club, at a race in benefit of the victims of the sinking, by Axis submarines, of the Baependy, Arara, Aníbal Benévolo, Itagiba and Araraquara ships. After that, he went to the September 7th parade, in the capital. In several pictures, Nelson appears holding a 6-year-old boy, next to first lady Darcy Vargas' side. The president is seated, probably because of a car accident he suffered earlier, between his wife and Gustavo Capanema, Minister of Education and Public Health.

That night, Copacabana Beach was blacked out as a security measure, in order to avoid being bombarded by some German cruiser or submarine. That same night, the woods on Cantagalo hill, dried up by the lack of rain, caught fire, lighting the whole region, which could be seen at a great distance from the coast. Rumors soon flared all over the city: the presence of that illustrious American had led the Fifth Column to sabotage the blackout so that Rio would be bombarded. But it was actually just a minor accident caused by the drought.

Coincidence or not, the following day Nelson had lunch with the Minister of War, General Eurico Gaspar Dutra. The American gave one of his several speeches. Afterwards, in one of the halls of the great building of the Ministry of War, inaugurated the previous year, Nelson had a meeting with the Minister and the Leader of the Joint Chiefs of Staff, General Góis Monteiro.

Nelson seemed at ease among military men. In one of the pictures, he is seated, chatting lively, holding the arm of admiral Ernani do Amaral Peixoto, who is smiling pleasantly at him. He also felt at ease when he visited, escorted by Mrs. Darcy Vargas, the Little Newsboy House facilities, part of a foundation named after the Brazilian first lady. There, Nelson could verify the effort of the president's wife to find work for the unemployed and dispossessed youths. From shoe factories to well-groomed gardens where vegetables were grown, Mrs. Darcy showed with pride her foundation's fruits. Nelson could not resist, and shook hands with a boy in uniform, observed by Mrs. Darcy and other Newsboy House members. Nelson could very well be recalling something similar which happened in his own country on the occasion of the creation, by Roosevelt's government, of the Civilian Conservation Corps (according to some, after the Duce's Balilla Youth) to train and find work for millions of youngsters, also in uniform as soldiers, left unemployed due to the economic crisis. He seemed to be completely integrated, sharing the pleasure of drinking coffee with workers, in an organized and clean restaurant of SAPS, the Food and Social Service, created two years before. Likewise, he was at ease reviewing a dry dock where medium-sized boats, projected in order to help the American Navy patrol our shores, were being built. He chatted with workers wearing greased overalls. He looked like a politician on campaign for votes. And it was no different at the dinner offered at the Brazilian Press Association by its president, Herbert Moses, on behalf of Brazilian journalists, which wrapped up another day of the American envoy in the Brazilian capital.

During his journey, Nelson Rockefeller held a longer meeting with the Brazilian president and declared that he had an excellent impression of Getúlio Vargas, who,

> [...] with ample statesman vision, serenity and tact, followed the facts that unraveled throughout the world, foreseeing their disastrous consequences and acting on proper occasion. President Vargas, just like President Roosevelt, anticipated the catastrophe which was about to strike our Continent.[10]

During a lecture in São Paulo, he was skillful enough to praise the two largest cities in Brazil: the natural beauty of Rio and the promising future of São Paulo's industrial drive. Many University of São Paulo students were attending and cheered enthusiastically Nelson's speeches, when he stressed the role of the university in the struggle for freedom, defended by Americans and Brazilians. And to think that 27 years later, students of that same institution were not so welcoming to Nelson in his last visit to Brazil: they burned American flags, destroyed Esso gas stations, sprayed walls and protested against the highest representative of "Yankee imperialism"...

In 1942, the situation was as friendly as possible; Brazilians endeavored to show their friendship and Americans tried to show their dedication to plans for helping Brazil. Due to this, the agency headed by Nelson had projects which included from radio programs to studies of the utilization of the Amazon's riches. Sanitation programs in the region were a priority.

The physicians of the Amazon Development Project worked in partnership with the North Agricultural Institute. John Caldwell King coordinated the Americans. King himself, by the way, a colonel and Vice-President of Johnson & Johnson, the pharmaceutical giant, had sent a memo to Nelson Rockefeller. The Amazon region, according to King, needed to be explored. The region "could easily house more than 100,000,000 people, who could earn their living there [...] a large area for new American industrial activities, a gigantic and perennial repository of tropical raw materials, the Amazon is, today, the strongest evidence of the white man's failure. [...] We, the United States, are facing one of the best opportunities [...]"[11] to help transform the poor and suffering inhabitants of that region into virtuous living creatures of new times, where manna, milk and honey would be abundant. It was as if King was at the helm of a Baptist church, preaching about the road to salvation. The Brazilian *caboclo* turned into a healthier man, fit to collect latex from trees spread over the immense rainforest. Tropical pioneers, the "William Beans and James Harrods, the John Seviers and James Robertsons, the Daniel Boones and David Crocketts, the Marcus Whitmans and Kit Carsons. They are moving forward, slowly conquering the Amazon's sprawling frontiers".[12] Brazilian *caboclos* transformed into mythical heroes,

[10] *O Estado de S. Paulo*, Sep. 11, 1942, p. 4.

[11] Letter from J. C. King to Nelson Rockefeller, Jun. 17, 1942. Amazon Basin Project National Archives, RG 229, box 76, *apud* Gerard Colby & Charlotte Dennett, *Thy Will Be Done: the Conquest of the Amazon: Nelson Rockefeller and Evangelism in the Age of Oil* (New York: HarperCollins Publishers, 1995), p. 143.

[12] Seth Garfield, "A Amazônia no imaginário norte-americano em tempo de guerra", in *Revista Brasileira de História*, 29 (57), São Paulo, 2009, pp. 19–65.

conquerors of the "wild west", the South American *wilderness*. Technicians and anthropologists of the stature of a Charles Wagley, from Columbia University, came to study the Indians and *caboclos*.

The Office of the Coordinator of Inter-American Affairs – or simply *Office* – had a very broad acting spectrum dedicated to conquer Brazilian "hearts and minds". Hollywood had an important role. Artists shuttled back and forth between Los Angeles and Rio de Janeiro. Disney was a great collaborator to the war effort with his movies. Many of his cartoons were exhibited in the mainstream circuits, like *Aquarela do Brasil* and *The Three Caballeros*, with various animals with emphasis on representing regions of Latin America: Donald Duck and Joe Carioca.

Disney's work could be used to solve our society's serious problems, that is, child and adult illiteracy. Disney loved the idea, but never started the project.

Understanding Brazilians

Nelson Rockefeller was revealing himself, more and more, as a master in the use of culture as a weapon. He was already using cinema, radio and press, but he needed deeper studies to thoroughly understand the Brazilian people and thus better conquer our hearts. This is why his agency commissioned an anthropological study that would plunge into the Latin American soul.

Such a system of studying other peoples through anthropology was already being used by the American government. One of the best-known researches resulted in the book *The Chrysanthemum and the Sword*, by Ruth Benedict, from Columbia University, contemporary to Franz Boas. The research was commissioned by the government to understand Japanese culture and find "weak points" in order to attack them. It was based on a suggestion by Ruth, for example, that Roosevelt decided to keep the popular and sacred figure of the Emperor and his imperial government after the Japanese rendition.

Something similar went through coordinator Nelson Rockefeller's mind to strengthen the United States' presence in Latin America. But it was not about fighting against a foe, but keeping a friendship that would consolidate the ideals of a paradigmatic United States. Liberalism and democracy: two mottoes that needed to be better understood by Ibero-American culture. The formula was perhaps not totally adequate to our countries and had to be tweaked to adapt to cultures with different roots. It was in order to add more tools to the large repertoire of studies about the subcontinent that Nelson ordered a study similar to Ruth Benedict's.[13] Anthropologists, sociologists and archaeologists Wendell C. Bennett, John Gillin, and Alfred Métrau,[14] all highly qualified and experienced about Latin American culture, undertook the task. The study intended to understand our culture broadly in order to enable a more intimate contact between North and South Americans through fieldwork done by American researchers with the help of South American scientists. To know our present to face the future: one of the most important points was to help South America's leadership in promoting progress and modernization.

[13] It would be a Brazilian *The Chrysanthemum and the Sword*. I owe this idea to Fernando Santomauro, a keen student of International Affairs at PUC-SP, who collaborated with the data gathering for the present article.

[14] Rockefeller Family Archives (Rockefeller Archive Center, Sleepy Hollow, New York), Nelson A. Rockefeller, personal papers (group 4), series O (Washington, D.C.), sub-series: Coordinator of Inter-American Affairs, 1940–1944, box 3, folder 18.

Physical anthropology was seen as an instrument to understand the coexistence of different races in most South American countries. "How did races adapt to the environment?" was one of the scientists' questions. Did the miscegenation of whites and Indians or of blacks and whites make the adaptation to hostile natural environments easier? The study sought to produce data that could intervene in the reality of peoples to improve the standard of living. To that end, they discussed concepts of culture and cultural standards. "The behavior of individuals or groups (including societies) can only be understood in terms of its cultural conditioning".[15] An important point that probably did not surprise Nelson was the conclusion of the study about interracial relations. The "problem of race", written like that, with quotes, as "we see it in the United States, is less important in most South American countries".[16] Of course there are differences, said the document, but they are of cultural, and not racial nature. This was largely due to 400 years of racial miscegenation and could inspire the United States to revert the racism present in its culture. The document concluded: "It is, therefore, recommended that the formation of a permanent bureau or office be considered".[17] Comments on the peculiarities of several Amazon regions, especially the city of Santarém, the Tapajós River and the Fordlândia experience. Anthropologists were surprised by the presence of descendants of American Confederates defeated in the Civil War, fought about 80 years before the study, who had exiled themselves in the Amazon region. Of course, besides the anthropological analysis, scientists remembered that on Marajó Island there was a strategic wireless, or wireless telegraph station, guiding navigation along the big Amazon River. Belém also had an American naval air station.

Movies were another instrument that the Rockefeller agency used to understand our culture. Orson Welles was one of the "soldiers" in the cultural battle to save the world from tyranny. His controversial movie *It's All True* has been abundantly studied. An unfinished work, the fragments that still exist have been recovered in part through the work of researcher Catherine Benamou*. Welles traveled all over Brazil during several months, looking for the ideal topics to portray the life of the common people. In Ceará, he filmed the daily life of a fishing village. The death of Jacaré, the fishermen's leader, shortened his stay in Brazil. During the troubled film production, Welles gave lectures, threw a party in honor of Vargas' birthday, dated a few Brazilian girls, visited Minas and filmed in Ouro Preto.

Back in the United States, Welles continued collaborating with the war effort on a radio show called *Hello Americans*. He interviewed Oswaldo Aranha and did a small show with Carmen Miranda. Welles' movie had the merit of showing, at least to the people that collaborated with him, [18] a Brazil that was, up until then, overshadowed by the standardized production of the Hollywood movie industry. The people appear as people, and not as the typical stereotype of the movies from that period. The Brazilian landscapes and people appear as they really were. That pleased most of the people who collaborated with the filmmaker. He showed local talents and many popular artists such as Pixinguinha and Grande Otelo, besides the already known bands.[19]

---

[15] *Ibid.*, n/p.

[16] *Ibid.*, n/p.

[17] *Ibid.*, n/p.

* Catherine Benamou is an associate professor at University of California, Irvine and Latin-American cinema specialist.

[18] The Office's Brazilian Division Report, May 25, 1942, in Rockefeller Family Archives, cit.

[19] See Robert Stam and Ella Shohat, *Crítica da imagem eurocêntrica: multiculturalismo e representação* (São Paulo: Cosac Naify), p. 333.

But it was not only with the inclusion of the people, their manifestations and Brazilian folklore in his film that Welles contributed to the war effort, cooperating with Brazil. Another important feat at the time was the celebration of Vargas' birthday, almost like President's Day in the United States. The idea did not come from the Brazilian president, much less from the DIP, the press department. Vargas did not seem very enthusiastic about the idea, but people soon adhered, so the Office promptly endorsed it, although it did not cost them a penny. The Brazilian President's Day was an initiative of the Rio de Janeiro American Society, probably with some participation by Jefferson Caffery and a lot of input from DIP, which soon endorsed the idea.[20]

Hundreds of phone calls and personal interviews crammed the schedule of the Office personnel in Rio de Janeiro during the weeks before the festivities. DIP proposed the party should be thrown at the Urca Casino and broadcast through radio to the American society, suggestion quickly accepted. "We will hardly find another proof of perfect attuning and amicability among the members of the Brazilian government and those of the Inter-American Affairs Agency".[21] The radio broadcast, organized by the Office, with DIP's collaboration, was transmitted from the Urca Casino, and its master of ceremony was Orson Welles, fulfilling yet another task to cement relations between Brazil and United States. That night, the American and Brazilian public followed on the radio several national and international artists and orchestras.

Coincidently, that same day, Lt. Colonel James "Jimmy" Doolittle commanded a fleet of 16 B-25 bombers that, for the first time, took off from a carrier and bombed a few Japanese cities, Tokyo among them. The attack had more of a morale than a military effect, but it was a sign that the Americans would put their whole potential in the war.

While news of Doolittle's action did not reach the West, Orson Welles kicked off the show in Vargas' honor. An orchestra opened the night with a slow song, a foxtrot. It would be a celebration of solidarity among all of the Latin American republics. But Chile and Argentina did not break up with the Axis; those were the dissonant notes Americans had to swallow.

The house orchestra was conducted by Carlos Machado, a Brazilian version of a bandleader. The show featured Grande Otelo, Welles' friend; Jararaca and Ratinho, the country duo who lampooned Getúlio Vargas and did not suffer any censorship; French maestro Ray Ventura's orchestra; Linda Batista, Emilinha Borba and many other Brazilian artists who struggled to demonstrate cheerfulness in spite of the uncertain climate of a war which was spreading all over the world.

The war was remembered when Linda Batista closed the program singing "Sabemos lutar" [We know how to fight], a patriotic march by Nássara, Frazão, R. Magalhães Jr. and P. Frischauer:

> At war! If I have to fight
> My country I swear I shall defend
> With love, with courage [...]
> I shall defend the blue sky
> That covers South America with hope
>
> We are orderly and we like peace
> We love the beauty of our nature
> But if there are people who come to
> disrespect us
> We will show that we know how to fight...

[20] The Office's Brazilian Division Report, May 25, 1942, cit.
[21] *Ibidem.*

The friendship between the United States and Brazil appeared more and more in the documents issued by Nelson's agency and the embassy itself. "All of the activities proposed by the Office's Brazilian division are being performed with total cooperation and concordance of president Vargas' government." [22] From the Nelsonian perspective, that could help the industrial growth and trade relations between Brazil and United States. More personal relations could overcome the Department of State's bureaucratic obstacles, and Brazilians liked that. According to analysts, there were no anti-American feelings in Brazil, which seemed to corroborate the faith they put in their own system: it was impossible to be anti-American.

This friendship was demonstrated by the exchange of gifts. Everyone received an appropriate gift. Nelson gave our Minister of Foreign Affairs a refined hardcover book of photographs of buildings and scale models from a show at New York's MoMA honoring Brazil's architecture. Oswaldo Aranha was flattered when he got the luxurious *Brazil Builders* tome. Brazilian buildings were made and planned by highly qualified technicians and artists: that was the message. The exhibition traveled to several American cities.

General Dutra, on the other hand, who wasn't exactly an admirer of the arts and architecture, got a portable radio and marveled at the American technology. He said he would thank Nelson personally on his next visit to the United States.

Change of direction: possible mission

Roosevelt died in April 1945 and war in Europe ended less than a month after that. Nelson was already Assistant Secretary of State for Latin American issues. The Assistant Secretary's independent actions angered the new President, Harry Truman, and his Secretary of State, James Byrnes. In August, Nelson was fired, a shock for the self-centered Rockefeller. In his place, Spruille Braden, former Ambassador in Argentina who saw Latin America – Brazil included – through the blurred lens of German political scientist Karl Loewenstein's theory. The *Good Neighbor Policy* was closed down and relations with Brazil took another turn.

Nelson, removed from the government, started to get close to Brazil again, now as a private action. He landed here in November 1946 with a great plan to save us from poverty and its corollary, Communism. His interest in Brazil had begun before the war and intensified during the global conflict. The country's situation, he thought, could produce discontent and even upheavals and then pave the way for political groups with exogenous ideologies, i. e., Communists. At the time, a large part of the Brazilian population was illiterate, subject to diseases caused by bad sanitary conditions and malnutrition; roads and communication systems were poorly developed, strangling the flow of agricultural products; there were few funding mechanisms for small farmers; cattle farms and coffee crops needed to be modernized.

The American had commissioned several studies in order to better grasp our situation and set up a project to save the country. Better saying, to save and convert, almost in the religious sense of the terms – those were Nelson's fixations, a missionary work. Therefore, he prepared himself carefully before he came here in the end of 1946. In the beginning of the year, in New York, Rockefeller funded gatherings to think about Brazil's situation. One of the lectures was by Adolf

[22] *Ibidem.*

Berle, one among the first of Roosevelt's brain trust and former American Ambassador to Brazil.

Most people present at the lecture had attended the Latin American Study Group's seminars, under the direction of Frank Tannenbaum, the anarchist professor from Columbia University, friend and advisor to Lázaro Cárdenas, the nationalist president of México, and later Fidel Castro's friend. That goes to say that there was a considerable number of intellectuals and former personnel from the Department of State who were interested in Latin America in spite of the lack of attention by the government itself. Nelson introduced Berle to the audience, although many already knew him. He started outlining briefly the lecturer's résumé. About his activities as a diplomat in 1944–1945, he said: "He served as Ambassador to Brazil, [...] when the country was in transition from a period of enlightened dictatorship to democracy".[23]

In an interpretation contrary to Loewenstein's, Nelson used the word *enlightened*. The *American Heritage Dictionary* defines *enlighten* as "To give spiritual or intellectual insight to". When he used *enlightened* to explain the *Estado Novo*, the ability of the politician maturing within Nelson Rockefeller became evident. The dictionary definition even broadens the sense of the word, bringing to mind a quote by Thomas Jefferson: "Enlighten the people generally, and tyranny and oppression of body and mind will vanish like evil spirits at the dawn of day". In Nelson's words, or in the dictionary, *enlightened* has a meaning laden with Americanism which comes from as far back as the founding father Thomas Jefferson. That is, even though wide sectors of the Brazilian academic milieu still consider the Estado Novo as tyrannical, Americans understood Vargas' legislature as a government of transition from backwardness to modernization. Even so, it is curious to think that Berle was central to the crisis that ended with Vargas' demotion in October of the previous year.

Berle's lecture, given at the Council on Foreign Relations, worked as a guide, as a *vade mecum* to help Nelson understand our country even better. The former Ambassador insisted that Brazil should be treated as a future power, due to its natural resources. He began with a brief piece of information about the population: more than 40 million inhabitants, projected to double every 20–25 years. Our natural resources were remembered, even though we were not taking advantage of our arable land. He remarked that the safest way of knowing and explaining Brazil and Brazilians was through culture. We were more affected by concerns about aesthetic questions – from the poorest people to the elite – than about more technical questions. "Where an American insists on a good water supply, the Brazilian shows an interest in making a city beautiful."[24] Brazil, according to the lecturer, was the only country of Portuguese background amidst 18 Hispanic countries, a fact which, in Berle's opinion, only reinforced our natural ability to deal with what is "foreign". "Brazil may well be regarded as the outstanding example of Mediterranean civilization. Rio today is more vigorous than Rome or Paris and in the log pull, is likely to be stronger as it is still young and growing."[25]

The comparison between United States and Brazil was constant in the statements made by this American *intelligentsia*. Our economic situation resembled greatly that of the United States after

[23] Adolf A. Berle's Speech before the Council on Foreign Relations, Apr. 3, 1946, Rockefeller Family Archives, cit., box 23A, folder 150.

[24] Adolf A. Berle's Speech before the Council on Foreign Relations, cit.

[25] *Ibidem*.

the Civil War. National income was more than five billion dollars.

Berle also said that cooperation between the two countries during wartime could not happen the same way it did in times of peace.

> We must envisage Latin America with rising standards of living or we will suffer a hemispheric headache. The Latin American people realize that they may have higher standards of living and seek greater productivity in order to achieve them.[26]

Berle did not explain immediately what would that headache be; neither was it necessary: after the war, that could only be Communism, which would promote subversion and institute an "unenlightened" totalitarian dictatorship. But the people, according to Berle, did not want Communism, and even feared the system experienced by the USSR. As if he was sending a message to the neighbors, he said that the United States did not have plans to conquer territories and exert political or economical pressure. In a nutshell, the subcontinent's countries should not fear the United States as a dominating power. They should approach the United States for help in search of progress.

Self-critically, he said that Americans tended to underestimate their neighbors in the South. That was why it was necessary to study closely the constant desire for change. The most important part of Berle's lecture was when he said that Americans should pay attention because everything indicated that Brazil could, in a couple of decades, turn itself completely towards Europe and forget its economic relations with the United States. "This of course would be disastrous to us".[27]

It is difficult to resist the temptation to formulate what some could call a conspiracy theory. Nelson's trusted consultants, such as in Berle's case, thought that Brazil was at risk of being attracted by Communism. Apparently, that risk was not bigger than the opportunities offered by a promising European market devastated by war. Such a market offered infinite possibilities to a country as rich in resources as ours. Berle was taken seriously by Rockefeller.

Adolf Berle's last statement should be examined in the context of the immediate post--war circumstances, suggesting that Americans with Nelson Rockefeller's power, even outside the government, would go to great lengths to keep Brazil away from the promising and starved European post-war market. However, he had a more accurate perception of the Latin neighbors' role than his former peers in the government had and seemed to understand better than anyone what Berle had exposed: Americans needed, for instance, to learn from Brazilians – to stop being arrogant. Nelson was, above all, a budding politician worried about the role of the great hegemonic superpower his country had become. An exuberant economy and a dynamic mass culture that the United States knew how to use masterfully during wartime. That was the background for new efforts around here. Nelson's group intended to demonstrate that fact by offering opportunities for the "arrival" of modernity to our country. Americans would thus be acting on two fronts of a "war" which would involve modernization projects, not armies.

While the new secretary of State, George Marshall, presented his plan for Europe, a "Nelson plan" for Brazil was being conceived, a plan that promised apparently infinite possibilities of progress. In that way we would forget about Europe, at least as a market. In military language,

[26] *Ibidem.*
[27] *Ibidem.*

it was a big maneuver to turn Brazilians' attention away from the European theater of operations.

About two months after Berle's lecture, Nelson Rockefeller and his associates went to the business registry office of the New York State Department and officially started the AIA, American International Association for Economic and Social Development. The AIA, which in Portuguese was called Associação Americana Internacional de Fomento Econômico e Social, was "organized for the purpose of promoting self-development and better standards of living, together with understanding and cooperation among peoples through out the world. For this purpose, it may enter into such fields as agriculture, land use and conservation, public health, sanitation, literacy, industry, trade and such other fields as it may determine [...]".[28]

The realization of AIA's project, according to its creators, had to be linked to scientific research and technology development. In less formal terms, "AIA's ideal was promoting welfare". All of the institution's effort should be directed towards a future with "promises of a better life" based on technology and science.[29]

The mission he had been "chosen" to accomplish would take Latin America out of ignorance, poverty and disease.

AIA's philosophy was the idea of training: training people to look for ways to achieve, materially and psychologically, a better standard of life. The formula contained some fundamental elements that characterize the essence of the American spirit. First, the belief in the infallibility of technology. As long as it was correctly applied, technology could solve any problem; therefore, people should be trained to use it wisely. In an underhanded and subtle way, the idea that Brazilians should learn how to do things by themselves and do them well was also present. Another concept held dear by Americanism, the *do-it-yourself* or DIY – that would later result in the self-service system of supermarkets and restaurants, bank ATMs etc. – had been already noticed by Tocqueville in the first half of the 19th century. To him, Anglo-Americans "are subject to all the wants and all the desires which result from an advanced stage of civilization [...] as they are [...] obliged to procure for themselves the various articles which education and habit have rendered necessaries".[30] Not much later, a typical concept for this "practical" attitude was created: *American ingenuity*, another trait typical to the *American way of life*. All that was present, in an embryonic form, in AIA's original project.

Later, Nelson green-lighted his lawyer to complete his new project, the creation of the IBEC, International Basic Economy Corporation, a sister company to AIA. Sister, but not equal. AIA was a nonprofit, philanthropic association. IBEC, as the name itself indicates, was a corporation that aimed to profit from several enterprises to be implemented in Brazil. There was a peculiarity to the brand of capitalism Nelson "practiced": profit should be applied in the country itself, in sectors like education, health and also commercial and industrial endeavors that had a markedly social role. All that in order to:

[28] Joan's report to Nelson about AIA's goals from Jul. 1, 1946, in Rockefeller Family Archives, cit., Nelson A. Rockefeller, personal papers (group 4), series B (AIA–IBEC, 1945-1971), box 1; folder 1/2.

[29] Martha Dalrymple, *The AIA Story: Two Decades of International Cooperation* (New York: American International Association for Economic and Social Development, 1968), p. 14.

[30] Alexis de Tocqueville, "Reflection on the Causes of the Commercial Prosperity of the United States", in *Democracy in America*, translated by Henry Reeve (Adelaide: eBooks@Adelaide, The University of Adelaide Library, 2008), book I, part IX.

> [...] to promote the economic development of various parts of the world, to increase the production and availability of goods, things and services useful to the lives or livelihood and believing that these aims can be furthered through a corporation dedicated to their fulfillment and employing scientific and modern methods [...] fill these certificates to form a stock corporation pursuant to Article 2 of the Stock Corporation Law of the State of New York [...].[31]

The introductory note of IBEC's creation sounded strange, because the proposal had "something new in the world of business: a corporation with a political ideology, apparently dedicated less to make profits than to propagating ideas – in this case, Nelson's fervid anti-Communism"[32], a hidden goal that the clerk responsible for the registration of companies in New York did not notice and said NYSE did not accept the registration of nonprofit companies. Nelson's lawyers convinced the clerk to register the company anyway: it was for the good of the country, because, besides fighting Communism, the company could still help Latin America forget the image of *Yankees* as imperialists.

That was the uphill struggle of a young millionaire who could very well, at that moment in life, be squandering his fortune on parties and orgies. Not that he was a well-behaved Baptist who did not fall prey to temptations of the flesh; far from it. However, he did not act as many in the wealthy elite, who got involved in scandals. Nelson did not allow mundane matters to take precedence over his greater goals, the ones which gave his life meaning: keeping the Americas away from ideologies foreign to "Christian western civilization" and, above all, becoming president of the United States.

Therefore, the basic idea behind Nelson's organizations went well beyond the goals made explicit in the documents and letters of intentions. He was later considered an authentic *cold warrior*, meaning a determined fighter in the war of the United States against Soviet Communism. AIA and IBEC were created in order to "convert" capitalism into a more human system and fight against Communism.

The pilgrimage and the mission

Nelson's visit to Brazil in 1946 followed a strict schedule of meetings and summits with political leaders and businessmen.

At a luncheon offered by the acting Minister of Foreign Affairs, Souza Leão Gracie, at the Itamaraty Palace, he gave a long speech remembering the Brazil–United States alliance in the fight against the Axis. He stressed the brilliant campaign by the American and Brazilian air forces and navies, which managed to rid the South Atlantic of German and Italian submarines; he remembered his previous visit, in September 1942, and the enthusiasm of Brazilians getting ready to fight against Nazi-Fascism. He went back in time to the Inconfidência Mineira, to the independent Brazil and to the visit of Emperor Pedro II to the United States in 1876, which ended by stimulating commercial relations between the two American giants. He quoted Joaquim Nabuco and Rui Barbosa. And, of course, he pointed out that no other American president contributed more to the mutual understanding between the two countries than Franklin Delano Roosevelt. It

---

[31] Wayne G. Broehl Jr., *The International Basic Economy Corporation. Thirteenth Case Study in NPA Series. United States Business Performance Abroad* (Washington: National Planning Association, 1968), p. 9.

[32] Peter Collier & David Horowitz, *The Rockefellers: an American Dynasty* (New York: Signet Book, New American Library, 1977), p. 260.

was during the war that the United States got most involved with Brazil, helping the government in the areas of health, nutrition and sanitation, and through the attempts to modernize agriculture and transportation. The United States needed a modern Brazil.

Roosevelt, Nelson said, always thought the United States and our country were very much alike. And he recalled a conversation he had with the American president soon after he came back from Brazil in September 1942. At the time, Roosevelt told Nelson that Brazil was "a very wonderful country. If I were a young man starting out in the world, I would go there [...]. Some day this will be the most important area of development in the world. The whole history of our west will be repeated."[33]

Nelson was able, very skilfully, to put in the mouth of the deceased president his own ideas, better yet, his and of many other American partners in the ambitious project. Brazil would be a new West to be conquered. And, as in the history of the United States, thanks to the exploration of the land, the agricultural revolution linked to technological development and the ensuing welfare of society, Brazil would achieve modernization.

One of the dearest themes in the shaping of Americanism is the conquest of the Wild West. Bringing that theme to Brazilian history demonstrates the high level of Nelson Rockefeller's advisors. The speech intended to convince the distinguished audience that, with a little help, we would tread the same path as the United States.

[33] Speech by Nelson A. Rockefeller at the luncheon thrown by Mr. Souza Leão Gracie, Acting Minister of Foreign Affairs at Itamaraty Palace, Rio de Janeiro, Brazil, Nov. 18, 1946, in Rockefeller Family Archives, cit., Nelson A. Rockefeller, personal papers (group 4), series A (activities, box 145, folder 1578.

To Nelson, only by achieving a higher standard of living, combined with an expansion of democracy, Brazil would know welfare and security.[34]

He proposed a collaboration between his endeavors and Brazilian businessmen and the Brazilian government in the areas of food production and distribution, transportation and storage, all key factors to the country's security. He said in his speech, "production of food stuffs in Brazil must be increased and cost of transportation and distribution lowered".[35] It was as if he had read the proposals of economist Eugênio Gudin, who discussed the problem with Roberto Simonsen at that same time. Efficient and organized companies to train young people in several activities, especially those linked to agriculture, were indispensable. Nelson made use of a powerful point, destined to conquer the hearts and minds of some Brazilian politicians: "In so far, as the returns from my share in these enterprises is concerned, we plan to reinvest then in other productive undertakings or use them for social purposes such as practical education in the fields of nutrition and agriculture demonstration training", experiences that were already tested during the war in pilot projects in Ceará.[36]

IBEC was still in formation, but Nelson was already announcing what its future work would be like. The cooperation between its technicians and Brazilians intended to "bring into the average citizen´s home the simple, modern practices of sanitation, hygiene and child care". Such goals would only be achieved if scientific methods and food production, distribution and sales techniques were used. Only then would Brazil attract the foreign capital resources needed in order to produce enough food and distribute

[34] *Ibidem.*
[35] *Ibidem.*
[36] *Ibidem.*

it at accessible prices to satisfy the Brazilian people's needs. In other words, it was necessary to consolidate a healthy and dynamic market, as in the United States. Healthy people living in adequate sanitary environments could be very active workers in the budding industry, improving their salaries and enhancing the companies' possibilities of profit. A balanced consumer market would be a natural consequence.

Truth is that the promises made by the American government that Brazil would be treated as a preferred partner and would receive the necessary help in order to become a regional power were forgotten as soon as the war ended. The audience who heard the former high-ranking Department of State officer say he intended to help Brazil become a modern country had renewed hopes that the United States, through private enterprises, would fulfill its postponed promise.

At another meeting with secretaries of agriculture, promoted by the ministry of that area, he gave a speech emphasizing the role of agricultural activities in the country's development. He addressed the Minister of Agriculture Daniel de Carvalho and praised the Brazilian government's agricultural extension plan, pointing out that it was similar to that of United States. We were living in the post-war world, but still in the atmosphere of war. Nelson repeated the same story he told at the Itamaraty luncheon about the attraction and hope Roosevelt had for our West, our *wilderness*. After that, he went straight to the point, explaining his mission with AIA and IBEC. He asked some questions to direct the explanation of the workings of joint projects between his country and ours; he wanted to know what we were doing in order to, in the near future, increase the number of tractors, trucks, machinery, agricultural implements, consequently boosting production of wheat, corn and other cereals. All that could initially be bought from the United States; and if that was the case, what form did we expect to find to cooperate with his country in tackling post-war issues?

In a pedagogical manner and with the help of graphs, he showed that the recession expected in the post-war United States did not materialize; on the contrary, production had grown in all areas, as well as the consumption. More workers were employed in 1946 than at the peak of the recent war effort economy. Strikes could happen, he declared, but most workers were satisfied.

Curiously enough, that same day, Nelson visited the Brazilian Congress and keen to meet and greet Senator Luís Carlos Prestes, from the Communist Party, asked for his phone number to exchange ideas. As if he wanted to get to know closely the enemy to be fought. To understand the Communists, very well, improve as much as possible the workers' conditions, who should stick together in unions in order to demand better pay, but without getting involved in politics. All the wealth and the great technological innovations of the United States were the weapons to consolidate the American model, in opposition to the Soviet model that seemed to attract certain parts of the labor movement.

Nelson needed to justify the little attention given by the United States to Brazilian problems, involved as it was with internal issues related to the post-war period. Besides, the American government had priorities in Asia and Europe. Due to all that, we should count on our own means to promote the modernization of our society and help the continent in the fight against the red menace. If that seemed difficult, our anti-Communists could count on AIA, IBEC and missionary Nelson Aldrich Rockefeller's help. This was what he pointed out in that afternoon's lecture at the meeting with secretaries of agriculture from several Brazilian states:

> [...] It's my hope to contribute to Brazil's progress in a small way by cooperating with you, bringing some capital and technical knowledge to those projects where such a participation may be most effective. It is not my purpose to buy and hold Brazilian for speculative purposes. Capital so employed can become sterile and impede progress.[37]

He never used the terms *Communist* or *anti--Communist*. He preferred to demonstrate his ideological position in an underhanded way. While Rockefeller was here trying to sell his ideas, *Time* magazine published a story about the missionary capitalist's trip.[38] The title of the story is suggestive: *Enlightened Capitalism*. The same adjective used by Nelson when he referred to *Estado Novo*. It meant that capitalism was not savage and exploiting anymore, it was now a humanized capitalism. According to the magazine, Brazilians were enthusiastic about that first contact with a project that promised to change the image of post-war capitalism. "In Rio, last week, Nelson Rockefeller, optimistic and zealous salesman of the Good Neighbor Policy [...] unwrapped the package of new ideas called American International Association for Economic and Social Development. [...] The goal of Rockefeller's projects, secretly elaborated by his high-octane brain trusts, mixing business (to be managed by a system of corporations) with philanthropy, is expanding production" of food and consumer goods, because only then could there be an expansion of a new middle class, participant in a consumer market with enough income to broaden commercial ties with the United States. The ethnocentric point of view of the story could be seen in the jocular and ironic tone with which it treated Brazilian food culture: Nelson's mission was to teach "beans and manioc flour eaters" to include salads and vegetables in the national diet. A civilizing nutritional mission. *Time* concluded that a middle class with a higher standard of living would help change the imperialist image of the United States.[39]

In his speech to the secretaries of agriculture, Rockefeller repeated that profit should not necessarily be repelled, as long as it was of a creative nature, stimulating production in order to lower prices, leaving consumers free to satisfy their wishes on the market. It was as if Nelson was reading Benjamin Franklin, who, two centuries before, said in the New England colony that money was (or is) of a profitable nature.

One of the weak points of our agriculture was, according to Nelson, our poor transportation system, that hurt producers as well as consumers. And the solution was to emulate the United States, that is, to use trucks powered with fuels derived from oil. He remarked that the United States had experts on the subject who might very well contribute to the project for Brazil. Along with the transportation problem, it was necessary to adjust the supply of agricultural implements and rural credit. With that set of actions, Brazil would turn into a regional power of considerable stature. Our country would then repeat the success of its powerful northern neighbor. The nationalist and leftist sectors in Brazil saw him as a salesman for Esso. Indirectly, his project met Standard Oil's interests. But Nelson was too politically

37 Speech by Nelson A. Rockefeller at a meeting of State Secretaries of Agriculture, Rio de Janeiro, Brazil, November, 20, 1946. In Rockefeller Family Archives, cit., Nelson A. Rockefeller, personal papers (group 4), series A (activities), box 145; folder 1578.

38 The expression "missionary capitalist" was used by Darlene Rivas in the title of her book, *Missionary Capitalist. Nelson Rockefeller in Venezuela* (Chapel Hill: The University of North Carolina Press, 2002).

39 "Enlighted Capitalism", in *Time*, Nov. 25, 1946.

astute to openly defend the interests of his family enterprises.

A Brazilian homestead

> Brazil is one of the few countries in the world where the pioneer can build a new home on the frontier. One characteristic of these new farm homes, I am told, is that they are medium size. This is a significant sociological fact. The size of farm does much to determine the nature of the social organization. On a farm too small to give an adequate income, the family, if without other support, is doomed to a life of poverty. It is the medium farm, large enough to support a family well, yet small enough to be worked by the family itself, that is the ideal democratic unit of rural society. It is a hopeful sign for Brazil that the number of these medium farms is increasing so rapidly, particulary in the pioneer areas.[40]

Frontier, in the sense used by Americans, is a concept word difficult to translate for the understanding of Brazilian culture. The connection through pioneer–home–frontier–to small or especially medium-sized farm–living comfortably–democracy are key words to understand the deepest sense of the American way, or better yet, of Americanism. And that was what Nelson wanted for Brazil and Brazilians: a country covered with medium-sized properties that could generate sustenance for a free family and a surplus to be sold to cities inhabited by a middle class. That was the story of the United States' success transposed to the South American giant.

[40] Speech by Nelson A. Rockefeller at a meeting of State Secretaries of Agriculture, Rio de Janeiro, Brazil, November 20, 1946. In Rockefeller Family Archives, cit., Nelson A. Rockefeller, personal papers (group 4), series A (activities), box 145; folder 1578.

For cultural and social reasons, it is almost certain that the audience of secretaries of agriculture, connected, one way or another, to big agricultural properties, did not catch on to the message of Nelson's Americanism. But they might at least have noticed that the American's speech had something new that could help Brazil to get out of its backwardness and plunge into modernity, to open a door to a latent regional power. Nelson must have based himself on the lecture Berle had given just before in New York.

And what Nelson wanted to do was to create, almost by decree, small and medium property owners, that is, pioneers who built the United States conquering and civilizing the frontier. However, the concept of frontier that Nelson was exposing was practically impossible to transpose to our reality: our "frontier" was already conquered since the land laws of 1850.

If during the war Nelson's group used anthropological studies to better understand Brazil, in the new phase they commissioned researches and analyses of the economy and politics. Therefore, when he arrived in Brazil in 1946, he came well armed to fulfill his mission. In his suitcase he brought a study prepared by Hanson Associates, a Washington company, which oriented the American to identify our major problems. It covered the economy, social issues, the question of land, agriculture, labor issues and General Eurico Gaspar Dutra's government. It was a general overview of Brazil in the immediate post-war period which guided the group led by Nelson. According to this document, the economic crisis in Brazil should be handled with care by AIA, because the cost of living in cities was climbing more than 35% each year, and that could be a time bomb which would create an opening for Communist propaganda. Crop forecasts were not very promising, even though food production had increased 10% *per capita* over the pre-war period.

The labor policy of Dutra's government did not have a clear-cut plan to deal with the growing wave of complaints from the urban masses: at times it repressed them, other times negotiated with them, getting closer to Vargan leaders. Only the fight against the Communist Party seemed to have better defined goals, especially after Senator Luís Carlos Prestes declared loyalty to the Soviet Union in the event of a war against Brazil.

What worried Nelson and his group the most was the situation of production, importation, exportation and transportation of essential items and the bottlenecks that prevented food distribution. The American government did not meet the committed delivery of vehicles and wheat. Lack of planning hurt rice and corn production and "price control did not work".[41] All the data in the report only reinforced the idea that the United States government was not paying proper attention to its most important neighbor in the continent.

That was what Nelson thought. The way to help Brazil was, first of all, to save our crops. It was with that idea in mind that he set foot here.

Nelson Rockefeller, through the research and reports produced by his staff, was aware of all the economic difficulties Brazil was facing. It was no coincidence that he should arrive soon after the American government eliminated the fixed ceiling for the price of coffee, our main export, creating momentarily a blander atmosphere in the relations between United States and Brazil.

On November 16, the newspaper *O Correio da Manhã* stressed the importance of the young businessman's visit to our country: "Nelson Rockefeller belongs to those who [...] have been dedicating themselves [...] to bringing the Latin peoples of America closer to their United States brother, that is, attempting everything in order to elevate the first to the standards of the second".[42] The article summarized the goals of Rockefeller's project designed to improve the sanitary conditions of our countryside population and the technical standards of small-scale agriculture in Brazil.

Before he started a marathon of conferences to expose his ideas, he offered, that night, a cocktail for more than 300 guests in the Copacabana Palace pergola. The Amaral Peixoto couple, for instance, was there, more precisely Alzirinha Vargas and her husband Amaral Peixoto. Vargas' daughter was a little shaken by Adolf Berle's meddling in our "domestic" issues, and the warm meeting with Nelson helped to restore good relations between the "representatives" of the two countries. The Guinles, a family of great entrepreneurs that owned the hotel, were there too; João Daudt de Oliveira, from the National Commerce Confederation, Herbert Moses, from the Brazilian Press Association, and many other politicians, businessmen and representatives of Rio de Janeiro's elite. Some time later, Nelson, back in the United States, told his friends: "Everyone was at the party – the old group, the new group, the right and the left. My ideas were very well received in Brazil".[43]

The following day, the Brazilian government honored the American as a Commander of the Order of the Southern Cross, part of the official reception. Afterwards, Nelson, following a strict schedule in Rio de Janeiro, started by visiting

[41] Memorandum to Nelson A. Rockefeller from Hanson Associates, November 4, 1946. In Rockefeller Family Archives, cit., Nelson A. Rockefeller, personal papers (group 4), series personal activities, box 10; folder 69.

[42] *O Correio da Manhã*, Nov. 16, 1946, p. 1.

[43] Martha Dalrymple, *The AIA Story: Two Decades of International Cooperation*, cit., p. 31.

factories and the Tijuca Forest. Next, he went uphill to Petrópolis and visited the town museum. He had lunch at the Santo Antônio farm, owned by the coffee planter Argemiro de Hungria Machado. Nelson admired the baroque architecture of the farmhouse, especially the chapel with the beautiful 18th-century religious art, which currently belongs to the Brazilian historical heritage.

But Nelson did not come to Brazil to visit museums and appreciate baroque art. In his various conferences, he said he had come to show that our country could become a regional power in the United States' fashion. Even though agriculture was central to his lectures, he also talked about the industrialization connected to the expansion of the agricultural frontier. That was what he said he expected from the actions of the International Basic Economy Corporation (IBEC).

Based on his experiences as *Office* coordinator during wartime, Nelson believed he would improve the standard of living of the inhabitants of Latin America by implementing a sanitation system and monitoring health. The modernization of agricultural activities, the agro-industry and the industries themselves were the bases of the effort to take the population out of a state of poverty. Health and sanitary conditions should be a philanthropic and/or governmental entity responsibility. Agriculture industrialization and modernization would be, according to the projects, performed by capitalist companies for profit.

The two alternatives were complementary, they interacted. That is why one of AIA's principles was that if a project was profitable, this profit should be employed to improve the general conditions of the population who lived near the project. Once the project was firmly established and stable, AIA promised to sell or donate the installations to the government or to some private institution. That mechanism indeed turned some private companies into nonprofit ones and vice-versa.

Nelson Rockefeller was in Brazil when a cholera epidemic threatened the pig population of Rio Grande do Sul, Paraná, São Paulo and some areas in Minas Gerais. AIA technicians took that opportunity to demonstrate the "efficiency" of technology against animal diseases. Quickly, a plane brought American vaccines and veterinarians, who saved the Brazilian pigs. In the beginning of 1947, the epidemic was under control.[44] The episode enabled IBEC to introduce new, more productive breeds, like the duroc--jersey, a bigger and theoretically more resistant pig.

On pigs, abstract art and urban reform

Nelson Rockefeller came several times to Brazil. He shuttled back and forth between New York and São Paulo or Rio de Janeiro to deal with very distinct topics: from airport construction to coffee borer beetle eradication. But he did not neglect art and politics.

In a July 1950 photograph, Assis Chateaubriand is sitting beside President Dutra and high-society ladies wearing fur coats. Standing, among others, is Pietro Maria Bardi, director of MASP, the São Paulo Museum of Art. The central figure in the photograph, however, is Nelson Aldrich Rockefeller, sitting on the floor. With a charming smile, he radiates self--confidence. He had been invited by Assis to (re) inaugurate MASP, and on that occasion he gave a speech that can be considered the cornerstone of the United States' cultural policy in defense of liberalism. He traced a parallel between Brazilian and American people and talked about

[44] *Ibid.*, p. 15.

economy and politics. The emphasis was on the advantages of the free world and the threats that could destroy it. The profound union between the two peoples was, according to him, the best way to defend freedom.

The fundamental part of the speech was saved for the end, when he related art and freedom. Abstract art, he said, should be respected as the expression of emotion and human aspirations. "The Nazis suppressed modern art, labeling it as degenerate art [...] and the Soviets suppressed modern art, calling it formalistic and bourgeois."[45] What Rockefeller meant was that abstract art represented the broader freedom of the individual, which could only come to be in a democratic and free world. Figurative art, on the other hand, was seen as a weapon of Socialist realism, anti--democratic, typical of totalitarian societies. It was a matter, therefore, of not allowing our society to be contaminated by a kind of Communist bacteria which was penetrating Brazil's diseased body. To fight against that danger, the keyword was feeding the people and educating the elite through private enterprise.

From art to extensive chicken and pig breeding. Lack of houses? IBEC Housing, another of his enterprises, would solve the problem with the construction of houses following the same pattern of assembly lines of Detroit factories. EMA, the Agricultural Machines Company, would sell tractors, plows and harvesters to farmers on credit. Helico, a helicopter company, would spray fertilizers and pesticides over the crops. IBEC Technical Service performed research to introduce new grass strains for pastures and more adequate ways of fighting the coffee borer beetle.

Nelson launched in Brazil the investment fund Crescinco, considered one of the first actions to modernize capital markets in our country. A city like São Paulo needed a more modern and dynamic airport, so Nelson's team launched studies to replace the crowded Congonhas Airport. Our streets and avenues had to be more suitable for circulation. Nelson called Robert Moses, who transformed New York, to elaborate the *Public Improvements Program of São Paulo*, which resulted in the marginal expressways that now run along the rivers Tietê and Pinheiros.

He was impelled by the belief that his projects would mean the salvation of Latin America. In a certain sense, today's Brazil of agribusiness, coexisting with a vast majority of small and medium-sized rural properties, seems to repeat the history of the United States. The modernization of the countryside, accompanied by the expansion of an urban consumer population buying electric appliances and food in supermarkets is a Brazil as Nelson dreamed it.

[45] "Cidadelas da Civilização: Discurso Inaugural do Museu de Arte de São Paulo pronunciado por Nelson A. Rockefeller" [*Litlle Towns of Civilization: Inaugural Speech at the inauguration of São Paulo Art Museum by Nelson A. Rockefeller*]. Em: *Habitat*, nº 1 ,out.–dez., 1950. pp. 18-19.

Old World Immigrants in a New World: the Shared Heritage of Brazil and the United States

Barry Moreno*

Brazil and the United States have both witnessed dramatic transformations in their respective societies through mass migration. From 1874 to 1957, a total of 4,993,656 people are reported as having entered Brazil, while the United States received 32,622,063 immigrants in the same period. Although the United States remained the most popular destination for migrants bound for the New World, Brazil's appeal was such that its position as an immigrant destination in Latin America was second only to Argentina.

As might be expected, the main source of immigrants for both nations was Europe. As former colonies of Portugal and Great Britain, respectively, Brazil and United States attracted migrants first from their mother countries before other Europeans decided to join the emigrant flow. One ethnic group, the Germans, quickly made an impact on both countries. Six million of them poured into the United States from 1820 to 1914, while some 200,000 Germans settled down as colonists in southern Brazil, principally in the states of Santa Catarina, Rio Grande do Sul and Paraná. In order to exploit their profitable rural plantation economies, the two countries also maintained substantial slave labor forces for several decades following independence. Yet, as slavery declined and emancipation was instituted, only Brazil desired to replace its servile labor force with foreigners.

In spite of their similarities, Brazil and the United States devised completely different reception procedures for the newcomers. Motivated by different domestic conditions and needs, they developed remarkable ways of selecting who should be admitted. Brazil sought immigrants primarily as agricultural laborers, while the United States was most urgently in need of a multitude of laborers to accelerate its Industrial Revolution. This essay will examine and review emigration to the two nations as well as some of the unique features of immigrant reception that existed in the state of São Paulo and at the Port of New York.

Brazil

The former Portuguese colony of Brazil, now transformed into an imperial constitutional monarchy, had welcomed a steady flow of newcomers since the days of its independence, most notably Portuguese and Spaniards. There was also a new group of German-speaking colonists, thousands of whom are estimated as having settled as freehold farmers in the southern part of the country, from the 1820s and subsequent years. A century later, in the 1920s, an even greater number of Germans would make for Brazilian shores.

Prior to 1870, Brazil had not enough reasons for encouraging mass migration. With about 150,000 to a quarter million African slaves

---

* Barry Moreno works at the Bob Hope Memorial Library at the Ellis Island Immigration Museum where he pursues his passionate interests in cultural history, literature and foreign languages as well as that fascinating immigrant world that once existed on Ellis Island. He wrote *The Statue of Liberty Encyclopedia* (New York, Simon & Schuster, 2000), *Italian Americans* (Hauppauge, Barron's Educational Series, 2003), *The Encyclopedia of Ellis Island* (Mount Pleasant, Arcadia Publishing, 2004), *Children of Ellis Island* (Mount Pleasant, Arcadia Publishing, 2005), *Manhattan Street Scenes* (Mount Pleasant, Arcadia Publishing, 2006), *Ellis Island's Famous Immigrants* (Mount Pleasant, Arcadia Publishing, 2012), and, with Diethelm Knauf, co-editor of *Leaving Home: Migration Yesterday and Today* (Bremen, Edition Temmen, 2011).

laboring on the vast coffee plantations,[1] Brazilian planters had scant interest in the importation of foreign workers. But with the end of the slave trade in 1850 and a thriving abolitionist movement capable of influencing public opinion, winds of change were blowing. In 1871, the Brazilian Parliament enacted the Free Birth Act, giving freedom to all slaves' newborn offspring at birth. Although it freed none of the enslaved working force, the law was at least a feather in the cap of the abolitionist movement and would eventually pave the way to total abolition. Meanwhile, from the 1860s to the 1880s, the number of slaves was falling due to high mortality rates, the lack of fresh importations, and private manumissions. At last, on May 13, 1888, the Lei Áurea (Golden Law), emancipating all Brazilian slaves, came into effect upon receiving the royal assent of the Imperial Princess Isabel, Regent of Brazil. Noting the steady decline of the slave system prior to this statute's enactment, historian Seymour Drescher writes that it was simply the "death warrant for a collapsing structure".[2] Within weeks of emancipation, an acute labor shortage arose on the coffee estates. To remedy this issue, the state of São Paulo decided to increase European immigration to Brazil under an already existing transportation subsidy plan.

THE SUBSIDY POLICY (1881–1928)

São Paulo's upper class elite had been preparing for the eventual liberation of its slaves as early as the late 1870s. They began pressuring state officials to help them in their quest to seek a large number of voluntary manual laborers. In 1881, the state of São Paulo introduced a transportation subsidy policy. It offered to pay the travel expenses – i.e., transatlantic steamship passage and railway fare on reaching Brazil – of Europeans willing to settle in the state. Its purpose was to bring in cheap manual laborers to work on the coffee and cotton *fazendas* (farms) of the interior. As a result of the policy – while the advantages of emigrating to Brazil were being widely publicized and promoted by steamship companies – some 800,000 Italian laborers, from 1887 to 1902, came to work on the *fazendas*. Although the Italians were by far the largest group to respond to the offer, Spaniards, Portuguese and, later, Japanese and Eastern Europeans would also participate. Thus, its effects were expressive. From 1890 to 1913, 1,451,047 immigrants arrived, of whom 893,659, or 62%, were subsidized. The program clearly achieved what the state wanted: in fact, over the next four decades, São Paulo received, by and large, 50% or more of *all* immigration to Brazil. Pleased with the beneficial results, the state legislature often spent as much as 5% of its annual budget to finance the program; on some occasions this was exceeded and, in one record year, 1895, 14.5% of the state budget was funneled into the transport subsidy program. Although the funding was discontinued in 1928, it was revived in 1935.

Placed under contract with the various *fazendas*, the immigrants were guaranteed free housing, a fixed payment by the estate owner for the number of coffee trees cared for, a price for the coffee harvested, as well as wages for extra labor performed. The workers, mostly family groups, had to care for a minimum of 2,000 coffee trees and up to 15,000 trees; the average seems to have been 5,000 trees. They were also allotted a free plot of land which they could cultivate on their own.

1 Herbert S. Klein, *The Atlantic Slave Trade* (Cambridge: Cambridge University Press, 1999), p. 42.

2 Seymour Drescher, "Brazilian Abolition in Comparative Perspective", in *The Hispanic American Historical Review*, 68 (3), Duke University Press, Aug., 1988, pp. 429–460.

IMMIGRANT RECEPTION IN SÃO PAULO

Once they arrived at the Port of Santos, immigrants were taken by railway to the Hospedaria de Imigrantes (Immigrant Guest House) for lodging until they could continue their journey to the *fazenda* where they were going to live and work. Exhausted, weary and sometimes ill from the long sea voyage, they were more than ready to rest and recover before venturing forth into the strange world of the *fazendas*.

Located in the city of São Paulo, the Hospedaria de Imigrantes was Brazil's most important immigrant registry and reception complex. There, immigrants could store their belongings with baggage keepers and receive any immediate medical care they might be in need of. Their names and private information were recorded in registry ledgers. The questions recorded included: name (first and surnames), nationality, kinship, sex, age, destination, steamship, date of arrival, profession, religion, literate (or not), place of birth, port of embarkation and whether repatriated (or not).

Nourishing Brazilian meals were served, and the newcomers were given quarters in a large dormitory. These consisted of enclosed stalls wherein the mother and children slept; outside, facing the curtained entrance to the stall, there was a bed for the husband. 1,200 iron beds with suitable blankets were provided. Meals were served in this fashion: *café* (breakfast) at 7 a.m.; *almoço* (luncheon) starting at 10 a.m.; *jantar* (dinner) starting at 4 p.m.; and, before retiring for the night, a light supper or *lanche*.

Aside from registration and the services described in the foregoing passage, the Hospedaria (guest house) provided an infirmary, triage (medical screening) and a full hospital. The Hospedaria handled 3,000 immigrants weekly; sometimes the figure rose considerably, even reaching, on some occasions, 8,000 per week.

Aside from São Paulo's Hospedaria, similar state-run institutions were set up in the port city of Santos, as well as in the states of Minas Gerais, Rio de Janeiro, Espírito Santo, Santa Catarina and Pará.

BRAZILIAN IMMIGRATION STATISTICS, DESTINATIONS AND SETTLEMENTS

As cited above, Brazil received some 4.9 million immigrants during the period from 1884 to 1957, the majority of whom emigrated to the state of São Paulo. Of these, the fifteen leading countries of origin were Italy (1,510,078 or 31.7%), Portugal (1,457,617 or 30.6%), Spain (657,744 or 13.8%), Japan (209,184 or 4.4%), Germany (192,574 or 4.0%), Russia (109,889 or 2.3%), Austria (88,789 or 1.9%), Turkey (78,708 or 1.7%), Poland (53,555 or 1.1%), France (41,495 or 0.9%), Romania (40,274 or 0.8%), United States (30,686 or 0.6%), England (28,771 or 0.6%) Lithuania (28,665 or 0.6%) and Argentina (25,616 or 0.5%).[3] There were also significant numbers from Yugoslavia, Syria, Lebanon, Hungary, Holland, Greece and Belgium.

Until São Paulo took the lead in receiving immigrants in the 1880s, *Italians* initially settled in the states of Rio Grande do Sul, Santa Catarina, Paraná, Minas Gerais and Espírito Santo. After 1902, Italian immigration plummeted, following the issuance of the Italian Foreign Minister Giulio Prinetti's controversial decree prohibiting Brazil from recruiting Italians as immigrant workers under the subsidy system. With the sharp drop in Italian immigration, the *Portuguese* again regained their old ascendancy. The Lusitanian immigrants

[3] T. Lynn Smith, *Brazil: People and Institutions* (Baton Rouge: Lousiana State University Press, 1963), p. 126.

preferred to settle in Brazil's urban areas, in particular the large cities of Rio de Janeiro and São Paulo, where they worked as small shopkeepers, common laborers, household servants and so forth. *Spaniards* settled in São Paulo, the city of Rio de Janeiro, as well as in Minas Gerais, Rio Grande do Sul and Bahia. The *Germans* established significant colonies in Rio Grande do Sul, Santa Catarina, São Paulo and Paraná, which continued to attract new German settlers well into the twentieth century. *Polish* immigrants also largely preferred the southern states, and, like the Germans, also made their homes in Paraná, Rio Grande do Sul, Santa Catarina and São Paulo; a good many worked as small farmers, especially in Paraná, which had the largest population of Poles. Eventually, Asian immigrants began entering the country. As a result of the Prinetti Decree depriving Brazil of the right to import new Italian workers, the state began contracting immigrants from Japan. The first contract to import *Japanese* migrant labor was signed in 1907 between the state of São Paulo and the Imperial Japanese Immigration Company. Similar contracts were signed in 1917 and 1925.[4]

IMMIGRATION RESTRICTION AND PRESIDENT VARGAS'S ESTADO NOVO

The 1930s were a period of fundamental change in Brazil's official attitude toward foreigners and immigration. Where previously such persons had been regarded as exemplary workers, the new régime of President Getúlio Vargas viewed them with increasing suspicion and even disapproval. Vargas, a committed nationalist, reorganized the political structure of the country with the adoption of the Constitution of 1934. This new national charter introduced a quota for immigrants based on their nationality. Article 121, section 6 reads: "The entry of immigrants into the national territory will be subject to the restrictions necessary to guarantee the ethnic integration and the physical and legal capacity of the immigrant; the immigrant arrivals from any country, however, may not exceed an annual rate of two percent of the total number of that nationality resident in Brazil during the preceding fifty years." The same requirement was maintained as Article 151 of President Vargas's authoritarian Constitution of 1937.[5] As a result of these changes, immigration was sharply reduced and restricted to only 77,020 for any single year. Although Portugal was also initially given a restricted annual quota under this provision, it was adjusted in 1938, showing that Brazil still favored the Portuguese over all other foreign nationalities.

After 1938, Vargas imposed a policy of nationalization on foreigners, requiring them to speak the Portuguese language and to fully accept Brazil as their country, relinquishing all patriotic ties to their former homelands.

WORLD WAR II AND THE INTERNMENT OF AXIS SUBJECTS

Following the Japanese attack on Pearl Harbor on December 7, 1941, President Vargas declared Japanese, German and Italian nationals residing in Brazil as *súditos do Eixo* (Axis subjects). One of his purposes was to confiscate the bank holdings of wealthy Axis nationals and apply them to the wartime needs of the Brazilian Government. In January 1942, President Vargas broke off diplomatic relations with the Axis powers as Brazil moved to end its neutrality and enter the war on the side of the British Empire, the United States and their allies; Brazil officially declared war against the Axis powers

[4] *Ibid.*, pp. 138–142.

[5] Thomas E. Skidmore, "Racial Ideas and Social Policy in Brazil, 1870–1940", in Richard Graham (ed.), *The Idea of Race in Latin America, 1870–1940* (Austin: University of Texas, 1990), p. 25.

on August 31, 1942. During the war, thousands of Axis nationals were detained as prisoners of war in Brazilian internment camps, including São Paulo's legendary Hospedaria de Imigrantes.

In sum, immigration to Brazil was promoted by the state of São Paulo's highly effective transport subsidy program, a policy which made that state the nation's main recipient of highly desirable immigrant workers, the vast majority of whom were Europeans. Besides, Brazil benefited economically, socially and culturally by the migration of millions of immigrants. As the majority of the newcomers were Latino – Portuguese, Spaniards and Italians – their assimilation into Brazilian society was relatively smooth, at least in terms of language, religion and general cultural habits and values. Non-Latino immigrants, such as Germans, Poles, Japanese and Arabs tended to assimilate more slowly and often resisted aspects of Brazilian culture such as achieving fluency in the Portuguese language.

The United States

Since 1800, the United States has attracted more immigrants than any other nation in the world. The country's tradition of fostering political and economic liberty, its vast areas of settlement, the extraordinary wealth and resources of the land and the general prosperity of its inhabitants, have drawn countless "greenhorns" to its shores.

NEW YORK STATE IMMIGRATION POLICY AND CASTLE GARDEN

Beginning in the 1830s, the waves of immigrants boosted the country's growth: they gave it the strength to achieve its aims, not the least of which was the opening of the West to white settlement. Not long after the Civil War, there was a marked decline in immigration, due to a number of factors, including the effects of a severe economic slump in 1873. But the next decade saw a massive upsurge of newcomers, mostly pouring in through New York's Castle Garden Immigrant Landing Depot (1855–1890). One reason for this development was that a great many of them were coming from an unexpected quarter: the far distant kingdoms of Eastern and Southern Europe, lands which had previously sent few immigrants. Known as the "new immigration," this sort of Europeans differed markedly from the "old immigration", which hailed from regions such as Germany, Ireland, Great Britain, Scandinavia, Austria, Holland, Belgium, France, and Northern Italy. To English America, these familiar folks were welcome in spite of their differences, while the new immigrants from lands far, far away, seemed much too foreign to be successfully assimilated into American society.

Even worse was the fact that the "new immigrants" were almost all Roman Catholic, Jewish or Eastern Orthodox Christians – faiths which easily aroused Protestant suspicion and, at times, even open hostility. For this and other reasons, many Americans began to doubt the value of mass immigration and some even proposed that it was time to close the golden door.

In 1882, the federal government began enacting laws to bar undesirable immigrants, but in order to win the compliance of the states, Washington decided to collect a "head tax" of fifty cents from each arriving alien; the funds were then reimbursed to those states that actively enforced federal regulations. The State of New York naturally received the bulk of this federal relief money, helping it to continue operating Castle Garden Depot, as well as the state immigrant hospital and refugee buildings on Wards Island. The same legislation barred the entry of "convicts, lunatics, idiots, and persons likely to become a public charge". A separate law adopted in the same year was the racist Chinese Exclusion Act, which barred the entry of certain laborers based only on their ethnicity. In 1885, another law was passed, this time barring all foreign workers brought in under contract. The federal government passed this law to silence the boisterous complaints by the Knights of Labor and other trade unions, who alleged that a vast number of American workingmen were losing jobs through the deliberate importation of foreign laborers. This law was aimed partly at Italians. The reason for this is that thousands of these Italians were being brought into the country on a regular basis by men called *padrones*. These minor businessmen were earning lucrative commissions from manufacturers and other American firms needing reliable workers to whom they could pay the lowest of wages without much complaint. In addition, their immigrant wards paid their *padrones* a commission out of their meager earnings.

The *padrones* themselves had long been importing southern Italians and Greeks to work in their own small-scale enterprises, such as bootblacks, musicians in the streets and cafés, fruit and vegetables peddlers, and candy manufacturers. Other nationalities brought in by *padrones* of their own included Croatians, Mexicans and Japanese.

Not surprisingly, the state that had the greatest difficulty in satisfying the federal government in this matter of turning away undesirables was also the nation's leading port. Each year, the port of New York received as much as 75% of all immigration. Consequently, when the question of immigrants arose, the eyes of the nation naturally turned to the commissioners of New York State's Board of Emigration and its Castle Garden Depôt at the tip of lower Manhattan.

FEDERAL CONTROL OF IMMIGRATION AND THE OPENING OF ELLIS ISLAND

Washington considered the New York immigrant landing system seriously flawed. What dissatisfied them most was the lack of any real screening: what went on at Castle Garden amounted to no more than a mere tabulation and recording of personal details about each immigrant in large ledgers – there was practically no filtering. In addition, unsavory conditions, such as dirt, dishonesty and corruption, were commonplace. Some people also complained about the work of Mormon missionaries, who were assisting thousands of northern and western Europeans to emigrate. Because of the church's traditional advocacy of polygamy, many felt it should not be permitted.

Debates about these and related questions resulted in the federal government assuming full control of immigrant reception: the United States Department of the Treasury was put in charge. In terms of bureaucracy, this was a sensible decision, since the Treasury Department was already running the Customs Service and the Marine Hospital Service, both of which carried out their duties at domestic seaports. With the consent of President Benjamin Harrison and Congress, the Secretary of the Treasury approved plans to construct the nation's first federal inspection station on Ellis Island in New York Harbor. Meanwhile, immigrant reception was temporarily transferred from Castle Garden to a nearby federal building called the Barge Office. In 1891, Congress created a new Treasury Department agency to regulate immigration: the United States Bureau of Immigration. At the time, a new set of immigration policies introduced entirely new procedures, such as "immigrant inspection", as well as instructions of what steamship pursers should write on the ships' passenger lists, and precise regulations governing the exclusion and the deportation of undesirable or inadmissible aliens.

The same decade saw an even heavier immigration of new ethnic groups: Southern Italians, Orthodox Jews, Poles, Slovaks, Lithuanians, Finns, Bulgarians, as well as Greeks, Portuguese, Spaniards, Armenians, Syrian Arabs, Turks, Hindus, Sikhs, West Indian blacks, and Gypsies all arrived on ship after ship, much to the consternation of a growing circle of Americans demanding far stricter immigration laws.

From 1892 to 1910, a nationwide immigration control system was brought into operation: a chain of immigrant inspection stations was set up at all ports and border crossings. Aside from New York's Ellis Island, federal immigrant stations were opened in Boston, Philadelphia, Baltimore, Detroit, Chicago, Seattle, Portland, San Francisco, Los Angeles, Honolulu, El Paso, Galveston, New Orleans, Mobile, Jacksonville, Savannah, Norfolk, San Juan (Puerto Rico), and the foreign cities of Montreal, Toronto and Vancouver, which required the consent of the Dominion of Canada.

At the turn of the century, immigration began to rise and continued to surge at an astounding rate. Ellis Island was tremendously overcrowded: as many as 50,000 aliens had to be examined at the little island each week. In response to this situation, the government hastily began enlarging the isle through landfilling; this was followed by the construction of desperately needed medical and other support buildings. Additionally, newer and stricter regulations came into force. Inspectors were more than ever on the lookout for undesirable aliens, such as foreign prostitutes and their procurers ("the white slave traffic"), unwed mothers, those certified as having "poor physiques", being "feeble-minded" or suffering from the dreaded eye ailment known as trachoma. In 1903, "suspect political beliefs" were added to the list, when Anarchists were barred under the Immigration Act of that year. This law also raised the head tax to 2 dollars and barred the entry of epileptics and beggars.

Meanwhile, the flow of eastern European Jews increased dramatically due to the outbreak of hundreds and hundreds of vicious pogroms against them (1903 to 1906). The Bureau of Immigration sent a number of immigrant inspectors, including Philip Cowen of Ellis Island, to investigate the causes of the massive exodus. Yet it was also apparent that in spite of the ugly outrage of the pogroms, the vast majority of Jewish emigration was mostly impelled by a burning desire to escape the age-old poverty which had been their lot for generations. For them, coming to America was a dream coming true.

Balkan and Levantine immigration also rose in this decade. Greeks, Romanians, Serbs, Croats, Bulgarians, Albanians, Bosnians and others made the long trek to America. The stream of ships came from Marseille, Naples, Patras, Piraeus, Istanbul and Alexandria, also crowded with hopefuls from Syria, Armenia, Turkey and Malta, while more emigrants were setting out from Spanish and Portuguese ports. Although the basic reasons for migration were pretty much the same for all of these people, namely, to escape dire poverty and help one's family, there were other causes, such as avoiding discrimination, bigotry, prejudice, war, violence, forced military service, old world customs and traditions, or forced marriages.

As one might expect, the steamship lines made quite a bundle from the lucrative business of transporting emigrants. After the United States, they found that Canada, Argentina, Brazil, Australia, New Zealand, and South Africa were popular destinations for migrants.

In 1907, the federal government, reacting to rising opposition to Japanese immigrants, entered into a diplomatic understanding with the Empire of Japan to curtail immigration from that source. Called the "Gentlemen's Agreement," it consisted of a promise by the United States government not to pass a Japanese exclusion law and another by the Imperial Japanese government to halt further Japanese emigration to the United States.

In 1910, refugees from south of the border began fleeing into Texas, Arizona and California to escape the turmoil and save their lives. That was the Mexican Revolution, a civil war that lasted ten years, during which the United States received 890,000 refugees from that country. This eventually led to the founding of a new federal agency in 1924, the United States Border Patrol. That agency's task was to block illegal entry along the Mexican and Canadian borders.

IMMIGRATION RESTRICTION

During this same period, the immigration restriction movement gained momentum. World War I
contributed to this in a big way by creating a lull in mass emigration, indicating that America's mills, mines, manufacturers, builders, farming estates, and other large concerns could manage sufficiently well without the massive numbers of newcomers to bolster the workforce. The restrictionists, inspired by the swift growth and expansion of the fiercely anti-immigrant movements – on the one hand, anti-Catholic group, Ku Klux Klan, and the nationwide Americanization Movement, represented by respected organizations like the YMCA and the Protestant Episcopal Church, on the other –, marched to victory on the political front. In 1917, Congress enacted the Literacy Act, which barred the immigration of illiterate people. Its sponsors knew quite well that the new law would block the entry of groups known to have low rates of literacy, such as Orthodox Jewish women and Christian peasants from Southern Italy, Portugal and Eastern Europe. Although this was an important law, it did not satisfy the restrictionists, who had far higher ambitions: they wanted Congress to pass legislation to end European mass migration for good. Their goal was finally achieved with the passage of the immigration quota acts of 1921 and 1924. Of the two, the 1924 law was the most severe, as it cut immigration to a trickle by the end of the decade.

However, before the May 1924 law was adopted, the United States had already received an overflow of fresh immigrants and refugees following quick on the heels of post-war peace. From 1919 to 1924, thousands poured into Ellis Island and other stations: Germans, Austrians, Russians, Hungarians, Romanians, Irish, Armenians, Greeks, Jews, Italians, and just about every other Old World nationality were trying to get in before any new restriction laws could come into force.

As mass migration came to an end, the Bureau of Immigration changed many of its operations. With far fewer "immigrant inspections" needed at Ellis Island and elsewhere, they decided to step up domestic enforcement on illegal aliens residing in the United States. Designating Ellis Island as the national headquarters for deportation and other warrant cases, they perfected a system of investigating, arresting and transporting great numbers of aliens who had transgressed the laws of the land. These "deportation parties", as they were known, involved the use of trains traveling across the country, halting in rural areas and urban communities to pick up deportees from the local law enforcement officials. The trains operated every four to six weeks, and began their eastward journeys from two points: San Francisco and

Seattle. The duty staff consisted of men called "immigrant inspectors", as well as armed guards, matrons and physicians. The end of the line was Jersey City, New Jersey, from where the detainees were transferred to Ellis Island by steamboats. These deportation trains remained a significant part of United States policy from 1920 through the 1940s.

During the Great Depression of the 1930s, immigration virtually stopped – even the limited quotas often went unfilled. In fact, for the first time in American history, statistics showed more foreigners leaving the United States than entering it. Of course, the gradual improvement in the economy began reversing this trend, especially as war clouds gathered over Asia, Europe and East Africa just before the outbreak of the World War II.

While nationalism and war fever convinced thousands of loyal German and Italian immigrants to return to their beloved homelands in support of Fascism, thousands of people in Europe, abhorring the change of events there, began fleeing to the United States, Canada, England, Palestine, Latin America and other countries. Hitler's victorious conquests of Poland, Czechoslovakia, Denmark, Norway, Belgium, Holland, Luxembourg, France, Yugoslavia and Greece meant that hundreds of thousands of refugees from those places were now labeled as "stateless" aliens. Ellis Island became a way--station for those seeking refuge in the United States.

WARTIME ENEMY ALIENS

The war also exacted a severe toll on Germans, Italians and Japanese nationals living in the United States. In December 1941, President Roosevelt signed an executive order declaring them to be alien enemies. This affected more than 900,000 people. Many thousands of them found themselves under FBI surveillance and at least 10,000 were actually arrested and taken to immigrant stations such as Ellis Island for investigation. In fact, even respectable American citizens were not exempt: in a decision clearly motivated by racism and xenophobia, President Roosevelt stripped United States citizens of Japanese descent of their civil rights by signing an executive order that forced them out of the their homes and into internment camps throughout the western states.

POSTWAR DISPLACED PERSONS AND REFUGEES

With the end of the war, Congress passed in 1945 the War Brides Act, which permitted spouses and adopted children of American military personnel to enter the United States without the need to wait for a quota number. Meanwhile, President Roosevelt had already set up a War Refugee Board and subsequent legislation for helping European refugees and displaced persons to enter the United States more easily.

By 1950, the Cold War was in full swing and Communism had become distinctly unpopular. The Internal Security Act blocked the immigration of subversives, Communists and Fascists. Ellis Island once more came into play as a leading detention facility for any arriving foreigners suspected of or known to be involved in subversive activities. Perhaps the most notable of these cases were those of Ignatz Mezei, "the man without a country", who was held for 43 months, and Ellen Knauff, a war bride held for 22 months; after a long struggle, both eventually won their appeals and were released. By 1954, Ellis Island was determined to be too large and expensive to operate and it was closed permanently on November 12, 1954, ending the first great era of United States federal immigration control.

Conclusion

We have seen that Brazil and the United States underwent significant demographic change through mass migration. In both countries, migration was long looked upon as primarily a means of advancing the domestic economy, yet the consequences proved far-reaching in other spheres as well, including the cultural, social and political.

We have also seen how each nation dealt with immigration through the adoption of legislation and setting up of bureaucratic structures to regulate the entry of migrants. In the state of New York, Castle Garden served as the first immigrant reception facility to be established: it received eight million immigrants from 1855 to 1890. Similarly, from 1886 to 1888, the state of São Paulo planned and opened the *Hospedaria de Imigrantes* to receive and temporarily house those who were arriving. In 1891, the United States federal government took over immigration control from the state of New York, and in the next year established the Ellis Island Immigrant Station in New York Harbor as the nation's leading immigrant gateway. Both nations established precise registration procedures, medical examinations and transport services within the premises of their respective facilities. Yet in spite of these similar phenomena, there were also striking differences. While Brazil practiced a highly selective form of immigration through its contract labor subsidy program, the United States firmly prohibited the entry of contracted laborers (1885) and barred other undesirable aliens as well, most notably Chinese laborers (1882), "persons likely to become a public charge" (1891), anarchists and epileptics (1903), and illiterate persons (1917). As a result, immigrants were carefully screened at Ellis Island and anyone arousing doubt was subject to detention, investigation and possible exclusion.

In the years following the end of the World War I, both countries adopted restrictive national quotas – the United States in 1921 and 1924, and Brazil in 1934 and 1937. Both pressured assimilation on its newcomers by urging them to learn English and Portuguese, respectively, and to accept their new homeland's customs, values, traditions and, when qualified, to apply for naturalization. During World War II, both countries were allies and adopted aggressive policies against their wartime enemies – Germany, Japan and Italy – and the immigrants living within their borders who had come from those countries. Likewise, programs were instituted to deal with prisoners of war and enemy aliens. Although one must acknowledge that each country has its own unique profile as a receiver of immigrants, it is also fair to say that, when the two histories are compared, striking similarities are clearly perceived, and these demonstrate that they truly have a shared heritage.

Recommended Literature

CORSI, Edward. *In the Shadow of Liberty: the Chronicle of Ellis Island.* New York: The Macmillan Company, 1935.

DEMARTINI, Zeila de Brito Fabri "Immigration in Brazil: the Insertion of Different Groups". In Uma A. Segal, Doreen Elliot & Nazneen S. Mayadas (ed.), *Immigration Worldwide: Policies, Practices and Trends* (New York: Oxford University Press, 2010).

GOVERNO DO ESTADO DE SÃO PAULO / Secretaria de Estado da Cultura, *Breve história da Hospedaria de Imigrantes e da imigração para São Paulo*, 3. ed, Série Resumos, n. 7. São Paulo: Memorial do Imigrante, 2004.

KLEIN, Herbert S. "European and Asian Migration to Brazil". In Robin Cohen (ed.), *The Cambridge Survey of World Migration* Cambridge: Cambridge University Press, England, 1995.

KNAUF, Diethelm. "To Govern Is to Populate! Migration to Latin America", in Diethelm Knauf & Barry Moreno (ed.), *Leaving Home: Migration Yesterday and Today*. Bremen: Edition Temmen, 2010.

MORENO, Barry. *Castle Garden and Battery Park*. Charleston: Arcadia Publishing, 2007.

______________. *Gateway to America: the World of Ellis Island*. New York: Sterling Publishing, 2012.

PITKIN, Thomas M. *Keepers of the Gate: a History of Ellis Island*. New York: New York University Press, 1975.

SCHULZ, Karin (ed.). *Hoffnung Amerika: Europäische Auswanderung in die Neue Welt*. Bremerhaven: Nordwestdeutsche Verlagsgesellschaft, 1994.

Journalism in Americas

Carlos Eduardo Lins da Silva*

Twenty five years ago, I performed postdoctoral level academic work within the Woodrow Wilson Center's Latin-American program (the *Brazil Institute* had not yet been created in that institution), in Washington, to research and understand how the journalistic model of the United States of America had influenced the practice of journalism in Brazil. The resulting text was published in the form of a book in 1990, under the title *O adiantado da hora* [The lateness of the hour],[1] a reference to a poem by Carlos Drummond de Andrade and to the contradictions among the various and different historical, economic, social, technological and professional moments that existed between the American and Brazilian brands of journalism back then.

A quarter of a century may always – but especially during the turn of the XX into the XXI century – bring huge transformations, particularly in the area of the communications industry, which has witnessed, in this period, without exaggeration, the biggest set of changes in its history since the invention of movable types for printing in the first half of the XV century.

In 1987, not even the Internet was yet available to the general public. Cell phones - rare and absurdly expensive - weighed about two pounds and were almost a foot long. The fax machine was the most advanced gadget journalists had available in order to send their texts long-distance. Paid TV was still in its infancy in most countries. Printed newspapers and magazines were indisputably the most prestigious vehicles, as they had been at least for the last 150 years. Brazil was truly experiencing democracy for the first time in its existence as a country, with the first civilian government in two decades and civic frenzy about the National Constituent Assembly. The press enjoyed the utmost possible freedom, which was also something completely new.

Even so, the self-esteem of the Brazilian people, historically – and still today – a collective personality phenomenon comparable to bipolarity in individuals, was at its lowest during those times. Thousands of people, fearing hyperinflation and frustrated by the fact that the end of the military régime had not been followed immediately by absolute country-wide happiness, tried to emigrate from the country, many of them to the USA, which was seen by Brazil's middle class, more than ever before, as a synonym of modernity, development, innovation and progress.

Journalism was no exception within that set of attitudes. The American model, which had replaced the Portuguese and the French ones since the end of World War II as the main source of inspiration for those who practiced such activity in Brazil, was consolidated in a hegemonic, almost absolute, way.

Print journalism, the main focus of my research 25 years ago, as well as of the present essay, was the last among the main forms in Brazil to strongly follow the American model, something already being done in Brazilian radio and television

* Carlos Eduardo Lins da Silva is currently the president of Projor (Observatório da Imprensa) [Press Observatory] and editor at *Política Externa* magazine and *Revista de Jornalismo ESPM*. Full professor and PhD in Communication Sciences at Universidade de São Paulo with a Master's Degree in Communications from Michigan State University (obtained through a scholarship awarded by the Fulbright Commission), he teaches at ESPM's Journalism Master course. He worked as associate newsroom director at the newspapers *Valor Econômico* and *Folha de S. Paulo*, where he has also worked as a US correspondent and ombudsman.

1 Carlos Eduardo Lins da Silva, *O adiantado da hora: a influência americana sobre o jornalismo brasileiro* (São Paulo: Editora Summus, 1990).

practically ever since their inception (1922, for radio, and 1950, for television).

Brazilian radio, from 1922 to 1932, experimented with the British system, in which listeners paid a fee for the privilege of receiving the signals of the few existing radio stations, almost all of them public or state-owned. However, after that period, radio adopted the system of sponsorship for its programs by means of advertising – as it was being done in the USA –, and that began to be a reference for all of radio content, including journalism, where the *Repórter Esso* newscast started to dawn as a great leader. In television, American predominance began with the creation of the very first TV station, São Paulo's PRF3-TV Difusora, channel 3, which had at its opening ceremony the presence of Nelson Rockefeller and David Sarnoff, the radio pioneer in the USA, from where Brazil imported formulas for virtually all kinds of television programming, including journalism.

American influence in print media became even more decisive decades after the first vehicles were created in Brazil. Editorial innovations such as *USA Today*, with its structure based on short texts and lots of images, or *Los Angeles Times*' regional editions, held great importance over decisions taken by the Brazilian newspapers towards the end of last century in order to maintain and expand their businesses and readership.

However, since then, the Berlin Wall was torn down, the Washington Consensus was established (and then dismantled by the global financial crisis of 2008), and George W. Bush's government received, during the War on Terror started in 2001, almost unanimous support from the *establishment* of American journalism, a support which was denied to its predecessors during the Cold War. And most importantly for this essay's subject, print media began collapsing under the ongoing and flourishing dissemination of Internet-related technologies and vehicles. More recently, the USA saw its political and economical world power, apparently limitless after the crumbling of the Soviet empire, structurally threatened by the failure of its military intervention in Iraq, and by the subprime economical debacle and its consequences.

Brazil, on the other hand, ascended to an unprecedented position of importance in worldwide geopolitics (maybe lacking valid foundations), thanks to diverse factors, such as the rise in exports, its own domestic consumer market's expansion, a prominent presence along with other developing countries at international forums, an unheard-of leading role in foreign politics initiatives, relative success in fighting the global financial crisis and also the success of symbolic products (cinema, music, design, and some personal consumer items) in several markets.

In spite of those and other dramatic changes, Brazilian journalism – almost as confused as its American counterpart in facing the new challenges, even though materially less affected (at least for now, as the universalization of the new media has not yet occurred here as it has over there) – still uses the American model as its basic paradigm. This can be verified nowadays even though it is more difficult than ever to treat the production of a cultural commodity as if it was something absolutely individual in any society, given the ever-growing intermingling and mutual influence seen in intellectual production (cinema, theater, music, television, advertising, dance, photography, literature, radio, fine arts and, of course, journalism). The country's largest newspapers study the decisions of their Northern counterparts and usually adopt them, albeit with some variations (or, to say the least, they analyze them in detail): paywalls in order to access Internet content, the merging of the online and printed newsrooms, synergy in the production for different platforms.

Some of this century's most interesting editorial innovations, such as *Piauí* magazine (which was first published in 2006), clearly got inspired in the wellspring of USA journalism; in this case, *The New Yorker* magazine). It is true that experiments performed in other nations have also had great repercussions in Brazilian journalism (such as those brought about by the British newspaper *The Guardian*, when it radicalized its virtual version, in contrast to the printed one), but much less so than what the American tryouts have caused.

For instance, the successes obtained by vehicles like *Sanoma* in Finland, *Schibsted* in Norway, and the Swiss group Gossweiler Media in Switzerland and the way they were able to adapt to the new technological reality are almost ignored in Brazil; while much less accomplished experiments, but still relatively successful, from the USA, as in the case of the *Christian Science Monitor*, *Patch* (AOL), *ProPublica* and *Politico*, get a lot of attention from the professional and academic areas of Brazilian journalism.

Brazil's adoption of the American model as a journalistic paradigm was gradual, starting in the XIX century, and ultimately consolidated after the end of the military régime in 1985, especially after the 1988 Constitution, due to its guarantees of freedom of expression clearly inspired by the First Amendment to the USA Constitution – which actually are broader than the American ones, ensuring such things as the journalists' right to keep their sources secret, or the right of rebuttal granted to a party who feel they may have been harmed by any journalistic activity.

Like the adoption of any model between two fundamentally distinct societies, this one also presented inevitable contradictions. Journalism in the USA grew as a consequence of the characteristics created there by its own society. For instance, still in the XIX century, widespread literacy, large and strong middle classes, generalized urbanization, solid and ancient democratic institutions, and deeply rooted essential notions of citizenship. It would not be possible to transplant a journalism system generated by such conditions to another society where they did not exist.

For instance, José do Patrocínio had tried, in 1887, with his *Cidade do Rio*, to create a newspaper which would be a tropical reproduction of the *New York Herald*. He said, "With a little work, a lot of effort, we shall find the mother lode".[2] His dream, of course, became a nightmare.

Only much later, starting in the 1950s and even more in the 1970s, it became possible to make newspapers slightly similar to the American ones with any success from a business viewpoint, such as *Jornal do Brasil*, *O Globo*, *Folha de S.Paulo*, *O Estado de S. Paulo*, and *Gazeta Mercantil*.

The press arrived in North America in 1638, that is, 170 years before it arrived in Brazil. The first newspaper, in Boston, began circulating through private initiative in 1690; in Brazil, the two pioneering newspapers appeared in 1808 – one, *Correio Braziliense*, was clandestine, and printed in England; the other, *Gazeta do Rio de Janeiro*, belonged to the government.

Newspapers spread throughout the USA. As Alberto Dines says, in the XIX century every American town had at least one sheriff, one saloon

[2] Juarez Bahia, *Três fases da Imprensa Brasileira* [Three Phases of Brazilian Press] (Santos: Presença, 1960), p.57.

and one newspaper. In Brazil, even nowadays the local press is very frail, and it has been almost nonexistent throughout all of the country's history.

In the 1830s, according to Michael Schudson, American journalism underwent a revolution which led to the triumph of news over editorials, of facts over opinions, a change which was forged by the expansion of democracy and the marketplace.[3] It was then that American journalism replaced the British model, until then predominant, with something of its own.

Ever since its beginning as a nation, however, the USA already had traits that would make natural such a rupture with English journalism, partisan, and editorialized: class divisions were never as radical there as they were in England, the technology of mass printing developed more quickly in the USA than in England, American journalists seldom were intellectuals, unlike almost every other British journalist (therefore, Americans had a less ideological view of their work). Besides that, there has always been a much larger consensus of American public opinion about essential political principles than there was in England, which resulted in political parties with much less antagonistic doctrines – Democrats and Republicans – than the British Labour and Conservatives.

The most decisive trait, however, was the fact that a relatively democratic consumer market of goods and services was quickly created in the USA, formed by people who had time, money and culture to pay for a commodity (news) which was brought to them by a vehicle (a newspaper or a magazine, initially) that could sell its public (the readers) to advertisers interested in boosting sales of their own products (clothes, food, soap, etc.).

During the second half of the XIX century, the number of titles and circulation of newspapers in the USA was already several times larger than it would be in Brazil by the end of the XX century, due to the simple fact that the public which was able to pay for newspapers and the goods advertised in them was many times larger than its Brazilian counterpart. The USA of 150 years ago had a "democratic market society" which would only begin to appear timidly in Brazil in this XXI century.

The newspapers and the political and social values associated with them were the result of that process in the area of the social communication industry in the USA. They were imported to Brazil at a time when Brazilian society did not have the same characteristics as the American society of that period. That made them acquire their own contours, different – neither better nor worse – from the ones which were their model.

Journalism in Brazil has always been an activity aimed at the elite, as the majority of the population was illiterate until a few decades ago and oral tradition reigned until recently. Material poverty is still dominant for a huge percentage of Brazilians, and radio and TV had spread before reading newspapers could become a habit among most people, thus making Brazil still one of the few countries in the world where newspapers with the highest circulations are the "prestige" rather than the "popular" ones.

Only in the XXI century, newspapers with American tabloid characteristics, as emphasis on crime, celebrity-related and sex news, began achieving commercial success, clearly as a consequence of the financial ascent of the low--income strata of the population, which finally started to have enough money to spend on news and its advertised products. In fact, the growth of such "popular" newspapers is one of the main

[3] Michael Shudson, *Discovering the News* (New York: Basic Books, 1978).

reasons why the printed media sector in Brazil does not show, as it is the case in the USA, a decline in total circulation. Oddly enough, in spite of such basic structural differences between the two societies, Brazilian newspapers and magazines adopted the USA's own philosophical, stylistic and technical principles, which led to radical alterations in the way news vehicles reached the public and journalists behaved when performing their activities.

The American influence is much swifter nowadays than it has been in any other moment in history – today one can have instant access to practically everything that is done in the world. But such influence is ancient: it comes probably from the times of Hipólito da Costa Pereira, Brazilian journalism pioneer, founder of *Correio Braziliense.* He'd lived several years in the USA and, even though he published a clearly partisan and opinionated newspaper, in the best style of England – where he settled and from where he sent his *Correio* to Brazil –, he had a special fondness for the precision of the information he recorded, not only in his newspaper but even in his own journal, the same way that – at least in principle – would be the standard for American journalism.

Gilberto Freyre, Herbert Moses, Edgard Leuenroth, Nestor Rangel Pestana, Alceu Amoroso Lima, Monteiro Lobato, Antônio Torres, Agripino Grieco, and Carlos Alberto Nóbrega da Cunha were some of the early agents of the American influence over Brazilian journalism during the first half of the XX century. From World War II, with the "seductive imperialism" effort (to use Antonio Pedro Tota's ingenious and celebrated concept) by Roosevelt's USA over Brazil, several influential Brazilian journalists began spending longer periods in the USA, and they came back bent on performing articulate changes in the vehicles they worked for in order to make them similar to those they had seen in the American cities where they stayed. Among those, Pompeu de Souza, Alberto Dines, Samuel Wainer, and Mauro Laria de Almeida.

As I tried to show in *O adiantado da hora*,[4] printed journalism in Brazil, during the seven decades in which American influence was decisive, did not become a mockery of USA journalism. It never was – and certainly will never be in the future – a question of a mechanical or identical reproduction of values, systems, styles, and techniques; no one with common sense has ever tried to do such a thing.

Brazilian journalists may have assumed, in various situations, some of the assumptions of their American colleagues to be the best and tried to follow many of their examples. Some may even have copied them uncritically, but almost all of them have always been aware that it was necessary to adapt them to their own conditions, characteristics and conveniences, as they knew that something very different from the original would result from that process, as it has, in fact, resulted.

The changes due to the globalization of the economy and digitalization of culture since, which occurred more intensely in the 1990s, rendered even more complex this process of mutual influence in all facets of cultural production, including journalism. It will become harder and harder to identify which aspects of any particular symbolic commodity may have been inspired by a specific national model. More and more the origin of influence is a mixture from several sources and the cultural amalgam is composed by different

[4] Carlos Eduardo Lins da Silva, *O adiantado da hora: a influência americana sobre o jornalismo brasileiro*, cit.

elements. This is the case for many fields, such as journalism.

It is obvious that the importance of the USA to Brazil in the different areas of culture will still be big as long as the relationships among people from both countries are important and intense. And they have grown in the XXI century – after a brief lull following the events of September 11, 2001 – also due to the growth of the Brazilian economy and the decline of the USA's: the number of Brazilian tourists in the USA and students from Brazil in American high schools and universities has been increasing every year.

Even so, it will become more complicated to analyze cultural influences, because the American national culture itself is undergoing radical transformations, brought on by the demographic changes happening there. It is predicted that by 2050 the country's Hispanic population will represent 29% of the total (compared with 14% in 2005) and whites will become a minority (47%).

Probably, therefore, the kind of approach which guided the essential conceptual premises in the study I made 25 years ago, from the comparison of modes and principles in the Ibero-American way of thinking in contrast with the Anglo-Saxon, through the conclusions of the great American historian and a researcher of Brazil, Richard Morse,[1] will no longer make sense. American journalism, halfway through this century, will surely be something very different from what it was in the second half of the XX century. The cultural tradition of Hispanics, Asians and their descendants in the USA and the exchange American journalism keeps with what is done in other countries, notably in Scandinavia and Western Europe, plus the alterations in the political and institutional life and in the socio-economic patterns which occur and will continue occurring in the country will bring so many changes to American journalism that maybe it will be difficult to consider it the same that exists today.

Therefore, the theme of the influence of the American model of journalism over the Brazilian one will perhaps become obsolete and irrelevant.

[1] Richard Morse, *O espelho de Próspero: cultura e ideia nas Américas* (São Paulo, Companhia Das Letras, 1995).

Shared Heritages and Cultural Differences

Jeffrey Lesser*

I first came to Bom Retiro more than twenty-five years ago, and in many ways this neighborhood helped me to understand Brazil. Bom Retiro, and many other spaces like it – Liberdade, 25 de Março, and Brás in São Paulo; Bom Fim in Porto Alegre; Saara, and Praça Onze in Rio de Janeiro – are familiar to those raised in the United States. Those are areas that have been deemed "immigrant" spaces for generations, even though most of the residents have always been native-born citizens of Brazil. The zones are called "the Korean neighborhood", "the Jewish neighborhood", or "the Italian neighborhood", but members of these groups have never constituted the majority of residents. Residential and commercial areas like these are often targets of envy, because the imagined inhabitants are seen as hard-working and upwardly mobile, often causing anxiety in others.

One of my favorite activities is to take people on walking tours of Bom Retiro. We start at the Luz station and then stroll to the nearby former Deops headquarters. Today, that building's repressive history is masked by art from the Pinacoteca and revealed in the former jail cells that make up the Memorial da Resistência. We amble through the Jardim da Luz and we discuss how that park has gone from a site of leisure in the early XX century to a site of fear in the 1990s, and more recently to a leisure space again. We see schoolchildren playing, and older people chatting. We often hear *sertanejo* music. We walk down Rua José Paulino and move from the quiet of the Jardim da Luz into the bustle of streets filled with street vendors and residents.When I take Brazilians on these walking tours, they are often shocked – they have heard that Bom Retiro is scary, dangerous, and an impossible place to take a walk; they have been told it is a foreign part of the city, yet at the end of the excursion they are amazed by Bom Retiro's often familiar Brazilianness. People from the United States usually have a different reaction. From the minute they enter the neighborhood, they recognize Bom Retiro and say things like "it looks like the Lower East Side of New York", "Koreatown in Los Angeles is the same", or "this reminds me of Buford Highway in Atlanta". Americans are not surprised by Bom Retiro, but they often wonder why so few Brazilians have ever visited it.

The varied reactions to the outings through Bom Retiro illustrate fundamental diversifications in understanding immigration to the United States and to Brazil, both historically and in the present. While both countries are often described as "nations of immigrants", the differences are significant. In the United States, the myth of the "promised land" suggests that foreigners better themselves after arriving because the nation is intrinsically great. In Brazil, however, many intellectuals, politicians, and cultural and economic leaders saw (and see) immigrants as improving an imperfect nation that has been tainted by the history of Portuguese colonialism and African slavery. As a result, immigrants to Brazil were often hailed as saviors because they modified and improved Brazil, not the contrary.

Most Americans and Brazilians understand immigration in elastic ways, challenging those who suggest that the exclusive definition of an immigrant is an individual who moves by choice from one nation to another. In Brazil,

* Jeffrey Lesser is a U.S. based historian of Latin America. He is the Samuel Candler Dobbs Professor and Chair of the History Department at Emory University. Prior to 2010, he was the Winship Distinguished Professor of the Humanities. He is the author of three books on ethnicity, immigration and national identity in Brazil.

individuals introduce themselves and are labeled as immigrants in situational ways, something that is not as common in the United States, where immigrant status often disappears after a generation. In Brazil, however, the "immigrant" category is often ancestral or inherited, and can linger even among those born in the country. In Brazil hyphenated categories (such as Japanese--Brazilian or Italian-Brazilian) are rare. Instead, Brazilians focus on the ancestral birthplace, calling themselves and being called Japanese or Italian. The advertisement for the Bandeirantes television network's 1981 hit nighttime soap opera *The Immigrants* makes the point in a way that would not resonate in the United States: "Portuguese, Japanese, Spanish, Italians, Arabs – don't miss the most Brazilian soap opera on television".

National identity

Immigrants and immigration in both the United States and in Brazil include the settlement of foreigners and the belief that their descendants have an impact on national identity. The *idea* of immigration thus helped elites to see a future that was different and better than their present. Not surprisingly, many immigrants and their descendants generally agreed with the elites. More telling is the fact that non-elites often took the same position, even when they had no direct contact with immigrants or their descendants. However, the reaction in the two countries differed from each other. When inhabitants in the United States say they live in a "perfect union", they are suggesting that immigrants have the potential to ruin it. When Brazilians claim, on the other hand, that they live in "the country of the future", they are suggesting that the country's national identity will be changing for the better.

Two advertisements illustrate the similarities and the differences. The first was produced in 2008 for the Brazilian domestic appliance firm Brastemp 2008 and promotes a nationalist sentiment (buy Brazilian) with the idea that nothing is more Brazilian than "an Arab married to a Japanese."[2] What makes the image particularly interesting is that the "japonesa" is dressed in what appears to be a Chinese cheongsam while the "árabe" seems to be wearing a guayabera, a shirt usually used in Central America and the Caribbean. The advertisement seems to suggest that foreigness is a Brazilian national trait. What a different approach from the second image, which is about hyphenization and the disappearance of immigrant status. The photograph is from the inside of a Mexican bodega and *taquería* in New York City. What calls our attention is the American flag affixed to the window that houses the Mexican-made soft drink Jarritos, that has become a symbol of Latino culture in the United States. The message is that immigrant status has disappeared in the face of a multi-cultural United States' national identity. The two images, then, make a critical point in understanding contemporary immigration. In Brazil to be an "immigrant" is a permanent condition not necessarily related to place of birth, while the opposite is largely true in the United States. Put differently, someone born in Brazil can be considered an "immigrant" while someone born in the United States will not.

These fundamental cultural differences about the position of immigrants means that the phrase used recently by Brazil's National Justice Secretary, Paulo Abrão, and the President of the United States, Barack Obama, that each lived "in a country of immigrants", means something different in the two nations. These divergent

[2] The editors have not been given permission to publish this image, but readers can easily find it in *Veja São Paulo* magazine, June/July 2008.

understandings were made clear to me a few years ago precisely in Bom Retiro, when I went to have lunch at Malcha's, a falafel shop owned by a woman said to have left Yemen to settle first in Israel and then Brazil. While her small restaurant seems to represent the "Jewish" heritage of the neighborhood, a careful look tells us a broader story. The menu is written in Portuguese, Hebrew and Korean, for its multi-lingual clientele. On that day, when I went for lunch, Malcha's was closed. So I entered a small Korean restaurant next door. The man at the door insisted that I would not like the food. When I refused to take no for an answer (I was very hungry!), I was told in broken Portuguese that there was only a Korean menu available. Since I knew the Korean name of what I wanted for lunch, and could recognize the Korean characters on the menu, I was given a seat. After a delicious meal, the waiter came to speak with me and said I was the first "Brazilian" to ever eat there. "I am not Brazilian", I said, "I am from the United States". There was an instant language switch as the waiter said in unaccented English, "Dude, I just moved here from California". After finishing his degree at UCLA, he was sent to São Paulo to help with a family business, and was living with cousins whose children were learning Hebrew in a neighborhood Jewish day school. Now he was trying to understand why people kept calling him "Japanese".

This comparative perspective on immigration to Brazil and the United States is crucial as we think about historical and contemporary challenges. By the mid-nineteenth century, both North and South America had become destinations for emigrants, with the United States, Canada, Argentina and Brazil receiving the largest numbers. Between about 1870 and 1930, roughly 2 to 3 million immigrants came to Brazil, while the United States received more than 20 million. Yet the absolute number of entries is not the only important statistic. The presence and the attitudes of enslaved people were of equal importance to those of free people in the creation of a national identity in these two multicultural countries formed on the backs of African slaves and their descendants. In both countries, national elites believed that immigrants would "whiten" the population and create new forms of economic growth that often further disenfranchised people of color, even after abolition. Both countries today are magnets for immigrants from around the world.

Although most free immigrants to the Americas came from Europe, significant numbers arrived from other parts of the world. The multiple origins remind us that newcomers from Asia, the Middle East and even Europe – and more recently from Central America, the Andes and Africa – played crucial roles in national identity formation. The similar historical immigration patterns created in the context of slavery began with Central European immigrants who arrived in the early years of the XIX century. They were followed by a large number of Southern Europeans, especially Italians, and both countries had numerous decades of intense Asian immigration. Immigrants, however, were not slaves, even if they were often treated poorly. Many immigrants separated themselves, often aggressively, from slaves or free people of

Mexican bodega and taquería in New York. Galperina, Marina; Quigley, Jane-Claire, "Five Things: Tehuitzingo Deli Grocery", in Animal Network, 01-08-2012, http://www.animalnewyork.com/2012/five-things-tehuitzingo-deli-grocery.

African descent. This separation was ongoing and dynamic: while some immigrants "became white" by distancing themselves from blacks and indigenous people, others moved in a different direction, either by marrying a person of color or by not fulfilling certain social and occupational expectations. Those who did not fulfill the whiteness mandate through self-segregation often lost the advantages of an "immigrant." Therefore, the new ethnic identities that emerged among the descendants of immigrants in the Americas, thus, must be understood in relation to broader attitudes than the racial, social and political separation from those of African descent.

There are also important differences between the two countries. Brazil's three-hundred-year status as a colony of Portugal (from 1500 to 1822) inhabited mostly by African slaves gives unique tone to everything from language to food. The United States was a colony for a relatively short time, and "Americanness" is much more ambiguous than "Brazilianness." Brazil has a clear "myth of the three races", where Africans, Indians and Europeans supposedly melded together to form a single and unique Brazilian "race", while the United States often experiences a push and pull between white supremacy and cultural pluralism.

"Migratory Streams", 1974 stamp celebrating immigration to Brazil.

These differences are summed up in the following illustrations. In the first one, the American nation encompasses the immigrants, while in the second, from a Brazilian stamp, the immigrants create the nation. This position was summed up to me in an interview with the politician William Woo, who said to me in 2001: "My mother is Japanese, my father is Chinese and my wife is Korean. I am the best Brazilian of all."

Representations of ethnicity and nation are also different in the two countries. For example, "Chinese food" (actually a Chinese-American hybrid not found in China) has become commonplace in the United States, yet it is still often imagined as "foreign." This idea is clear in the poster below, which promotes a religious ritual among American Jews which included

An image from the immigration section of the *Teach the Children Well* website. Source: http://www.teachthechildrenwell.com/social.html#imm

Advertisement used by an Orthodox Jewish synagogue in the state of Pennsylvania, USA.
Advertisement used by an Orthodox Jewish synagogue in Rio de Janeiro, Brazil.

Chinese food. The sentence "Shabbat in China" makes it clear that Jews are Americans, and by eating Chinese food are metaphorically going to a different country (China) while maintaining their national (American) identity.

Compare the "Shabbat in China" imagery to another poster promoting a Jewish ritual event by using food. This one is from Brazil, and here the message is different: foreignness is part of Brazilianness, not separate from it. Indeed, the poster expresses three normative Brazilian ideas about the relationship of national identity and food, all linked with immigrant groups; the Jewish ritual, the "biggest sushi party in the city" and the "hot dogs", which were, of course, brought from Europe.

Immigration patterns

The historical similarities and differences in the cultural contexts between the United States and Brazil before World War II had an influence, not surprisingly, on post-war immigration patterns. The most striking comparative continuity is quantity; in the decades after 1945, the United States continued to receive many more immigrants than Brazil. Yet that broad similarity must be placed in a further context of expanding post--war entry to the United States and diminishing entry in Brazil. Put differently, the gap between the entry numbers expanded after 1945. A telling, striking counter-example comes when we look at Japanese immigration to the two countries. In Brazil there was a significant entry of immigrants from Okinawa after the war, largely because the direct American military occupation of those islands (which would continue until 1972), created intense dislocation and migratory pressure. The United States, however, prohibited post-war Japanese immigration, and the 1952 Immigration and Nationality Act (also known as the McCarran-Walter Act) excluded most immigrants from former Axis countries. As a result, Brazil's already large population of Japanese descent increased markedly, while in the United States it remained static. This particular example is about more than numbers. Because of the American prohibition on Japanese entry and the Brazilian acceptance of Okinawans after 1945, Brazil has become one of the centers of the Okinawan diaspora.

In the United States, being Okinawan is often linked to Hawaiian ancestry, and often focuses on food and marriage patterns. Yet in Brazil Okinawanness is much more Brazilianized and vice-versa. Many "Japanese" politicians in Brazil are of Okinawan descent and have a fascinating idea about their success, often suggesting that historical Okinawa was a kind of Brazil, invoking its tropical location and social culture involving eating and drinking of an alcoholic drink called *awamori*, that is often compared to *cachaça*. Therefore, these Brazilian politicians claim that their Okinawan background makes them particularly good Brazilians. Indeed, the Japanization of Brazil and the Brazilianization of Japanese have become important public tropes, something unseen in the United States. Advertisers frequently use phrases like "our Japanese are better than everyone else's" or "we need more Brazilians like this Japanese", reflecting both the desire of immigrants and the idea that Japanese are somehow the best immigrants of all.

The most famous of these is from Semp Toshiba, whose catchphrase "Os nossos japoneses são mais criativos que os japoneses dos outros" ("our Japanese are more creative than others'") was created by the Talent agency in 1992 and is one of the most talked about in Brazilian advertising.[3] The language reflects a complex relationship between Brazil and Japan that was linked to the national identities of Brazil's one million citizens of Japanese descent.

The prominent place of Japanese immigrants and their descendants in Brazil, and Chinese immigrants and their descendants in the United States has an impact on more recent Asian immigrants settling in the two countries. In the United States, immigrants from East Asia are often assumed to be Chinese, and thus fit into a heritage of discrimination that included the Chinese Exclusion Act of 1882, a prohibition on Chinese entry that emerged out of a combination of wage fears and racism, especially among white workers in California. In Brazil, all Asian immigrants are assumed to be Japanese and thus fit into the public sphere within a category of excellent immigrants.

The recent entry and settlement of Korean and Chinese immigrants in Brazil and the United States is revealing. In both countries, Korean immigrants often arrive with some university education and have Korean government subsidies for their exit. Many Koreans are strongly committed to Protestant Christian worship and religious affiliation functions both as a faith orientation and as a community--building exercise. Rituals are often conducted in Korean (as a maintenance effort) and Portuguese and English (as an acculturation effort). Korean immigrants in the United States and Brazil often enter the middle class rapidly, in large part because they arrive with some cash available for investment. This was not the case for the many Chinese immigrants who came to the United States after World War II and more recently began to migrate to Brazil in large numbers. In both countries, Chinese immigrants often live in large cities, where they work in low-end industries (clothing, for example) as producers, retailers, or both. Others focus on the retail and wholesale sales of inexpensive imported products such as toys, writing utensils, watches and electronic articles. While many enter both countries without documentation, Brazil's frequent immigrant amnesty programs are not mirrored in the United States. In spite of the class differences, Asian immigrants in both countries generally have high educational ambitions for their children, who attend schools in lower-middle class neighborhoods in increasing numbers. This growth of the Asian and Asian-descended population has an interesting reflection in the census. In the United States, census counts are by race and ethnicity, and the Asian and Asian-descended population is growing (along with all those who define themselves as "non--white"). Brazil's 2010 census, which uses a color counting method, showed one million more people declaring their race as "yellow" than in the 2000 census. Some have explained the rise via immigration, but others have suggested that Brazilians are increasingly defining themselves as "yellow" as a cultural statement, not one of heritage.

In both the United States and Brazil, new immigrants, independent of their place of origin, often live in neighborhoods that have housed immigrants for many decades. Many shops in the formerly "Arab" neighborhoods of São Paulo, Rio de Janeiro and Porto Alegre are now owned by Chinese immigrants. This replicates a phenomenon in the United States where immigrant neighborhoods are maintained over long periods of time, even as the groups themselves change.

[3] The editors have not been given permission to publish this image, but readers can find it, and a broader analysis, in Jeffrey Lesser, *Uma diáspora descontente: os nipo-brasileiros e os significados da militância étnica, 1960-1980* (São Paulo: Editora Paz e Terra, 2008), pp. 20-21.

The most well-known example is only one of many: the East Side of New York over the decades has shifted from concentration of Italians to European Jewish to Chinese and more recently to Vietnamese. The constancy of immigrants moving into the same residential and commercial spaces makes sense in the United States for the same reason it does in Brazil. The neighborhoods tend to be inexpensive and have buildings that are both residential and commercial.Much of the commerce in immigrant neighborhoods is food-based and, as a result, the Americas often bring new culinary approaches to a broader public.

In the United States, "typical" American food includes tacos (from Central America), *lo mein* (from China) and blintzes (from Eastern Europe). In Brazil, many of the snack bars located in city centers and around bus stations serve "Arab" *sfihas*, "Japanese" *yakisoba* and "Chinese" wonton soup along with the archetypically Brazilian *feijoada*, which, of course, has African roots.

Emigration

One of the major contemporary differences between both countries lies in emigration. The United States has very little emigration of citizens, although, as the economy began to worsen under the Bush presidency, many immigrants chose not to remain. This is most noticeable among those from Mexico and Central America, whose entry and exit numbers are currently even.

The lack of emigration from the United States is not matched in Brazil, which over the last thirty years became an important export country. Even with the economy's improvement in the beginning of the XXI century, many Brazilians continue to move abroad. Most Brazilians who emigrate work in lower-status jobs, although a significant part of them is skilled and highly educated. In 2010, Brazil's Ministry of Justice estimated that 4 million Brazilians lived abroad, with large groups in the United States, Paraguay, Japan, the United Kingdom, Portugal, Italy, Switzerland and Angola. The numbers of Brazilian emigrants since 2000 has averaged about 100,000 per year, with about 50% coming from Brazil's states of Minas Gerais, Paraná, São Paulo and Goiás.

Emigration from Brazil is the result of a confluence of factors. Of course, it starts with wages and the desire for economic and social ascension, the same factors that motivated so many to migrate to the Americas before World War II. Remittances, thus, play an important part in the Brazilian economy – in 2002, for example, 4.6 billion dollars were sent to Brazil by citizens living abroad, representing 1% of Brazil's gross national product.Another factor was that Portugal's economy grew with its entry into the European Common Market in 1986. One result of the traditional free flow between that country and its former colony is a large population of Brazilians in Portugal, an inversion from the earlier large population of Portuguese in Brazil. Besides, many European countries made it relatively easy for the children or grandchildren of immigrants to get second passports. As a result, Brazilian emigrants are often the descendants of immigrants

Brazil Barber Shop, owned by Chinese who immigrated to Brazil and then to the United States, New York City, 2012. Photograph by Aron Shavitt Lesser, used by permission.

to Brazil, a fact confirmed by the lines outside Italian consulates, packed with Brazilians eager to become European Union citizens.

Brazilian emigration to the United States is particularly large, although the numbers are not always clear. In 2000, the Brazilian Ministry of Foreign Affairs estimated there were almost 800,000 Brazilians in the United States, while the American census of that year listed the number at 212,430. The 2008 population, according to the United States Census Bureau, was of 351,914 Brazilians, although other estimates put the population at closer to 1 million. Brazilians are unusual Latin American immigrants because of their high educational levels, which usually include high school diplomas. In other ways, they are typical, migrating in a point-to-point fashion, from one specific city to another. Thus, the Boston area has a very large number of immigrants from Minas Gerais, often from the area of Governador Valadares, where a number of New England companies had semi-precious stone operations in the 1950s. In Atlanta, most Brazilian immigrants are from the state of Goiás and come via church networks.

Another focus of Brazilian emigration is Japan, where the *dekasegi* (a Japanese term meaning "working away from home" that has come to define descendants of Japanese and their families who have migrated to Japan) phenomenon began in force in 1990. The Brazilian population in Japan is over a quarter of a million, and this migration was not unlike that from Europe to Brazil a century earlier. Brazilian banks opened branches that would facilitate remittances. Banco Itaú, for example, encouraged Nikkei to have emigrant relatives in Japan sending remittances to Brazil. In 2006, the bank placed building-sized billboards in Liberdade, São Paulo, showing a pair of hands converting yen into dollars, as if by magic.[4] In 2013, the same bank used web-based imagery (http://www.itau.co.jp/) showing what appears to be United States dollars flying across the ocean from Japan to Brazil.

Given the commercial interests, it is not a surprise that emigration brokers often sold a vision of Japan that was exaggeratedly positive. Upon arrival in Japan, however, many Brazilian immigrants felt poorly treated both in work and social spaces. The children and grandchildren of Japanese immigrants were surprised to find they were expected to act "Japanese" even though they were Brazilian.

Conclusion

One of the most important shared heritages of the United States and Brazil is the movement of people. Comparing the two countries reminds us that everything, from ethnicity to imagination and the link between personal identity and national citizenship, is at play when people decide to migrate. While many immigrants believed (and believe) they were migrating to the United States and Brazil temporarily, in order to become wealthy and return home, they established new lives over time, had families and remained. They often saw the old homeland as foreign and became comfortable in the new one. Natives are equally changed by immigration. In the United States, 5 de Mayo and St. Patrick's Day are American celebrations, while a common saying holds that a typical *paulistano* is "a Japanese who speaks Portuguese with an Italian accent while eating an esfiha". Even so, racism and discrimination

[4] The editors have not been given permission to publish this image, but readers can find it, and a broader analysis, in Jeffrey Lesser, *Immigration, Ethnicity and National Identity in Brazil* (São Paulo and New York: Cambridge University Press, 2013), p. 194.

exist in both countries, along with a belief that immigrants are helping to create a better country.

Today, foreign-born residents continue to be an important component of the two populations. In the United States, more than 10% of the population is foreign-born. In Brazil, according to the Ministry of Justice, there are almost 1 million legal foreign residents. In both countries there are large numbers of people without formal documentation, but movements to deport immigrants are characteristic of the United States, while Brazil is known for its regular amnesty programs. The last three amnesty drives in Brazil regularized the status of over 100,000 foreign residents, of which more than 40,000 were from Bolivia and almost 25,000 from China. Other significant groups represented were from Lebanon, South Korea and Peru.

There are many differences in the current entry trends to the two countries. In Brazil, the largest numbers of immigrants still belong to traditional immigrant groups – Portuguese (270,000), Japanese (92,000), Italian (69,000), Spanish (58,000) and German (28,000) – while new immigrant groups are represented by Argentines (39,000), Bolivians (33,000), Uruguayans (28,000), Americans (28,000), Chinese (27,000), Koreans (16,000), French (16,000), Lebanese (13,000) and Peruvians (10,000).[5] Paraguayans are entering in growing numbers, as are Angolans – who began immigrating when their country became independent from Portugal in 1975 – and Nigerians – who are part of a growing diaspora found throughout the Americas.

In the United States, the populations have different origins. Mexican-born immigrants accounted for about 30% of all foreign-born residents in the United States, followed by Filipinos, Indians and Chinese. Other large groups come from Vietnam (3.0%), El Salvador (3.0%), South Korea (2.6%), Cuba (2.6%), Canada (2.1%) and the Dominican Republic (2.1%). These numbers represent a change from the period prior to 1960, when immigrants were more likely to be from European countries, notably Italy and Germany.Ultimately, immigration teaches us about shared and different heritages. It reminds us that all the countries of the New World brought immigrants as part of the end of slavery and, as a result, the newcomers lived within broader cultural contexts not entirely of their making. Today, Brazil and the United States continue to receive immigrants, and the flow between the countries, both temporary and permanent, is increasing. Brazilian-Americans are a recognizable ethnic group in the United States. Perhaps American--Brazilians will become an ethnic group in Brazil as well.

---

[5] Brazil, Ministry of Justice, "Anistia a estrangeiros irregulares atende expectativa do governo", Jan 7th, 2010, available at: http://portal.mj.gov.br/data/Pages/MJA5F550A5ITEMIDBA915BD3AC384F6C81A1AC4A-F88BE2D0PTBRNN.htm.

Sumário

Agradecimentos
Acknowledgements

O Consulado Geral dos Estados Unidos (São Paulo, Brasil), o Senac São Paulo e o Sesc São Paulo agradecem a:

The Consulate General of The United States (São Paulo, Brazil), Senac São Paulo and Sesc São Paulo would like to express their thanks to:

Adriana Freita, Airton Krenak, Aldeia Tenondé Pórã, Amy Van Allen, Ana Maria Leitão, Ana Paula Ferreira, Ana Paula Zetune, Andrew Thomas, Angela Pappiani, Azelene Inácio Kaingang-Kaingang, Ben Chiang, Caimi Waiassé, Carlos Apache, Carolina Teresa, Christiane Zuni Cruz, Daniel Bosso, Daniel Coxini, Darren Smith, David Kurakane, Dinarte Nobre de Madeiro, Elisabeth Moreira, Escola de Música do Estado de São Paulo (Emesp), Felipe Neves, Fernanda Romero, Fernando Estima de Almeida, Fernando Fogliano, Flávio Pimenta, Gilson Packer, Giordana Zani, Giuliana Santoro, Iatã Cannabrava, Isabella Limões, Istela Pueblo, James Pepper Henry, Jay Kimball, Jennifer Bullock, Joaquim do Espírito Santo, José Harioma, Joseu Birihoa, João Carlos Costa, Joyce Gomes da Costa, Juliana Siqueira, Julie Campanholi, Jurandir Xavante, Katherine Caro, Léo Filho, Lisa Helling, Livia Aquino, Luiz Marinho, Madrigal Cantovivo, Manuela Dellape, Marcelo Azevedo, Marcos Albertin, Mariana Harder, Mariana Saissu, Marina Lhullier Lugão, Maristela de Souza Goto, Marshall Louis, Mary Kim Titla, Michael Greenwald, Michael Kabotie, Milton Soares de Souza, Najla Kubrusly, Nanci Rodrigues

Barbosa, Nephi Craig, Norton Nascimento, Odair Paiva, Pablita T. Abeyta, Patsy Phillips, Sara Snider Papademetriou, Scott Whitmore, Severiá Idiorîê Xavante, Shannon Quist, Shay Lima, Simone Yunes, Soraya Moura, StepAfrika, Tatiana Schor, Tewa Dancers from the North, Thais Aline de Queiroz, Thomas Dowling, Vicent P. Scott, Viviane Torres Kozesinski, Yara Castro Roberts, Zenir Aparecida Dalla Costa.

Prefácio

Thomas A. Shannon*

Na fachada de pedra dos Arquivos Nacionais dos Estados Unidos, onde guardamos nossa Declaração de Independência e outros documentos da fundação de nossa nação, há uma inscrição: "O que é passado é prólogo". Este sentido do passado moldando o presente e o futuro está espelhado nas histórias do Brasil e dos Estados Unidos. Compartilhamos uma herança comum; não apenas na forma como fomos fundados, mas também na forma como crescemos e nos desenvolvemos em cinco séculos, do colonialismo à Independência e ao republicanismo, e, agora, à liderança mundial compartilhada.

Como embaixador dos Estados Unidos no Brasil, tenho a oportunidade de ver, todos os dias, como nossos dois países espelham-se um no outro. Mostrar essa herança comum e comemorar nossos valores compartilhados, por meio de intercâmbios educacionais e culturais, constrói e garante que essa forte parceria para o século XXI seja não apenas uma relação entre governos, mas também um laço constante entre nossos povos.

Nesse aspecto, os festivais Herança Compartilhada, copatrocinados nos últimos nove anos pelo Sesc, pelo Senac e por nosso Consulado Geral em São Paulo, destacam os laços de raça, etnia, imigração, governança e igualdade (inclusive em relação à abolição da escravidão) que nos aproximam ainda mais.

Os festivais Herança Compartilhada mostram nossas ligações e semelhanças culturais como sociedades jovens, grandes, democráticas

---

* Embaixador dos Estados Unidos no Brasil.

e multiétnicas, colocando-nos lado a lado para enfrentar os desafios globais atuais. Os primeiros desses eventos focaram em como populações africanas, indígenas e imigrantes, nos dois países, fundiram-se para criar novos começos e sociedades. Quem somos hoje tem muito a ver com a influência desses grupos: nossa música, nossa arte e nossas culturas tornaram-se parte essencial da nossa identidade nacional. Em um mundo mais globalizado e conectado, nossa diversidade e mistura de culturas prenunciam um papel maior para os Estados Unidos e para o Brasil. Poucos países têm, como os nossos, tal diversidade étnica, cultural e social, o que nos permite entender as complexidades e os desafios que afetam o mundo.

Mas as sociedades estão sempre mudando. A constante imigração para os Estados Unidos e o Brasil, de todas as partes do globo, continua a mudar não apenas nossos países individualmente, mas o modo como interagimos uns com os outros. Os japoneses que vieram para o Brasil no início do século XX integraram-se plenamente com seus vizinhos europeus e africanos, e o mesmo aconteceu com os imigrantes do Oriente Médio. Nos Estados Unidos, a chegada de imigrantes asiáticos, hispânicos e árabes mudou o modo como nos vemos e como enxergamos o mundo.

Este livro ilustra não apenas nossa herança e experiências comuns, mas também explora maneiras pelas quais podemos trabalhar juntos para enfrentar os desafios do nosso novo século. Temos uma história em comum, mas os Estados Unidos e o Brasil também têm um futuro em comum.

Espero que gostem do livro *Herança compartilhada* e fiquem convencidos de que somos parceiros indispensáveis, em busca do bem-estar dos nossos cidadãos e da humanidade.

Prefácio

Abram Szajman*

Um dos compromissos de instituições dedicadas ao desenvolvimento de ações socioeducativas é participar de forma crítica dos debates da atualidade. Esse compromisso está em sintonia com uma visão empresarial responsável, que colabora efetivamente com o desenvolvimento da sociedade e dos indivíduos que a constituem. Segundo tal visão, a compreensão dos fenômenos contemporâneos ocupa papel de destaque e é ferramenta para ações consequentes.

O Sesc São Paulo e o Senac São Paulo, entidades mantidas pelo empresariado do comércio de bens, serviços e turismo, ao se envolverem na concepção e edição de *Herança compartilhada*, expressam a certeza de que o debate de ideias é força motriz para o alargamento de possibilidades humanas. Tal proposta mostra-se ainda mais relevante quando esse debate refere-se aos desafios centrais que testam as capacidades de cidades e países. É o caso do fenômeno das imigrações recentes, que transformam o espaço urbano em um local de convivência plural e dinâmica entre as mais variadas nacionalidades. Para enfrentar esse desafio de modo concreto é fundamental conhecê-lo em profundidade.

O intenso fluxo de pessoas pelo mundo tem especial significação no Brasil e nos Estados Unidos, países com populações formadas por sucessivas correntes imigratórias ao longo dos séculos. Essa experiência comum permite que brasileiros e estadunidenses aprendam e reflitam uns com os outros, aprimorando estratégias de enfrentamento

---

* Presidente do Conselho Regional do Sesc São Paulo e do Senac São Paulo.

das dificuldades e do aproveitamento dos benefícios desse processo. Afinal, um dos modos de uma nação atingir um grau de excelência nas suas diversas esferas de atuação reside na sabedoria em valorizar a pluralidade de seus potenciais humanos, que advém da diversidade cultural que caracteriza cada sociedade.

O estímulo a iniciativas como os festivais e o livro *Herança compartilhada* representa mais um passo direcionado a um futuro possível, em que as ações humanas sejam concebidas e avaliadas em seu sentido mais global, rompendo as fronteiras entre os países e colaborando para o desenvolvimento dos povos; em que as limitações entre as áreas de conhecimento e ação – política, economia, cultura, ciência, etc. – darão lugar a práticas planejadas de forma integral e que estejam conscientes das conexões que necessariamente existem entre essas áreas. É em nome dessa convicção que, atualmente, devem-se nortear as intervenções efetivas, a fim de que progressivamente esse futuro seja construído, marcado pelo respeito àquilo que é múltiplo e que extrai da multiplicidade o seu vigor.

APRESENTAÇÃO

Através do espelho e de volta

Matthew Shirts*

Para um jovem estadunidense apaixonado pelo Brasil, não havia ninguém como Richard M. Morse. Tive a grande sorte de estudar com o professor Morse no início da década de 1980 na Universidade de Stanford, em Palo Alto, Califórnia. Ele esteve muitas vezes sozinho durante aqueles poucos anos. Sua esposa, Emerante, havia decidido voltar ao Haiti, sua terra natal, onde mora até hoje. E sua filha, Marise, ainda não havia se mudado para a península sul de São Francisco. Assim, pude passar muito tempo com Morse, que logo se tornaria meu guru e, com o passar dos anos, meu amigo. Eu o vi pôr a primeira folha de papel no rolo de sua máquina de escrever Remington azul para começar o que hoje é sua obra clássica, *O espelho de Próspero*.[1] Começou como uma monografia de oito páginas para uma conferência no México à qual o professor fora convidado por seu amigo, o poeta Octavio Paz – que ele respeitava imensamente –, para dar uma palestra. Morse escrevia em sua sala de pé-direito alto no Departamento de História. Eu passava por lá frequentemente

---

* Matthew Shirts é redator-chefe da revista *National Geographic Brasil* e coordenador editorial do Planeta Sustentável, projeto que reúne 38 títulos da Editora Abril e um site próprio. Escreve crônicas, também, para a revista *Veja São Paulo*. De 1994 a 2011 foi cronista do jornal *O Estado de S. Paulo*. Americano criado na Califórnia, Shirts veio ao Brasil pela primeira vez como aluno de intercâmbio em 1976. Formou-se em estudos latino-americanos na Universidade de Califórnia, em Berkeley, em 1981, estudou História na USP, e foi aluno do lendário historiador Richard M. Morse na Universidade Stanford, onde fez pós-graduação no início dos anos 1980. É autor do livro *O jeitinho americano* (Santos: Realejo Edições, 2010).

1 Richard Morse, *O espelho de Próspero: cultura e ideia nas Américas* (São Paulo: Companhia Das Letras, 1988).

à tarde, depois das aulas – sim, foi há tanto tempo assim –, para fumar um cigarro e ver como ele estava.

A monografia cresceu rapidamente, até se tornar um pequeno livro, que cobre uns 1.500 anos de história ibérica e, no sentido continental, americana. Não lembro quanto disso ele acabou levando para a conferência no México. Mas lembro o quanto ele ficou empolgado quando Paz, anos depois, baseou-se em *O espelho de Próspero* para escrever os dois primeiros capítulos da biografia da poetisa barroca do século XVII, Sor Juana Inés de la Cruz. Hoje em dia, ele é o ponto de partida intelectual para comparações culturais entre Brasil e Estados Unidos.

Embora escrita em inglês por um historiador respeitado, detentor de cadeiras em Stanford e Yale, Morse teve dificuldade para encontrar um editor para essa obra, em particular nos Estados Unidos. O diretor de uma editora universitária a chamou de antiamericana (no sentido nacional). E, de acordo com Morse, era por isso que ninguém queria ter nada a ver com *O espelho de Próspero* nos Estados Unidos, apesar de sua recepção calorosa nos círculos intelectuais ao sul do rio Grande, onde fora publicado, em espanhol, pela Siglo XXI (1982) e, em português, pela Companhia Das Letras (1988). Morse ficava furioso com isso. Eu o ouvi comentar ao menos uma vez, não sem um toque de orgulho bandoleiro, que as editoras universitárias estadunidenses publicavam qualquer dissertação vagabunda, contanto que fosse politicamente correta, mas não o livro dele, que, como eu gostaria de salientar, alguns consideravam um "clássico instantâneo", e que o principal crítico literário brasileiro, Antonio Candido, chamara de uma das comparações mais inspiradoras e originais – de todos os tempos – entre as Américas ibérica e anglo-saxônica. Morse era avesso à correção política do meio acadêmico estadunidense. Achava que ela continha um conjunto próprio de preconceitos e sufocava o pensamento criativo. Mas isso foi nos anos 1980. Não faço ideia do que ele teria para dizer sobre o universo intelectual de hoje.

O espelho de Próspero segue os caminhos de ensaístas latino-americanos como o peruano José Carlos Mariátegui, o uruguaio José Enrique Rodó, o argentino Hugo Sarmiento, e os brasileiros Gilberto Freyre e Sérgio Buarque de Holanda, sem mencionar o próprio Octavio Paz de *O labirinto da solidão*. O livro captura ecos de *In the American Grain*, de William Carlos Williams, e *A democracia na América*, de Alexis de Tocqueville, para citar duas obras mais próximas dos intelectuais do hemisfério norte.

Não é uma obra de fácil leitura (a menos que você seja Antonio Candido, que o acha "claro e sugestivo"): a erudição de *O espelho de Próspero* pode ser desanimadora. Mas o que Morse está tentando abordar é a mesma questão que ele queria responder desde "o início", desde que viu Carmen Miranda dançando num palco em Nova York, quando ainda era aluno de graduação em Princeton, antes de partir para a guerra no Pacífico: o que torna a América Latina em geral, e o Brasil em particular, tão especiais?

"Eu nunca tinha visto uma mulher se mexer daquele jeito", ele me contou uma vez, para explicar o que havia despertado seu interesse pela América Latina. Depois de voltar da Segunda Guerra Mundial, quando serviu a bordo de um navio da marinha estadunidense, Morse fez sua graduação na Universidade de Columbia, estudando com o lendário Frank Tannenbaum, um organizador sindical anarquista que morara no México e ajudara o presidente Lázaro Cárdenas a formular sua política educacional na década de 1930. Quem dera o YouTube já existisse nessa época. Seria demais poder assistir a um dos famosos seminários latino-americanos com Tannenbaum, o jovem Morse e o antropólogo Charles Wagley, entre muitos outros. Eu me pergunto se existe algum registro em filme dessas sessões. Caso exista, precisamos colocá-lo na internet.

Como Tannenbaum e Wagley, Morse se assustava com a civilização latino-americana. Ele logo reconheceu quão diferente era a abordagem da vida que ela continha. No final da década de 1980, ele pediu que eu me mudasse de São Paulo, onde eu me casara e estabelecera residência depois de começar a estudar com ele, para Washington D.C., para ajudá-lo a administrar o programa latino-americano do Woodrow Wilson International Center for Scholars. Aceitei o convite. Não sabia muito bem no que estava me metendo, mas nem por um momento questionei o quanto aprenderia. Trabalhar com Morse era uma oportunidade única para qualquer estudioso da América Latina, e particularmente do Brasil. Morei no subsolo da casa dele em Georgetown por uns meses antes que minha família chegasse do Brasil. Eu guiava o carro dele, organizava o escritório, ia comprar refeições congeladas no supermercado, participava de conferências e almoços, e passava dias e dias produzindo eventos acadêmicos e convites para palestrantes. Morse e eu passávamos a maior parte do tempo discutindo autores e acadêmicos e quais tipos de trabalho poderíamos apoiar. O critério de sua avaliação era sempre se uma determinada pessoa ou instituição "entendia da coisa".

Eu sabia o que isso significava. "A coisa" era a riqueza da civilização ao sul do rio Grande. Nossa missão era determinar se o trabalho ou a pessoa em questão faziam avançar a riqueza da cultura latino-americana ou ao menos nosso entendimento dela. Portanto, conversávamos muito, Morse e eu. Tanto que, de fato, quando alguém perguntou ao meu filho Lucas, então com três anos, como o pai dele ganhava a vida em Washington D.C., a resposta foi: "Ele conversa com Morse".

A bibliografia em inglês sobre a América Latina que emergira em seguida à revolução cubana não lhe agradava. Quando conheci Morse em 1981, ele já estava bem engajado numa campanha para defender a região de especialistas estrangeiros (veja, por exemplo, "Stop the Computers, I Want to Get Off!"[2]). O que o incomodava era a América Latina ser consistentemente encarada como um problema que poderia ser analisado e talvez até "resolvido" pela "modernização" ou por um entendimento adequado da "dependência".

Como jovem estudante, no início dos anos 1980, eu levara muito tempo para entender que Morse nunca se preocupara particularmente com os "problemas" da região. O desenvolvimento, a corrupção e a pobreza, para citar três exemplos, nunca estiveram muito no alto de sua escala de prioridades intelectuais. Desde o início, ele vira a cultura latino-americana como uma solução, uma resposta criativa, vivaz e profundamente emocional para os dilemas mais básicos da humanidade. Ele achava que ela deveria ser entendida e estudada da mesma forma que as culturas da Grécia e da Roma antigas, ou no mínimo como as tradições literária, musical e intelectual dos Estados Unidos. Ele considerava presunção dos estrangeiros tentar "resolver" ou até analisar suas "deficiências" sem antes entender a coisa como um todo.

Por isso o dr. Morse dava tanta ênfase à história intelectual em seus textos e seminários, eu acho, embora ele jamais tivesse dito isso. Para Morse, não fazia sentido que qualquer estudioso do Brasil, Haiti, México ou Peru começasse a escrever ou lecionar sobre esses lugares

---

[2] Richard Morse, "Stop the Computers, I Want to Get Off!", in *New World Soundings: Culture and Ideology in Americas* (Baltimore: Johns Hopkins University Press, 1989).

sem um amplo entendimento da história dos intelectuais e artistas locais, inclusive espanhóis, portugueses, astecas e incas, cantores e poetas crioulos, toda a *enchilada*, como ele gostava de dizer. E essa, sem dúvida, foi uma parte central de sua peculiar contribuição como professor, como um verdadeiro guru para gerações de estudiosos do Brasil, México, Peru, Chile, Argentina ou Caribe, entre os quais me incluo.

O próprio Morse fez uma viagem no final da década de 1940 ou na de 1950, a qual, infelizmente, não foi documentada, até onde sei. Só posso compartilhar o que ele me contou a respeito dessa viagem depois de alguns drinques. Como um jovem professor de assuntos latino-americanos, ele considerava o seu próprio entendimento da região escasso e, por isso, decidiu explorá-la por conta própria, de alguma forma parecida com Jack Kerouac em *Pé na estrada*, ou Che Guevara em *Diários de motocicleta*. Ele começou pelo México e foi indo para o sul, pelo lado ocidental do continente, e depois para o norte desde Buenos Aires, atravessando o Brasil pela costa leste da América do Sul. Não tenho certeza dos detalhes. Lamento não ter gravado, documentado e escrito sobre essa viagem na época em que Morse me contou a história, que me surpreendeu no bar e emergiu fragmentadamente com o passar do tempo. Teria sido um projeto maravilhoso para um jovem aluno de graduação ou escritor. Mas talvez agora já seja tarde demais.

Ele se orgulhava em dizer que seu método de pesquisa, na época, consistia em fazer uma simples pergunta cada vez que chegava numa nova cidade: "*Donde están los poetas?*" De acordo com seu relato, em geral lhe indicavam uma livraria ou um clube, um bar ou um café. Foi assim que ele fez amizade com Octavio Paz, Rubén Darío, Pablo Neruda, Salvador Allende e outros. Com certeza, a história de como ele conheceu seus caros amigos brasileiros Antonio Candido, Sergio Buarque de Holanda e Florestan Fernandes é parecida. Ele queria saber o que todos eles tinham para lhe dizer sobre a cultura ibero-americana. O que pensavam. O que ele deveria ler. Quem ele deveria conhecer.

Morse concluiu que as civilizações ao norte e ao sul do rio Grande são distintas, quase opostas, e isso se aplicava ao seu país latino-americano favorito nos anos 1980: o Brasil (seguido de perto pelo Haiti). Portanto, qualquer tentativa por parte do Norte e do Sul de se entenderem precisava levar em conta essas diferenças, de acordo com a visão morsiana. De outra forma, tais comparações produziriam apenas ruído.

Essas diferenças são a matéria-prima do ensaio de Roberto DaMatta neste livro, *Brasil & Estados Unidos: muitos palpites e uma "prova"*. Ele diz: "O que o Pato Donald diz, o Zé Carioca transforma no seu inverso. Como na cara & coroa de uma moeda ou na forma & fundo de uma figura na Gestalt, existe, entre esses modos de viver, uma estranha oposição complementar".

Essa oposição complementar é o que estamos tentando entender aqui. Como dois países no mesmo continente, as duas maiores entidades do "Novo Mundo", podem ser ao mesmo tempo tão parecidos e tão diferentes. Num arquivo pesquisado a fundo, o professor Antonio Pedro Tota relata como o então homem mais rico do mundo, o estadunidense Nelson Aldrich Rockefeller, ficou fascinado com o Brasil nos anos antes e depois da Segunda Guerra Mundial e como ele o interpretou e trabalhou para desenvolvê-lo.

Rockefeller aparece também na comparação feita por Carlos Eduardo Lins da Silva entre o jornalismo dos Estados Unidos e do Brasil inaugurando a primeira transmissão da televisão brasileira, pelo canal 3, em São Paulo. O jornalismo brasileiro foi profundamente influenciado pelos jornais, televisão e revistas dos Estados Unidos. Mas, como Carlos tem o cuidado de salientar, adaptações elaboradas sempre foram necessárias, já que as duas culturas eram tão diferentes. Barry Moreno examina isso na imigração, que seguiu padrões similares em ambos os países, com grupos similares, mas em escalas bastante diferentes. Jeffrey Lesser explica que o imigrante é visto de forma distinta nos dois países.

Talvez o ensaio mais surpreendente desta coleção seja *Herança agrária de nações urbanas: Brasil e Estados Unidos*, de Dain Borges. Os brasileiros podem ficar chocados ao descobrir que inventaram o conceito emocional da "saudade" décadas depois dos sulistas dos Estados Unidos. Muitos estadunidenses ficarão surpresos em saber que os rodeios no Brasil atraíram um público dez vezes maior do que nos Estados Unidos em 2010.

O que quero dizer é que este é o mundo em que vivemos agora. Como os autores deste livro ressaltam tão eloquentemente, é um mundo no qual o Brasil e os Estados Unidos estão mais próximos do que jamais estiveram. Nossas diferenças e similaridades se tornam cada vez mais aparentes à medida que são aproximadas, dos dois lados do espelho. O professor Morse ficaria satisfeito ao ver que, pelo menos em termos intelectuais, existe agora um grande respeito pelas duas culturas. O Brasil não é mais visto como um problema. Soluções estão nos horizontes de ambos os países.

APRESENTAÇÃO

Herança visual Brasil–Estados Unidos

João Kulcsár*

> Uma fotografia não vale mil palavras,
> mas vale mil perguntas. ALLAN SEKULA

Pode a fotografia contribuir para a ampliação do conhecimento sobre as diferenças e similaridades de dois países? Colaboraria ela com a compreensão da nossa história? Pode ela, ainda, auxiliar a promover a tolerância entre diferentes culturas?

As imagens podem não ter o poder de argumentar sobre este ou aquele ponto, porém, certamente, alimentam-nos de ideias, fatos e intuições a respeito de questões pertinentes ao cenário político e (multi)cultural de nosso tempo.

Foi com a intenção de provocar reflexões de natureza intercultural que o Centro Universitário Senac, por meio de sua parceria com o Consulado Geral dos Estados Unidos da América em São Paulo, criou, em 2004, o Centro de Estudos Brasil–Estados Unidos (Cebe). Dentre os diversos projetos desenvolvidos nesse centro, destacamos

* João Kulcsár é professor do curso de Fotografia do Centro Universitário Senac. Mestre em Artes pela University of Kent at Canterbury (1997) com bolsa do British Council, foi Professor Visitante na Universidade de Harvard, Graduate School of Education, pela Comissão Fulbright (2002-2003). Ele coordena o Centro de Estudos Brasil-Estados Unidos (Cebe) e foi curador de inúmeras exibições fotográficas, no Brasil e no exterior. Desde a década de 1990, dedica seu tempo a orientar professores sobre como utilizarem a fotografia na sala de aula e a realizar projetos fotográficos de alfabetização visual.

o festival Herança Compartilhada (que dá nome a este livro), no qual a fotografia desempenhou papel fundamental para a discussão de assuntos de interesse mútuo entre Brasil e Estados Unidos, como os relacionados às populações indígenas, afro-descendentes e a imigração.

Ensaios contemporâneos

Até hoje, foram realizadas quatro edições do festival Herança Compartilhada, que contaram com a presença de fotógrafos brasileiros e estadunidenses produzindo ensaios com "olhar cruzado", ou seja, cada fotógrafo visitava o país do outro.

A primeira documentação fotográfica foi feita em 2005 e tratava da influência da cultura africana no Brasil e nos Estados Unidos. O processo da exposição fotográfica percorreu diferentes momentos: começou pelo workshop ministrado por Dudley M. Brooks, do jornal *The Washington Post*, durante o qual jovens das associações Despertar e Meninos do Morumbi, além de alunos do curso de bacharelado em fotografia do Senac São Paulo, percorreram as ruas do centro histórico de São Paulo. Posteriormente, sozinho, Dudley acompanhou famílias no Capão Redondo, foi a shows de hip-hop, a demonstrações de capoeira, à antiga Febem (atual Fundação Casa), à Igreja do Rosário. Também esteve em um quilombo em Itatiba e, em Salvador, visitou famílias na periferia.

Denise Camargo, fotógrafa e professora do Senac, foi aos Estados Unidos e visitou em Nova York partes do Harlem, Bronx e Brooklyn. Neste último, esteve em escolas e instituições, como a The Brotherhood/Sister Sol, que desenvolve programas para adolescentes e crianças em situação de risco, e a New Amsterdam Musical Association, um importante espaço para a música negra. Em Nova Orleans, explorou o Jazz Heritage Festival e as práticas religiosas de vodu.

Em 2007, o festival abordou a presença da cultura indígena nos dois países. Foi então a vez de Walter Bigbee Comanche vir dos Estados Unidos para registrar a cultura de três aldeias guaranis: Krukutu, Tenondé Porã e Jaraguá, na capital paulista. No mesmo período, Caimi Waiassé viajou até os Estados Unidos e acompanhou o cotidiano de uma tribo Seminole, na Flórida. A exposição resultante desse trabalho também contou com fotografias tiradas por alunos do curso de bacharelado em fotografia do Senac que participaram, juntamente com membros da aldeia Tenondé Porã, do workshop desenvolvido por Walter. O Instituto das Tradições Indígenas (Ideti) e o National Museum of the American Indian, em Washington, foram nossos parceiros neste projeto.

O tema discutido em 2010 foi a imigração europeia no final do século XIX e as marcas que as culturas da Europa deixaram na demografia, na economia e na arte do Brasil e dos Estados Unidos. Desta vez, a parceria foi feita com o Memorial do Imigrante e o Museu da Língua Portuguesa, ambos da Secretaria de Cultura do Estado de São Paulo, o Ellis Island Immigration Museum e o CineSesc. Na fotografia, o brasileiro André Cypriano registrou irlandeses e italianos em Nova York e, do lado estadunidense, Jay Colton direcionou seu olhar para portugueses e italianos em São Paulo.

Na quarta edição do festival Herança Compartilhada, em 2012, o foco recaiu sobre as imigrações recentes: Marlene Bergamo foi a Nova York e acompanhou famílias de porto-riquenhos, nicaraguenses, hondurenhos, chineses e coreanos no Bronx, em Manhattan, em Staten Island e no Harlem; já o estadunidense Tyrone Turner veio a São Paulo e visitou os bairros do Brás, Glicério, Bom Retiro e

Pari, onde documentou angolanos, bolivianos, peruanos e coreanos. O Sesc São Paulo e o Museu da Imigração foram os parceiros.

Imagens históricas

Este livro contempla um conjunto importante de fotografias tiradas durante a realização das quatro edições do festival Herança Compartilhada. Para completar esse grupo de imagens contemporâneas, buscamos também presentear o leitor com imagens históricas, presentes na primeira parte deste livro, cuja intenção é contextualizar outras referências da herança visual. Elas pertencem a importantes acervos, como o do Ellis Island Immigration Museum, em Nova York, e do Museu da Imigração, em São Paulo.

Fotógrafos importantes do século XX e do final do XIX assinam essas imagens, como:

- Russell Lee e Ben Shahn da Farm Security Administration (FSA), agência criada durante a Grande Depressão nos anos 1930 pelo governo estadunidense encarregada de realocar os agricultores. Uma das originalidades desse programa foi ter feito um levantamento fotográfico da situação rural e urbana do país. Foram mais de 160 mil fotografias produzidas entre 1935 e 1943, criando várias imagens ícones do século XX.
- Edward Curtis fotografou cerca de oitenta nações indígenas norte-americanas e produziu mais de 4 mil imagens, entre 1901 e 1930. Parte desse material foi reproduzido na coleção *The North American Indian*, uma das mais importantes representações tradicionais da cultura indígena. Curtis apresenta uma vida cultural não viciada por devastação e deslocamentos forçados dessas nações, tão comuns no início do século XX. Suas imagens seminais

serviram para definir uma visão popular sobre a cultura indígena norte-americana. Fotograficamente, ele absorveu muito da técnica do movimento pictorialista, liderado por Alfred Stieglitz, o fundador da Photo-Secession, porém a maioria de suas interpretações foram etnográficas. Suas fotografias refletem, assim, o extraordinário talento do fotógrafo e sua dedicação ao povo indígena, cuja majestade ele queria preservar em imagens.

- Francis Sherman trabalhou em Ellis Island entre 1905 e 1920, documentando os imigrantes que chegavam à ilha. Uma média de 5 mil pessoas eram avaliadas por dia durante as épocas mais intensas da imigração, entre 1900 e 1914, tornando as sessões fotográficas de difícil execução, pois as técnicas de exposição e as convenções de pose na época requeriam uma quantidade de tempo considerável. Suas imagens refletem a diversidade étnica dessas pessoas. Não raramente, as fotografias exibem pessoas vestindo elaborados trajes tradicionais ou folclóricos de seus países de origem, como pastores romenos e artistas de circo do leste europeu.

- Marc Ferrez deixou um dos mais importantes legados visuais de diversas paisagens das cidades brasileiras. Obteve destaque no gênero retrato com os registros dos membros da família imperial brasileira. Num estúdio fotográfico decorado em Mato Grosso, fotografou um grupo de índios Bororo, construindo um olhar de estranhamento, do exótico e do "selvagem domesticado".

- Madalena Schwartz, com seu olhar atencioso, produziu retratos de anônimos e atores, escritores, políticos, artistas plásticos, intelectuais e outras figuras públicas, como Darcy Ribeiro, Chico Buarque de Holanda, Millôr, dom Hélder Câmara, Carlos Drummond de Andrade, Jânio Quadros, Mário Schenberg, Joãosinho Trinta, Lula e Clarice Lispector.

- José Medeiros foi fotojornalista de destaque da revista *O Cruzeiro*, entre 1946 e 1962. Buscava o naturalismo nas imagens e tinha uma composição apurada de iluminação. Destacava-se tanto no registro do mundo cotidiano, bem como do cenário artístico e político. Seguindo a política editorial da revista, em diversas imagens buscou evidenciar a ideologia nacionalista daquele período que visava um Brasil do desenvolvimento e da modernidade. Mais tarde, foi diretor de fotografia de cineastas importantes, como Leon Hirszman, Cacá Diegues, Sylvio Back e Nelson Pereira dos Santos.

Estética fotográfica

Todos os ensaios fotográficos contemporâneos desenvolveram-se pelo viés da fotografia documental, que se caracteriza pela pesquisa e pela produção imagética de um determinado assunto. Essa área da fotografia passou por diferentes fases desde o início do seu desenvolvimento. Os oito fotógrafos que trabalharam em *Herança compartilhada* trazem consigo influências de diversos períodos desse gênero.

Sua primeira fase foi caracterizada pela "construção de opinião" e pelo registro testemunhal dos reformistas, entre os quais podemos citar Jacob Riis que, no final do século XIX, mostrou as condições de moradia em Nova York, e Lewis Hine, que fotografou dez anos depois as famílias de imigrantes que chegavam a Ellis Island, assim como o trabalho infantil.

O segundo período da fotografia documental foi marcado pelo humanismo francês, trazendo para o centro o senso de valorização da figura humana e o papel da solidariedade entre os povos. Por fim, a terceira fase foi caracterizada pela linguagem híbrida, que carrega influências dos períodos anteriores do gênero documental, deixando em evidência as preocupações do fotógrafo em torno de questões de autenticidade, representação e evidência.

O retrato foi o gênero mais utilizado nos projetos. Ele se caracteriza por uma série de traços culturais, ideológicos, sociais e psicológicos.

Cada fotógrafo, com sua estética particular, teve o desafio de registrar atentamente os diferentes temas relativos aos indígenas, africanos e outros imigrantes. A nós, espectadores, coube perceber, por meio de imagens, não só aos outros, mas a nós mesmos e às diversas dimensões da nossa herança comum, pois a multiplicidade étnica e a miscigenação continuam a ser um elemento definidor no Brasil e nos Estados Unidos.

Essas fotografias pretendem não apenas apresentar uma realidade existente, mas transcender e discutir questões de identidade, deslocamento e diversidade presentes na paisagem cotidiana que, embora muitas vezes aparentemente invisíveis, permanecem fundamentais na nossa herança cultural. Cabe ao espectador decidir quais dessas influências são mais fortes e quais podem deixar marcas, pois estas são algumas das funções da fotografia: mover-nos, emocionar-nos e provocar a reflexão em prol da construção de um mundo mais justo, tolerante, pacífico e democrático.

FOTOS HISTÓRICAS
HISTORICAL PICTURES

Marc Ferrez. Mato Grosso (BR). c. 1880. Coleção Gilberto Ferrez (Instituto Moreira Salles).
Marc Ferrez. Mato Grosso (BR). c. 1880. Gilberto Ferrez Collection (Moreira Salles Institute).

Edward Curtis. Montana (EUA). 1908. Coleção Edward S. Curtis (Biblioteca do Congresso Americano).
Edward Curtis. Montana (USA). 1908. Edward S. Curtis Collection (The Library of Congress).

Edward Curtis. Dakota do Sul (EUA). 1908. Coleção Edward S. Curtis (Biblioteca do Congresso Americano).
Edward Curtis. South Dakota (USA). 1908. Edward S. Curtis Collection (The Library of Congress).

Marc Ferrez. Goiás (BR). c. 1880. Coleção Gilberto Ferrez (Instituto Moreira Salles).

Marc Ferrez. Goiás (BR). c. 1880. Gilberto Ferrez Collection (Moreira Salles Institute).

Gaensly & Lindemann. Santos, SP (BR). c. 1890. Acervo Fundação Energia e Saneamento.

Gaensly & Lindemann. Santos, SP (BR). c. 1890. Energy and Sanitation Foundation.

Autor desconhecido. São Paulo, SP (BR). s/d. Acervo Memorial do Imigrante.
Unknown author. São Paulo, SP (BR). n/d. Immigrant Memorial Collection.

Francis Sherman. Nova York, NY (EUA). 1905. Museu da Imigração de Ellis Island.

Francis Sherman. New York, NY (USA). 1905. Ellis Island Immigration Museum.

Autor desconhecido. Nova York, NY (EUA). 1912. Museu da Imigração de Ellis Island.
Unknown author. New York, NY (USA). 1912. Ellis Island Immigration Museum.

Gaensly & Lindemann. São Paulo, SP (BR). c. 1890. Acervo Fundação Energia e Saneamento.

Gaensly & Lindemann. São Paulo, SP (BR). c. 1890. Energy and Sanitation Foundation.

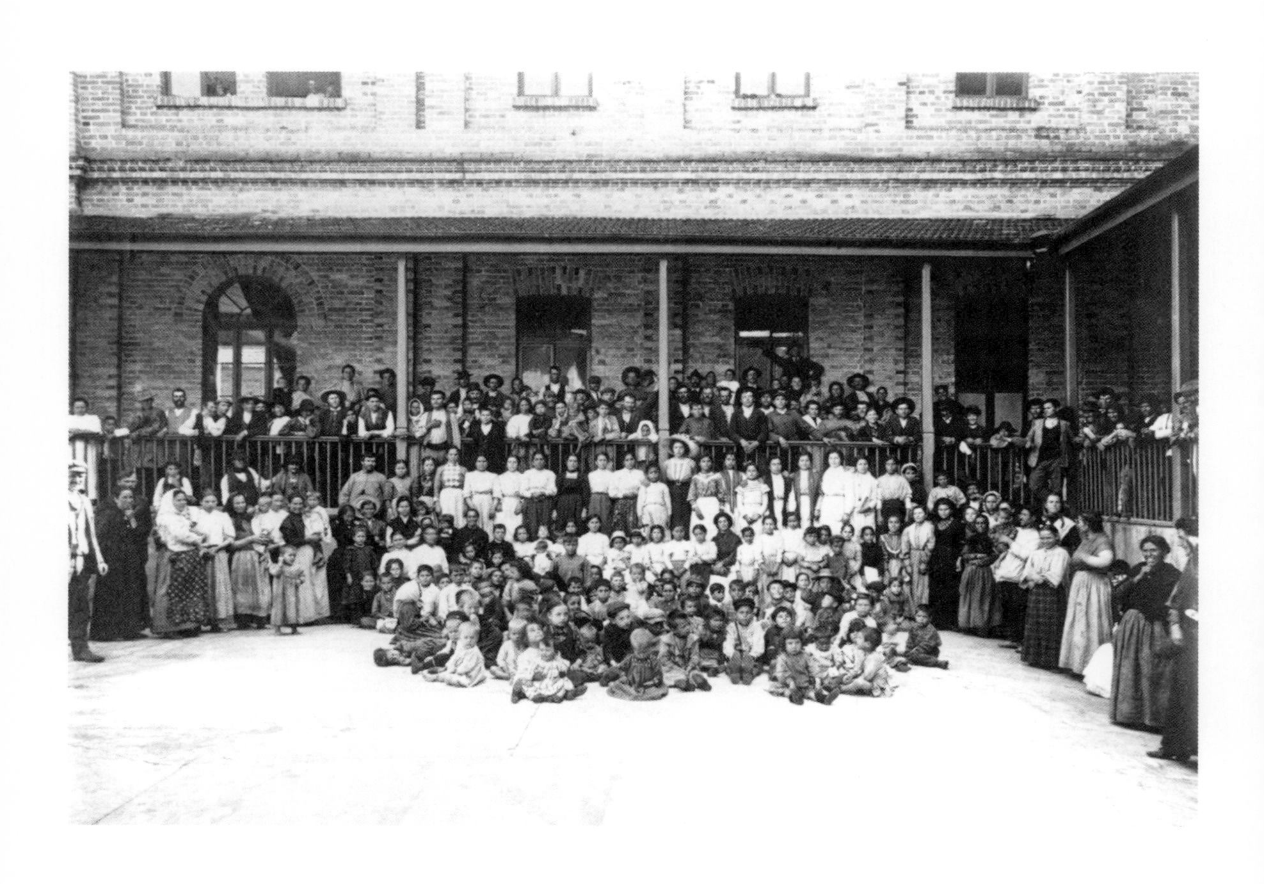

Autor desconhecido. São Paulo, SP (BR). c.1910. Acervo Memorial do Imigrante.
Unknown author. São Paulo, SP (BR). c.1910. Immigrant Memorial Collection.

Autor desconhecido. Nova York, NY (EUA). 1907. Museu da Imigração de Ellis Island.

Unknown author. New York, NY (USA). 1907. Ellis Island Immigration Museum.

José Medeiros. Rio de Janeiro, RJ (BR). c. 1950. Acervo Instituto Moreira Salles.
José Medeiros. Rio de Janeiro, RJ (BR). c. 1950. Moreira Salles Institute Archive.

Russell Lee. Chicago, IL (EUA). 1941. Coleção FSA/OWI (Biblioteca do Congresso Americano).

Russell Lee. Chicago, IL (USA). 1941. FSA/OWI Collection (The Library of Congress).

Ben Shahn. Arkansas (EUA). 1935. Coleção FSA/OWI (Biblioteca do Congresso Americano).
Ben Shahn. Arkansas (USA). 1935. FSA/OWI Collection (The Library of Congress).

Madalena Schwartz. Acervo Instituto Moreira Salles. 1974.
Madalena Schwartz. Moreira Salles Institute Archive. 1974.

Lewis Hine. Nova York, NY (EUA). 1905. Biblioteca Pública de Nova York.
Lewis Hine. New York, NY (USA). 1905. The New York Public Library.

Brasil & Estados Unidos: muitos palpites e uma "prova"

Roberto DaMatta*

O uso do *ampersand*, o conhecido "&", usado pelas firmas comerciais no lugar da simples conjunção "e", para ligar paralela ou adversativamente os nomes dos dois países, culturas e sociedades – Brasil e Estados Unidos –, tem um propósito. Eu quero revelar que entre essas duas coletividades há mais do que uma simples relação: há um elo característico, revelador de vivências histórico-sociais curiosamente invertidas e opostas como se dois autores, ligados pelo "&", estivessem escrevendo um mesmo texto ou pensando num mesmo conjunto de assuntos – amor, subjetividade, propriedade, família, solidão, nascimento, morte, festas, dinheiro, partidos políticos, sobrenatural, religiosidade, leis, etc. – mas sempre de forma contrária. O que o Pato Donald diz, o Zé Carioca transforma no seu inverso. Como na cara & coroa de uma moeda ou na forma & fundo de uma figura na Gestalt, existe, entre esses modos de viver, uma estranha oposição complementar.

Uma leitura superficial falaria imediatamente em conflito ou superioridade. Vista de um ponto de vista sociológico, porém, tudo ocorre como se os dois países fossem exemplos perfeitos de uma das mais interessantes percepções de Alexis de Tocqueville. No seu clássico *A Democracia na América*, publicado em dois volumes em 1835 e 1840, respectivamente, ele remarcava que o "moderno" e o "tradicional"

---

* Professor de Antropologia da PUC do Rio de Janeiro, escritor, autor e articulista de *O Estado de S. Paulo* e de *O Globo*.

sinalizam "duas humanidades distintas, cada uma das quais tem as suas vantagens e os seus inconvenientes particulares, os bens e os males que lhe são próprios"[1] – ou seja, essa oposição corresponde a estilos de vida que seguem juntos e não devem ser lidos como etapas exclusivas de um processo que inevitavelmente desembocaria numa "modernidade" hegemonicamente individualista e igualitária como uma etapa final, englobadora de toda a história humana.

Foi a minha intensa experiência com os Estados Unidos e nos Estados Unidos que me levou a repensar o sistema brasileiro e vice-versa. Como tantos outros viajantes, sofri o impacto do individualismo e da igualdade, e esse impacto me trouxe de volta ao Brasil com um estranhamento agudo de nossa aceitação e familiaridade com todos os tipos de desigualdade, o que me conduziu a pensar a relação entre os dois países em vários trabalhos e em um livro no qual presto uma homenagem a Alexis de Tocqueville,[2] um autor – não custa assinalar – não lido e não incorporado às reflexões dos melhores pensadores brasileiros sobre o Brasil.

Por meio dessa vivência americana e com a ajuda do pensamento de Louis Dumont, aprendi que o "moderno" não diz respeito a um período histórico, mas a um sistema no qual a parte (o indivíduo) é construída como mais importante que o todo (o conjunto da sociedade); ao passo que o "tradicional" repousa numa visão inversa, embora complementar à primeira. E, para além disso, e talvez muito mais importante, povos ou coletividades – daí a importância do pensamento de Tocqueville – não se esgotam em conceituações polarizantes, podendo ser definidos apenas como modernos ou como tradicionais. Muito pelo contrário, as sociedades são sempre as duas

1 Alexis de Tocqueville, *A democracia na América* (São Paulo: Rocco, 2005), p. 833.

2 Trata-se do livro *Toquevilleanas: notícias da América*, publicado pela Rocco, em 2005.

coisas ao mesmo tempo, pois, em todo o sistema social, a parte e o todo são complementares e tendem a ser recorrentes. O todo precisa da parte, tanto quanto a parte acaba encontrando o todo e com ele ajustando suas contas, como vemos no movimento ecológico, que traz de volta o planeta como um todo, num mundo no qual os estados nacionais têm um histórico de competição por recursos desse mesmo planeta.

Com isso em mente, os Estados Unidos me assombram pelo igualitarismo e por um individualismo que chega às raias de recusar a reciprocidade e as relações de família, enfatizando muito mais os elos conjugais; enquanto o Brasil me assusta pela vigência de suas hierarquias e a ênfase nos laços de filiação e descendência. Nos Estados Unidos, lembro mais uma vez Tocqueville:

> a igualdade desenvolve em cada homem o desejo de julgar tudo por si mesmo; em todas as coisas, a igualdade lhe traz o gosto pelo real e pelo tangível e o desprezo pelas tradições e formas.[3]

Essa atitude promoveu, em primeiro lugar, as guerras nos Estados Unidos contra a Inglaterra que lhes formara a identidade nacional, seguindo o mesmo estilo da França revolucionária; e, em segundo lugar, a Guerra Civil que veio a lhes consolidar o modo de vida igualitário, acabando com o escravismo, mas, em compensação, dando origem à segregação que leva ao ódio racial contra os negros. No Brasil, pelo contrário, todas as transições têm sido graduais (a escravidão demora 60 anos para terminar), dando a impressão de que as regras não são rompidas, mas dobradas, esticadas e jamais cumpridas quando contra elas se invoca uma dívida de amizade, de compadrio ou de família, além das inúmeras exceções do sistema legal,

---

[3] Alexis de Tocqueville, *A democracia na América*, cit., p. 47.

todas voltadas para excepcionalizar quem tem poder no Estado e no governo.

Enfatizar o elo paradoxal entre esses dois países situados no Novo Mundo faz parte da maneira que encontrei para exprimir, por meio da antropologia social, a minha experiência de brasileiro nascido e criado no Brasil com a minha experiência nos Estados Unidos da América. Mas devo, de saída, ressalvar que o Brasil é um palco que internalizei porque entrei no seu drama ao nascer, numa relação sem escolha. O Brasil está dentro de mim (como eu estou igualmente dentro dele) de tal maneira que eu não posso tirá-lo de minha pessoa, moldada por ele, que pertence a ele e certamente ajuda a defini-lo. Para mim, o Brasil é um conjunto de ideais e de sentimentos "naturais" inscritos, como dizia Rousseau, no meu coração. Já os Estados Unidos foram aprendidos por escolha, de fora para dentro. Primeiro, em aulas de inglês cujas regras gramaticais e cujo vocabulário antecipavam comportamentos e normas escritas em papel, situações, pessoas, sentimentos e erros; depois, tentando viver como um brasileiro entre estadunidenses; e, finalmente, e ao longo da minha vida, pela visão da cultura fabricada pelo cinema de Hollywood, do qual recebi (com a geração nascida na década de 1930) muito de minha educação sentimental.

Brasil & Estados Unidos

Quando pisei em solo estadunidense pela primeira vez, em setembro de 1963, e senti o gosto de sua realidade em carne e osso na cidade de Cambridge, Massachusetts, numa Harvard feita de grandiosa austeridade, um jovem mentor, o dr. Richard Moneygrand, *lecturer* do então famoso Department of Social Relations e bom conhecedor do Brasil, disse-me o seguinte: "Seja aqui o que você não é no Brasil! Em qualquer situação, faça sempre o contrário do que recomenda o impulso ou a etiqueta do seu coração!". Quase sempre eu, por motivos óbvios, esqueci-me deste sábio conselho.

Mas guardei a recomendação. Os paralelos e os contrastes entre Brasil e Estados Unidos foram fundamentais na minha obra de pesquisador interessado em rituais nacionais como o carnaval do Brasil (uma celebração do gozo) e o *Thanksgiving* americano (um ritual de agradecimento ou, como diria Sir James George Frazer, de primeiros frutos); entre as mitologias que sustentam e governam os Estados Unidos e o Brasil ("fundação" e "descoberta", respectivamente); entre, enfim, os estilos de vida e as práticas sociais dos dois países. Eu quero aqui repassar algumas dessas atitudes que, de um ponto de vista concreto, tornam difícil, senão impossível, para um brasileiro a vivência nos Estados Unidos (quando, por exemplo, ele entende que "*no way*!" é uma proibição absoluta); e, de modo inverso, faz a experiência no Brasil ser complexa e confusa para um estadunidense (quando ele entende que só a morte não tem remédio e que para tudo há um jeito pessoal e legal!). O único problema é que os americanos têm a tentação calvinista da correção (que é, por certo, parte constitutiva do seu comportamento) e os brasileiros, a da ausência de autoestima, que os leva quase sempre à comparação negativa, de modo que os Estados Unidos são sempre lidos como avançados e o Brasil como um exemplo de pleno atraso, conforme estamos todos um tanto fartos de saber.

Somente nos últimos dez anos, depois do Plano Real no Brasil e do colapso financeiro estadunidense e europeu, que essa atitude geral tem mudado, embora continue operando com a inércia que caracteriza as ideologias ou, se quiserem, as "superestruturas" que permanecem vivas, mesmo quando o mundo real que as engendraram as torna obsoletas.

Considere, para começo de conversa, a nossa tolerância para com a pobreza e, por extensão, com o modo familiar com o qual tratamos os subordinados que, para muitos de nós, são apenas *socialmente* inferiores. Para os americanos, segundo uma perspectiva de sociedade na qual a igualdade é levada a sério como um valor constitutivo de sua estrutura, as mais variadas formas de hierarquização e de diferenciação social brasileiras são vistas como absurdas diante daquilo que eles percebem como indiferença de nossa parte em relação às "favelas" e à "pobreza", ao mesmo passo que dificultam lidar com os nossos onipresentes e imprescindíveis empregados domésticos. Para nós, a pobreza é um dado da vida com caráter bíblico que jamais vai se extinguir; mas, para um americano, a pobreza é um erro e um defeito que se pode corrigir.

Pensemos mais um pouco nos contrastes.

Um brasileiro – treinado a ser servido pela mamãe, pela esposa e por empregadas a vida toda – não consegue se sentir confortável num *self-service* estadunidense; do mesmo modo que um estadunidense fica embaraçado ao ser formalmente servido numa mesa brasileira e descobre que não usa os talheres como seus hospedeiros: faca na mão direita, garfo na esquerda – no melhor estilo europeu. Ademais, há um notável desconforto com o ser servido por um empregado doméstico, enquanto nós ficamos a ver navios se tivermos de passar uma camisa.

A intimidade, a intensidade e a aparente ausência de limites dos elos pessoais perturbam os americanos, tanto quanto a distância dos relacionamentos sociais faz com os brasileiros. Daí nossa dificuldade em seguir regras impessoais e viver em pleno anonimato. Como eu disse num ensaio publicado em 1979, somos constituídos pela aristocracia potencial do "você sabe com quem está falando?", ao passo que os americanos nivelam a todo tempo, repetindo como admoestação o estabelecido *"who do you think you are?"* para aqueles que pensam que podem fazer aquilo que a norma ou lei proíbem e que ninguém – nem o presidente – pode fazer.

– *Fire drill*! (treinamento de incêndio) – falou um colega olhando casualmente pela porta do meu escritório no Decio Hall da Universidade de Notre Dame, onde lecionei de 1987 até 2004. Levantei-me, ouvi a sirene que anunciava o treinamento, vi as pessoas saindo do prédio, mas resolvi entrar e fechar a porta do meu gabinete porque não acreditei que as pessoas levassem o exercício à sério, já que não havia fogo em nenhum lugar. Ademais, eu era professor, e um professor não deveria contar. Havia me esquecido completamente do conselho do meu amigo Moneygrand.

Alguns minutos depois, bateram com força na minha porta. Mandei que o visitante entrasse e, assustado, me deparei com um policial tamanho gigante com seu uniforme impecável e o seu cinto de utilidades estilo Batman. O policial, sério, olhou-me de alto a baixo como se fosse um alien e comandou que saísse imediatamente do prédio, o que fiz sem reclamar. Desci para encontrar uma pequena multidão que alegremente conversava do lado de fora do prédio, assistida pelos policiais até o fim do treinamento.

Nunca mais deixei de obedecer aos alarmes de *fire drill*.

As regras são feitas para serem obedecidas e, por isso, elas devem ser razoáveis, exprimindo bom senso e utilidade.

A relação positiva com a lei evita que se produza ilegalidades desnecessárias, como ocorre no Brasil, onde um jogo de azar inventado por um barão no final do século XIX no qual números são genialmente humanizados por sua associação a uma lista de animais – o famoso "jogo do bicho" – é aprovado culturalmente, mas classificado pela lei como uma contravenção. Um crime menor, mas um crime, o que contraria todo o viés do mundo moderno que, como mostra – entre outros – Albert Hirschman, transformou pecado e paixão em interesse legítimo.

Eis uma anedota que me foi contada por um estadunidense em seu país, acusado de ser seguidor de normas:

> Vários náufragos estão à deriva. Um diz para o outro:
> "Quer apostar como faço todo mundo pular no mar?"
> Seu companheiro obviamente duvida. Uma aposta de alguns milhões, caso fossem salvos, obriga a provar a força da ideia.
> O apostador diz a um náufrago inglês: "A *tradição* exige que você se atire!"
> Após pensar um pouco, o inglês pula no mar.
> No caso do francês, o apelo foi para a *moda*. Para o alemão, ele falou: "São *ordens do chefe*!"; e para o soviético invocou o *socialismo*, o que fazia com que o egoísmo fosse vencido pelo altruísmo, parte do espírito socialista.
> Todos hesitaram por instantes, mas se atiraram ao mar.
> Sobraram um estadunidense e um brasileiro.
> "Se você mergulhar, haverá um seguro de dois milhões de dólares para sua esposa", diz o apostador para o estadunidense, que pula imediatamente.
> Em seguida, olha para o brasileiro e diz, muito sério: "Sabe, há uma *lei* que proíbe abandonar o barco." Mal termina a frase e o nosso patrício já se encontrava no meio do mar...

A anedota conduz ao mal-estar brasileiro diante das regras que os igualam, como ocorre no trânsito. Tal foi o tema do meu último livro – *Fé em Deus e pé na tábua*[4] –, um ensaio sobre como os brasileiros enlouquecem em situações e com leis que inapelavelemente os igualam e ficam felizes em contextos em que o dono, o patrão ou o superior são visíveis – coisa impossível de se saber numa rua ou avenida movimentada de qualquer cidade. O caso americano é o justo oposto. Veja o sorriso com o qual o bandido depois de um sequestro corre para o seu automóvel, liga o motor e simultaneamente coloca (seguindo a lei!) o cinto de segurança.

Eu poderia continuar e estender a lista, mostrando essas oposições em quase todos os domínios das duas sociedades. Ficar sozinho (*all by yourself...*) é um pecado no Brasil e normal e saudável nos Estados Unidos; aqui, a discórdia é sinal de grosseria, lá, de crítica positiva; não se toma nada emprestado ou se pede informação na rua quando há mapas e GPS disponíveis naqueles Estados Unidos onde as coordenadas espaciais não são dadas em sinais particulares (como "vire após uma casa verde"), mas em números e pontos cardeais ("siga três milhas pelo Norte até encontrar a Rua 23..."); não há obrigação, como entre nós, de reconhecer a presença dos colegas de trabalho todas as vezes que você os avista, de sorte que eu pensei, muitas vezes, que meus colegas de corredor eram mal-educados ou, pior que isso, eram muito mal-educados.

E, para finalizar uma longa lista, deve-se lembrar que a formação do território estadunidense ocorre ao lado de sua afirmação protestante, libertária, igualitária e individualista, realizada em etapas, com negociações e lutas. A nossa foi dada de uma vez por todas, já que o Tratado de Tordesilhas, assinado na cidade espanhola de mesmo

[4] Roberto DaMatta, *Fé em Deus e Pé na Tábua* (São Paulo: Rocco, 2011).

nome em 7 de junho de 1494, dividia o mundo em duas partes: uma portuguesa e outra espanhola. O Brasil, assim, nasceu com seu território praticamente pronto para ser predado pelos portugueses que aqui se aventuravam com a esperança de voltar ricos para Portugal. Já nos Estados Unidos – não custa contar a velha oposição já encenada com o fulgor clássico por Sérgio Buarque de Holanda e retomada por Vianna Moog –, os puritanos vieram para ficar e ali construir uma cidade em cima de uma montanha – uma nova Jerusalém que acabou virando a *New England*, berço do seu capitalismo industrial. De um lado, eternas fronteiras; do outro, zonas a serem ocupadas, lugares para domesticar, predar e tirar. Nos Estados Unidos, o "novo", adicionado a um mundo que Tocqueville foi o primeiro a perceber como feito de iguais; aqui, a constante recriação do velho em governos de todos os matizes que definem a sociedade fora dos indivíduos e estão convencidos de que o mundo só pode mudar por meio de decretos. Por isso, o legal é "legal".

Imagens do Brasil e dos Estados Unidos na música popular

Para evitar ficar somente com o pudim sem oferecer ao leitor a chance de prová-lo, ofereço uma análise das diferenças entre Brasil e Estados Unidos tomando como base a música popular. Trata-se de um estudo publicado como capítulo de um livro cujo escopo era exatamente comparar os dois países, intitulado *Toquevilleanas: Notícias da América*, e como crônica do jornal *O Estado de S. Paulo*. Que eu seja perdoado pela repetição e que me seja permitido lembrar que são as repetições que afirmam as diferenças, fornecendo o ritmo da vida e da morte.

A voz de Frank Sinatra inspira esse comentário. Essa voz ítalo-americana que dramatiza – por oposição ao estilo irlandês e *cool* de

Bing Crosby – o amor definido como frivolidade (*it was just one of those things*), tragédia (*don't know why there is no sun up in the sky*), delicada prece (*there's a somebody I'm longing to see*), fidelidade (*I'll be loving you, always*), magia (*do that voodoo that you do so well*), sensualidade (*I've got you under my skin*) e sexualidade pura (*let's do it, let's fall in love...*).

Amor que assumia tantas faces quanto eram os grupos étnicos construtores dos Estados Unidos que, em meio a um impetuoso individualismo que tudo compartimentalizava por meio de território – ou seja, cartesiana, digital e cartograficamente (sem permitir o remédio da mistura) –, deixavam sua marca.

Em 1945, Sinatra celebrou o fim da Segunda Guerra Mundial gravando uma das poucas canções que falam dos Estados Unidos como sujeito. Trata-se da música *The House I Live In (That's America to Me?)*, escrita em 1945 por Earl Robinson e Lewis Allan.[5] O que mais chama a atenção nessa música é o conjunto de imagens de conteúdo "moderno" que respondem à pergunta inicial da letra: *What is America to Me?*

Ora, diz a música, que eu reproduzo livremente, a América é um nome, um mapa e uma bandeira. É uma certa palavra: democracia. Isso é a América para mim.

Em seguida, abrindo mais o leque, surgem outros elementos. A América é também um pedaço de chão, ruas, comerciantes e povo, crianças brincando no *playground* e todas as raças e religiões. É o lugar onde eu trabalho e, também, o trabalhador ao meu lado. É a

[5] Pseudônimo do famoso poeta, professor primário e membro do Partido Comunista Americano Abel Meeropol, que também assina a famosa canção antilinchamento e precursora dos direitos civis nos Estados Unidos, *Strange Fruit*, gravada por Billie Holiday, em 1939.

grande e a pequena cidade, o ar de liberdade e o direito de falar o que se pensa. Isso é a América para mim. E mais: a América é também as coisas grandes e pequenas: a banca de jornal e os arranha-céus, os casamentos nas igrejas, o riso e as lágrimas, os jardins em flor, um sonho que cresce e, muito especialmente, o povo. Isso é a América para mim...

Intriga-me essa descrição de uma coletividade por meio de símbolos modernos. Os Estados Unidos não são uma terra de Santa Cruz (abençoada pela Igreja Católica), ela é, sobretudo, um território soberano e livre. É também atividade capitalista e informação: é propriedade privada, casa, comércio, dinheiro, jornais, trabalho, gigantismo e tecnologia, mas sem perder de vista a vida diária que a todos nivela: os jardins, a alegria e a tristeza – o sonho que cresce integrando as contradições entre liberdade e igualdade.

Dominando o conjunto, canta-se o conceito que ilumina a letra, representando uma tradição nova ou moderna: a América, seja como uma cultura, seja como uma sociedade, é, acima de tudo, uma coletividade construída permanentemente pelos seus cidadãos. Não é um Sacro Império ou uma realeza de direito divino; também não é um sistema de produção em que todos são eternamente pobres ou muito ricos. É um sistema político – uma democracia que se faz e refaz nas coisas grandes e pequenas.

Que contraste faz os Estados Unidos definidos pelo civismo moderno com o *País Tropical* de Jorge Ben Jor e, sobretudo, com a *Aquarela do Brasil* de Ary Barroso, de 1939. Músicas nas quais o Brasil é definido não pela ação dos seus cidadãos, por espaços públicos e credos políticos universais, mas por sua natureza (ou geografia) única e, mais do que isso, pela experiência proporcionada por essa natureza lida como rica, farta, bela, dadivosa, convidativa e sedutora.

Eis uma surpreendente visão totalizadora e ecológica, na qual a geografia – rios, mares, céus e florestas – também faz parte do mundo. Ou melhor, o palco é tomado como centro do mundo. Visão que fica cada vez mais presente na nossa cosmovisão, imersa no individualismo pessoal e coletivo que tem sido o centro e a alavanca dos países modernos, como demonstra a música definidora da América.

Tanto Ary Barroso quanto Jorge Ben Jor remetem, como antes deles fizeram Antonil, num texto escrito em 1711, e Gonçalves Dias, em seu célebre poema, *Canção do Exílio*, de 1843 – para ficar nos exemplos certamente mais ilustres –, a um cenário definitivo na construção da identidade nacional.

Nessa perspectiva, falar do Brasil é falar do trinado de suas aves, da beleza de suas noites, céus, estrelas e palmeiras. Não são as instituições sociais, mas a natureza concreta, impositiva e categórica, que é a chave dessa visão mais inclusiva e mais pariticularista e, como sabemos a cada dia, mais necessária.

Em resumo diria que, para ser americano, basta aceitar um conjunto de regras escritas e acordadas conscientemente que podem mudar ao longo do tempo. Mas, para ser brasileiro, é preciso aceitar e admirar as paisagens imutáveis e, ao lado disso, sambar, gingar, misturar, beber, dormir e cantar.

No nosso caso, o verbo-chave é *ser*, e com isso estar unido às paisagens e à nossa natureza singular. No caso americano, a chave é *pertencer*. Exagero? Sem dúvida, mas não é isso que essas músicas exprimem?

APÊNDICE

The House I Live In (That's America to Me)

Earl Robinson e Lewis Allan (Abel Meeropol) – 1945

What is America to me?
A name, a map, or a flag I see
A certain word, democracy
What is America to me?

The house I live in
A plot of earth, the street
The grocer and the butcher
And the people that I meet

The children in the playground
The faces that I see
All races and religions
That's America to me

The place I work in
The worker at my side
The little town or city
Where my people lived and died

The howdy and the handshake
The air of feeling free
And the right to speak my mind out
That's America to me

The things I see about me
The big things and the small
The little corner newsstand
And the house a mile tall

The wedding in the churchyard
The laughter and the tears
The dream that's been a-growing
For a hundred and fifty years

The town I live in
The street, the house, the room
The pavement of the city
Or a garden all in bloom

The church, the school, the clubhouse
The million lights I see
But especially the people
That's America to me

Aquarela Brasileira

Ary Barroso – 1939

Brasil, meu Brasil brasileiro
Meu mulato inzoneiro
Vou cantar-te nos meus versos:
O Brasil samba que dá
Bamboleio que faz gingar
O Brasil do meu amor
Terra de Nosso Senhor
Brasil, Brasil, pra mim, pra mim

Oh, abre a cortina do passado
Tira a mãe preta do cerrado
Bota o rei congo no congado
Brasil, Brasil

Deixa cantar de novo o trovador
À merencória luz da lua
Toda a canção do meu amor
Quero ver essa dona caminhando
Pelos salões arrastando
O seu vestido rendado
Brasil, Brasil, pra mim, pra mim

Brasil
Terra boa e gostosa
Da morena sestrosa
De olhar indiscreto
O Brasil verde que dá
Para o mundo se admirar
O Brasil do meu amor
Terra de Nosso Senhor
Brasil, Brasil, pra mim, pra mim

Oh, esse coqueiro que dá coco
Onde eu amarro a minha rede
Nas noites claras de luar
Brasil... Brasil

Oh, ouve essas fontes murmurantes
Onde eu mato a minha sede
E onde a lua vem brincar
Oh, esse Brasil lindo e trigueiro
É o meu Brasil brasileiro
Terra de samba e de pandeiro
Brasil, Brasil, pra mim, pra mim

Herança agrária de nações urbanas – Brasil e Estados Unidos

Dain Borges*

Quando as pessoas nos Estados Unidos imaginam o Brasil rural – se conseguirem formar alguma imagem –, elas visualizam a Amazônia e seus indígenas adereçados com penas e florestas em chamas que podem ser vistas à noite do espaço. Quando as pessoas no Brasil imaginam a zona rural dos Estados Unidos, veem imagens vívidas do faroeste veiculado por Hollywood, de caubóis e indígenas – talvez uma touca de pioneiro numa carroça com teto de lona. Mitos viajam. O maior rodeio brasileiro, a Festa do Peão de Boiadeiro de Barretos, foi fundado em 1955 por homens que realmente viveram com cavalos e criaram gado. Eles também tinham visto muitos filmes de bangue-bangue de Hollywood. Em 1990, o rodeio de Barretos já era maior que o Carnaval do Rio de Janeiro, e muitos outros rodeios faziam sucesso. Em 2001, o governo promulgou uma lei profissionalizando os peões de boiadeiro como atletas. De fato, o rodeio no Brasil cresceu rapidamente e tornou-se um esporte nacional da mesma dimensão do futebol: cada um vendeu cerca de 24 milhões de ingressos em 2000. E o rodeio nos Estados Unidos continua tão pequeno quanto o

---

* Dain Borges trabalha com ideias ligadas à cultura latino-americana dos séculos XIX e XX. Seu atual projeto de pesquisa, *Races, Crowds, and Souls in Brazilian Social Thought*, 1880-1920, enfoca as maneiras pelas quais os intelectuais brasileiros usaram a sociologia das raças e a psicologia social para compreender a religião e a política populares. Ele ministra palestras e cursos sobre História Latino-americana, Transformações Comparativas do Século XIX, Ideologias de Identidade Nacional e Cultura na Diáspora Africana.

futebol (não americano): só 2,5 milhões de pessoas compareceram a rodeios ou jogos de futebol profissional em 2010.

Talvez o rodeio tenha sido adotado e reinventado pelos brasileiros porque esse esporte americano condiz com a herança de fronteira de que compartilham os dois países e com seu estilo de vida agrário – ou sua fantasia idealizada da independência gloriosa que esse estilo de vida carrega. Tanto o Brasil quanto os Estados Unidos são hoje sociedades urbanas, com agronegócio mecanizado em larga escala e grandes áreas rurais de desemprego e pobreza. Ambos se desenvolveram a partir de sociedades escravagistas e de fronteira nas Américas, assim como compartilham a herança de pequenas fazendas e ranchos que ainda definem certa utopia nostálgica de autenticidade e independência, mantidas a duras penas. A música country fala aos seus corações: *Achy Breaky Heart* [Coração partido e dolorido], de Billy Ray Cyrus, se torna *Pura Emoção* nas vozes de Chitãozinho e Xororó.

Nem o Brasil nem os Estados Unidos começaram assim. A meta da colonização europeia não eram pequenas fazendas, mas sim mercadorias lucrativas. Numa primeira fase, franceses e portugueses se espalharam pelo litoral brasileiro para trocar anzóis por preciosas toras de pau-brasil. Comerciantes franceses, ingleses, holandeses e iroqueses seguiram a minguante oferta de peles de castor rios acima e pelas margens de lagos, até se embrenharem pelo continente norte-americano. Nos dois lugares, cada comerciante e explorador procurava minas de prata, que jamais foram encontradas.

Numa segunda fase, os principais colonizadores portugueses no Brasil inventaram o latifúndio escravagista para cultivo e benefício de cana-de-açúcar, usando mão de obra, primeiramente, indígena e, depois, africana. Pequenas fazendas cresceram como auxiliares inevitáveis dos latifúndios açucareiros. Diferentemente do México e do Peru - de colonização espanhola -, os colonizadores portugueses no Brasil não encontraram cidades camponesas já prontas para aplicar tributos e vender alimentos. Relutantemente, eles começaram a cultivar por conta própria. Nos solos tropicais do Brasil, adaptaram-se quase completamente aos métodos indígenas. Azeitonas, castanhas e uvas portuguesas não podiam ser transplantadas; trigo e cevada não prosperavam. O gado crescia bem no campo, mas ninguém consegue viver só de carne. Assim, os portugueses aprenderam métodos tupis de derrubar árvores e queimar o mato, plantando depois milho e mandioca entre os troncos carbonizados. Muitos dos portugueses chegaram solteiros e casaram-se com mulheres tupis. Em algumas cidades mais para o interior, quase todas as mulheres eram índias e suas filhas, mamelucas que falavam português. A agricultura minifundiária não era apenas alimentar. O beneficiamento da cana tinha uma ótima economia de escala; seu cultivo, porém, quase nenhuma. Uma classe de pequenos e médios cultivadores subordinados à cana formou-se paralelamente ao grande negócio do beneficiamento açucareiro, em lotes alugados dos barões do açúcar, que tinham concessões de terras quase ilimitadas.

O sistema latifundiário brasileiro passou para a América do Norte britânica por meio dos mercadores holandeses do Caribe. As companhias holandesas capturaram postos de comércio portugueses na África e ocuparam a rica província açucareira de Pernambuco por uma geração, onde aprenderam as tecnologias brasileiras de beneficiamento da cana. Quando foram expulsas, venderam os escravos africanos e ensinaram essas técnicas aos fazendeiros de Barbados. De lá, a escravidão africana se espalhou pelas outras colônias inglesas, especialmente para as plantações de tabaco das Carolinas e da Virgínia. Tanto no Brasil quanto nos Estados Unidos, as plantações com escravos tendiam a ser menores do que as do Caribe. Em toda parte, pequenos e médios fazendeiros conseguiam cultivar tabaco ou cana de açúcar em economias de escala competitivas. A escravidão se tornou uma parte do minifúndio: mesmo pequenas fazendas que cultivavam alimentos para vendê-los aos latifúndios podiam ter dois ou três escravos africanos.

Os minifúndios e as fazendas familiares autossuficientes foram mais proeminentes na América do Norte, tornando-se até uma utopia. Nas colônias puritanas da Nova Inglaterra e por toda a costa norte-americana, colonos livres chegaram para se tornar pequenos fazendeiros independentes, muitos passando por uma etapa de servidão temporária para pagar suas passagens. O clima temperado da América do Norte tornava a reprodução do estilo europeu mais fácil: os fazendeiros podiam arar, as macieiras floresciam, o trigo e a cevada prosperavam. Eles adotaram dos indígenas algumas técnicas e culturas, como o milho e criação de perus, mas se casar ou morar com nativos era raro. À medida que epidemias dizimavam as populações indígenas das Américas, a América do Norte era repovoada mais pela migração de homens e mulheres pobres da Escócia e da Alemanha, que procuravam terra barata e poucas obrigações, do que por africanos. Para eles, a fronteira da Pensilvânia era "o melhor país de pobres do mundo". Talvez seu perfil e suas ambições não fossem das maiores, mas eles concordavam que um ideal na vida era ter terra suficiente para uma "competência", ou seja, uma propriedade suficiente não só para a subsistência segura e independente de toda uma família, mas também, e acima de tudo, para se ter a chance de produzir para o mercado ou encontrar trabalho.

A grande onda de migração para o Brasil deu-se durante a corrida do ouro de 1700 a 1750. O *boom* do ouro em Minas Gerais quase duplicou a oferta mundial do metal durante cinquenta anos, atraiu muitos jovens aventureiros do pequeno Portugal e motivou a compra de centenas de milhares de jovens escravos de Angola. Alguns tiveram êxito como mineiros de ouro; mas a maioria acabou ficando pela cadeia de abastecimento do rico distrito. A demanda das minas, distantes umas das outras, estimulava mercados de alimentos, mulas, ferramentas e tecido por toda a América do Sul. À medida que a extração de ouro e diamantes diminuía, novas fronteiras começaram a ser criadas: a produção minguante deixou uma enorme população estabelecida bem longe do litoral, sobre as cordilheiras vizinhas de montanhas, pronta para aproveitar oportunidades, e, então, a partir das áreas de mineração de ouro, dos rios e das trilhas de mulas que lhes serviam, os brasileiros pobres arriscavam a sorte atrás de capitães dispostos a combater os indígenas para reivindicar novas terras.

Essa tendência continuou tanto no Brasil quanto nos Estados Unidos depois de suas declarações de independência. O longo século XIX foi caracterizado pelo movimento para o Oeste. Colonizadores se afastavam da costa atlântica, ou até mesmo migravam da Europa, rumo a terras mais baratas e menos povoadas que podiam ser tomadas dos indígenas.

Nos Estados Unidos, a explosão do algodão depois de 1815 no Novo Sul e a corrida do ouro da Califórnia em 1849 atraíram pessoas para o Oeste, na direção da fronteira indígena. Em favor da soberania nacional, guerras territoriais (contra o México, contra os Comanches e os Apaches) e batalhas de pequena escala contra os indígenas se misturavam a leilões públicos de terra nas sagas de Daniel Boone, o habilidoso homem de fronteira, general da independência e especulador imobiliário, e de Davy Crockett, que morreu lutando por uma fronteira de escravos em Álamo, Texas.

Thomas Jefferson achava que os pequenos fazendeiros constituiriam uma república virtuosa, um "império da liberdade". Ele e seu partido republicano apoiaram isso com grandes ações, como a Compra da Luisiana, e leis criadas para ajudar os colonizadores a legalizar tanto tratos especulativos de grandes terras quanto pequenos assentamentos familiares. Movimentos iniciais ao longo das fronteiras a nordeste permitiram a reprodução da agricultura de pequena escala no estilo da Pensilvânia e da Nova Inglaterra. À medida que a colonização prosseguia a oeste do Mississipi, o cultivo requeria adaptação em pradarias secas - terras duras e frias, que pediam arados especiais – e em desertos. No Oeste agrícola, ranchos e latifúndios se tornaram dominantes. Os estadunidenses aprenderam a ser caubóis com os *vaqueros* mexicanos, adaptando estilos ibéricos de criação de gado que já haviam sido antes utilizados no Brasil.

No Brasil, o movimento para o interior foi menos dramático e quase não registrado. Como nos Estados Unidos, a colonização costumava começar quando um grupo de parentes seguia um rico e empreendedor combatente de indígenas. Se ele conseguisse uma grande concessão de terras, dava, alugava ou vendia ranchos e fazendas para seus seguidores. Como nos Estados do Sul dos Estados Unidos, esses colonos livres levavam seus escravos com eles; o chefe muitas vezes levava dezenas ou centenas. No Nordeste do Brasil, milhares de colonos se mudaram para a zona semiárida do agreste, espremida entre o sertão do interior e a região litorânea úmida, dominada pelas plantações de cana-de-açúcar. Aqueles que se aventuravam em terras mais secas muitas vezes trabalhavam como vaqueiros; nas planícies gramadas do Sul do Brasil, eles viviam e se pareciam muito com os *gauchos* dos pampas argentinos. Couro e algodão se tornaram os produtos característicos dos homens simples do interior brasileiro.

O governo brasileiro fazia pouco ou nada por esses colonos, mas tentava todo tipo de experimento para criar assentamentos de imigrantes europeus. Os pequenos assentamentos de fazendeiros dos Estados Unidos vinham incluindo novos imigrantes europeus desde o século XVIII, e, durante o movimento para o Oeste do século XIX, muitos mais vieram. Quando os líderes do Brasil pensavam em imigração e assentamento, fantasiavam com a ideia de importar prósperos fazendeiros suíços ou submissos lavradores chineses. Esses recrutamentos falharam, em sua maioria, até o fim da escravidão. A abolição, em 1888, e uma política federalista de terras devolutas finalmente tornaram o país atraente, abrindo os portões brasileiros. Os Estados do Sul do Brasil – Paraná, Santa Catarina e Rio Grande do Sul – adotaram sistemas muito bem-sucedidos de entregar a companhias ferroviárias e de especulação imobiliária enormes concessões de terras da Mata Atlântica para serem subdivididas e vendidas a "colônias" de imigrantes da Alemanha, Itália e Polônia. Esses assentamentos na floresta permitiam o cultivo em climas semitemperados usando lavouras e métodos não muito diferentes daqueles da Europa e dos Estados Unidos. As colônias começavam solitárias e isoladas: "no primeiro ano, todas as crianças morreram". Por gosto e pela força das circunstâncias, continuavam enclaves, com um padre católico bávaro ou um pastor luterano enviado por missões de seus países de origem, uma escola na língua original e negociações feitas com comerciantes de sua própria nacionalidade. Essas colônias brasileiras eram muito parecidas com os enclaves alemães e escandinavos do Wisconsin ou Missouri, com a diferença-chave de serem rodeados por uma sociedade muito menos organizada e uma economia menos dinâmica. Elas se destacavam mais da sociedade que fazia fronteira ao seu redor.

De fato, a grande diferença entre a agricultura dos Estados Unidos e a do Brasil era a densidade do contexto institucional estadunidense. A escravidão não explica suas diferenças. Se compararmos o Sul dos Estados Unidos com o Brasil, o latifúndio e a escravidão prevaleciam em ambas as sociedades. E ao lado dos latifúndios trabalhavam pequenos fazendeiros que possuíam poucos escravos, às vezes apenas um. Mas o interior dos Estados escravagistas do Sul estadunidense pouco antes da Guerra Civil estava repleto de pequenas e prósperas cidades comerciais, governadas democraticamente e cheias de associações voluntárias. Um terço dos trezentos bancos estaduais da nação ficavam no Sul estadunidense. As fronteiras e cidades sulistas eram interligadas por mais de 3.200 km de estradas de ferro em 1848, antes que o Brasil inaugurasse sua primeira ferrovia (1854). O movimento das escolas públicas se espalhara pela população livre, e 80% dos brancos do Sul estadunidense eram alfabetizados, enquanto a alfabetização entre os brasileiros livres não passava de 20%. Igrejas evangélicas enfatizavam a leitura da Bíblia e a autossuficiência; o Sul estadunidense tinha dezenas de universidades e o melhor índice de educação universitária do país, enquanto o Brasil só tinha um punhado de escolas profissionais oficiais. Quando ex-confederados intransigentes se exilaram no Brasil depois da Guerra Civil, ficaram maravilhados com a terra, mas sentiram falta da vida cívica do Sul estadunidense; muitos deles logo migraram de seus assentamentos confederados na zona rural de São Paulo para as cidades.

No Brasil, tanto os imigrantes europeus quanto os pequenos fazendeiros nativos viviam em circunstâncias muito mais improvisadas. Por causa da velha prática de definir tratos de terra como "estendendo-se à margem do rio" ou "da estrada até as terras dos meus vizinhos", da falta de agrimensores profissionais e do alto custo de registrar a ocupação de terras públicas, quase todos haviam ocupado, herdado ou comprado uma fazenda contestável. Ninguém podia se sentir seguro sem parentes próximos e um patrono por perto. Pequenos fazendeiros dependiam do apoio dos caciques políticos dos arredores - e de certa forma os latifundiários também precisavam deles. Os latifundiários gostavam de alugar lotes nas divisas de suas terras, criando uma espécie de cerca viva entre eles e os latifundiários vizinhos. Quando libertavam escravos, eles lhes davam lotes para plantar nas divisas de seus latifúndios.

Dos pequenos fazendeiros era exigido que se recrutassem na milícia da Guarda Nacional, e esperava-se que eles seguissem o voto de seus parentes e patronos nas eleições. Além do patrono, os pequenos fazendeiros também gravitavam em torno do padre da paróquia ou de um missionário itinerante, nos lugares mais distantes. Nos dias de mercado, eles encontravam outras figuras de influência e autoridade: o cobrador de impostos local, o cantor itinerante, um curandeiro milagroso, condutores de caravanas de mulas, traficantes, comerciantes. Depois de 1850, os governos provinciais abriram mais escolas, e a maioria das comarcas tinha um professor nomeado. Mas o interior brasileiro continuava majoritariamente analfabeto, influenciado por boatos e poesia, mais caracterizado por relações pessoais com homens fortes do que pelo poder institucional.

A política dos fazendeiros de fronteira nos Estados Unidos era em parte uma reação organizada àquele ambiente institucional modernizado e em adensamento, particularmente devido ao crescimento das ferrovias, do crédito bancário e do mercado nacional de produtos padronizados e de baixo custo. A democracia jacksoniana os havia efetivamente concedido o direito ao voto desde a década de 1830, e os partidos Democrata e Republicano organizavam grandes rebeliões no dia da eleição. O movimento Granger de clubes de fazendeiros de cidades pequenas protestava contra os preços dos fretes ferroviários e organizava cooperativas de compra desde 1867. Fazendeiros em dificuldades que compraram terras das concessões ferroviárias nas áridas pradarias do Meio-Oeste formaram Alianças de Fazendeiros na década de 1880 para protestar contra os baixos preços e o crédito caro. Eles montaram o independente People's Party em 1892 e juntaram-se à campanha do Partido Democrata contra a elite e os bancos, em 1896. Fosse o populismo progressista ou reacionário, no Sul ele era um movimento de fazendeiros brancos, nem sempre separado de movimentos reacionários racistas como a Ku Klux Klan. Os negros livres tinham se beneficiado brevemente das políticas de reconstrução do período após a Guerra Civil, mas em 1890 eles já estavam novamente confinados pela servidão, segregados pelas Leis Jim Crow, e marginalizados.

Os lares rurais estadunidenses também eram contaminados pelas mobilizações militares nacionais. Nos Estados Unidos, a questão das fronteiras de terras livres levou à terrível Guerra Civil de 1862 a 1865, recrutando e dizimando grandes porções da população masculina rural, deixada no pós-guerra a pedir pensões do governo. Repetidas vezes, grandes guerras recrutavam jovens fazendeiros, treinavam-nos, mandavam-nos para o estrangeiro e depois os devolviam. Depois da Primeira Guerra Mundial, a canção perguntava: *"How 'ya gonna keep 'em down on the farm, after they've seen Paree? [...] They'll never want to see a rake or plow, and who the deuce can parley-vous a cow?"* ["Como mantê-los na fazenda, depois que eles viram Paris? Não vão querer mais ver um ancinho ou um arado, e quem diabos consegue falar francês com uma vaca?"].[1] Cada onda

[1] "How 'Ya Gonna Keep 'em Down on the Farm (After They've Seen Paree?)", letra de Joe Young & Sam Lewis, música de Walter Donaldson, 1919. Cf. Jack Burton, "Walter Donaldson", in *The Billboard*, 61(33), 13-08-1949, p. 36.

de mobilização militar contribuía para uma sensação crescente de cidadania e fortalecimento.

Mas as guerras podiam ter o efeito oposto. A única grande guerra internacional do Brasil, a Guerra do Paraguai, ocorrida entre 1865 e 1870, também transformou a política pela forma como chegou à população rural – e até a aldeias de missões indígenas e às senzalas dos latifúndios – para recrutar soldados para um *front* distante. Esse recrutamento intensivo desestabilizou a política cotidiana no interior. Fazendeiros de terras alugadas e até pequenos proprietários independentes tinham acompanhado o voto dos barões locais, e em troca esperavam que os barões livrassem seus filhos do Exército regular. Durante a Guerra do Paraguai, a Guarda Nacional foi convocada e o recrutamento militar atingiu até os camponeses respeitáveis; a incapacidade de proteger seus seguidores desacreditou muitos patronos.

Depois da guerra, os fazendeiros brasileiros fizeram revoltas e rebeliões para serem deixados em paz. O Quebra-Quilos, de 1874, uma série de revoltas contra a tributação nas quais os fazendeiros marchavam para o mercado para espancar cobradores de impostos e destruir os novos pesos do sistema métrico, e o Rasga-Listas, de 1875, em cujos tumultos as mulheres rasgavam as listas de convocados nas novas juntas de recrutamento, convenceram o governo a desistir das reformas que atingiam a zona rural. Mas a iniciativa política rural parava por aí. A repressão das revoltas do Quebra-Quilos foi feroz, e, por coincidência, a queda de preços do algodão na Depressão de 1873 e a Grande Seca de 1877–1879 prejudicaram a lavoura que representava a base de lucros da pequena agricultura. O grande movimento abolicionista da década de 1880 dividiu os pequenos fazendeiros. A maioria deles descendia de escravos libertos, africanos e indígenas, tolerava a proximidade com os quilombos e temia ser novamente escravizada ou decair para uma servidão semelhante. No entanto, metade deles possuía um ou dois escravos e, portanto, tinha um grande interesse na escravidão. Os fazendeiros não tiveram papel de destaque no abolicionismo até o seu final. Por volta da mesma época, eles estavam efetivamente enfraquecidos pelas novas exigências de alfabetização. Até os movimentos trabalhistas rurais das décadas de 1920 e 1930, os habitantes da zona rural brasileira estavam de fato subordinados aos senhores locais ou alienados da política formal.

Duas rebeliões milenaristas, a Guerra de Canudos, de 1896 a 1897, e a Guerra do Contestado, de 1912 a 1916, mostraram ao povo da cidade a medida da fúria e da alienação no interior. O Contestado pode ser descrito como um protesto de assentados e pequenos fazendeiros contra a desapropriação por parte de uma ferrovia; mas a forma que assumiu foi a de um movimento profético no qual a cavalaria rebelde enfrentou o Exército e a Força Aérea usando o figurino dos Pares de França de Carlos Magno contra os mouros. Canudos foi um enigma ainda maior: fiéis haviam migrado para uma nova cidade no sertão construída por um visionário messiânico, Antônio Conselheiro. Ele claramente pregava contra a exigência do casamento civil pela república; como muitos, tinha saudades do imperador, e também se juntou a protestos contra a tributação do comércio. Mas havia algo mais? Quando a intervenção da polícia degenerou numa guerra, milhares de "fanáticos" lutaram até a morte, ao invés de se renderem.

Um jovem engenheiro militar, Euclides da Cunha, escreveu uma angustiada história de Canudos, *Os Sertões* (1902). Ecos de suas dicotomias ainda definem o interior para os nacionalistas brasileiros: os rebeldes do sertão eram supersticiosos e primitivos, mas também eram a autêntica pedra fundamental do Brasil, sua energia. Eles haviam demonstrado que a civilização litorânea era superficial e doentia. *Os Sertões* de Euclides da Cunha parecem definir um Brasil dualista e polarizado, mas os conflitos comparáveis da mesma época nos Estados Unidos, como o massacre de Wounded Knee, em 1890, e o de Ludlow, em 1914, não inspiraram uma introspecção equivalente. Em vez disso, os Estados Unidos tiveram sua "tese da fronteira", publicada pela primeira vez por Frederick Jackson Turner em um texto de 1893, dizendo que os estadunidenses tinham progressivamente se despido do estilo da Velha Europa à medida que a colonização se expandia para o Oeste, para fronteiras cada vez mais igualitárias, democráticas e até mesmo sem lei. Essas elegias das virtudes rurais continuam conosco.

A fronteira de Turner era um olhar da cidade em direção a um interior que desaparecia. De acordo com a Agência Americana do Censo, 1890 marcou o fechamento da fronteira estadunidense. Em 1889, os territórios indígenas de Oklahoma estavam abertos para o assentamento, desapropriando nações indígenas e redistribuindo as terras sobretudo para colonos brancos. A corrida pela ocupação de Oklahoma foi uma das últimas vezes em que o sistema da Lei do Homestead formou pequenas fazendas.[2] Depois de 1900, os assentados muitas vezes estavam a soldo de imobiliárias que tentavam agregar direitos de madeiramento e uso da água: se a lei exigia uma casa de 12 cm × 14 cm, eles construíam uma casa de 12 cm × 14 cm. Um punhado de pessoas ainda tentava ocupar terras com margens ainda mais miseráveis e arriscadas. A vigência da lei foi estendida para os territórios do Alasca em 1898, e foi incentivada pela corrida do ouro

[2] Paul W. Gates, "The Homestead Act: Free Land Policy in Operation, 1852–1935", in Howard W. Ottoson (Ed.), *Land Use Policy in the United States* (Washington: Beard Books, 2001), pp. 28-46.

de Yukon e pelas passagens da Segunda Guerra Mundial; mas apenas 3.500 assentados haviam reivindicado terras no Estado quando o programa terminou, em 1986.

No século XX, a industrialização e a mecanização da agricultura contribuiu para a erosão ainda maior de utopias de autonomia agrária. A população dos Estados Unidos já era 24% urbana em 1890 e um pouco mais de 50% em 1930. O número absoluto de fazendas, ranchos e latifúndios continuou a crescer, até chegar ao ápice em 1930. Mas as cidades cresciam mais rápido. E se a urbanização é definida como social, isto é, como extensão de instituições e padrões urbanos para a vida rural, então o estilo de vida já havia quase se fundido com os padrões urbanos desde o primeiro catálogo postal da Sears, de 1894, até a Grande Depressão de 1930.

A migração da vida rural se tornava cada vez mais comum. A Grande Migração de milhões de estadunidenses negros, de 1910 a 1945, que fugiam das condições miseráveis de opressão no Sul para cidades do Norte como Chicago e Detroit foi a mais visível, porque enfrentava oposição racista e direta. Quando as falências de fazendas durante a Grande Depressão da década de 1930 coincidiu com as secas do Dust Bowl, milhões de brancos de Oklahoma e do Arkansas migraram para os latifúndios ou cidades da Califórnia. A Depressão atingiu mais duramente centenas de milhares de mexicanos, inclusive cidadãos hispano-americanos que foram deportados à força pelas polícias locais. Programas de apoio à agricultura – moratórias, tributação protecionista, sustentação de preços dos produtos agrícolas –, propostas pelas organizações de fazendeiros a cada ciclo de negócios desde 1873 tornaram-se totalmente institucionalizados com os programas do New Deal. O Serviço de Erosão do Solo, a Corporação Federal de Controle do Excesso de Produção, o Serviço de Proteção da Seca e o Esquadrão Civil de Conservação foram todos estabelecidos como medidas de contenção. Eles começaram reformas transformadoras, tornando a agricultura um setor altamente subsidiado e regulamentado pelo Estado.

Hinos urbanos estadunidenses de nostalgia rural são no mínimo tão antigos quanto as cantigas sentimentais de menestrel de Stephen Foster, como *My Old Kentucky Home*, composta na década de 1850. Os brasileiros acham que inventaram a saudade, mas a inventaram muito mais tarde, em canções como *Luar do Sertão*, de Catulo da Paixão Cearense, de 1914. Nos Estados Unidos, os lamentos sarcásticos do banjo da música folk americana e o radical hino da Depressão, *This Land Is Your Land*, acabaram se cristalizando na autopiedade rotineira da música country: "O que acontece se você toca um disco de country-western ao contrário? Primeiro você sai da cadeia; depois consegue seu cachorro de volta, consegue sua esposa de volta, consegue sua picape de volta, consegue seu emprego de volta e para de beber". No Brasil, a nota forte da música rural sempre foi o otimismo do migrante: *Pau de Arara*, de Luiz Gonzaga, composta em 1952, fala sobre a viagem da fazenda para a cidade na carroceria de um caminhão, na época em que "a malota era um saco e o cadeado era um nó".

No Brasil, para o bem ou para o mal, o atraso da agricultura comercial poupou fazendas familiares de parte da pressão competitiva direta do agronegócio mecanizado e capitalizado. Havia muitos carros de boi, mas apenas 1.200 tratores no país em 1920, e não muitos arados. O refino do açúcar e o cultivo da cana no Brasil ficavam bem atrás de líderes do setor, como a dinâmica indústria açucareira cubana; a coleta de borracha no Brasil se tornou cara demais para os mercados mundiais quando as plantações inglesas racionalizadas da

Malásia começaram em 1910; o charque e o trigo brasileiros do Rio Grande do Sul mal podiam competir com importações dos vizinhos Uruguai e Argentina. A pressão sobre os pequenos fazendeiros era uma ameaça de que eles seriam reduzidos à servidão por grandes senhores de terra que tentavam espremer algum lucro de seus latifúndios pouco competitivos.

Duas lavouras comerciais eram totalmente competitivas, e ambas tinham algum espaço para pequenos produtores. O cacau, no Sul da Bahia, havia começado como uma fronteira de assentamento muito bem-sucedida na década de 1890, mas um processo de usurpação violenta e compras de terras já havia consolidado a maioria dessas pequenas fazendas em latifúndios em 1910.[3] A produção brasileira de café em São Paulo dominava o mercado mundial, a ponto de fazer sentido para o governo comprar o excesso da produção e mantê-lo fora do mercado para sustentar os preços mundiais do café. Poderia ser que, como no caso do cacau, a explosão do café fosse sustentada por pequenos produtores. Muitas das grandes fazendas de café de São Paulo funcionavam numa espécie de sistema de contrato, cedendo lotes para famílias de imigrantes italianos, emprestando-lhes casas de propriedade da companhia, deixando que eles plantassem alimentos ou lavouras para seu lucro entre as fileiras de pés de café e pagando-lhes salários e preços unitários pelo trabalho da colheita. Brasileiros, especialmente de ascendência africana, que rejeitavam qualquer coisa que lembrasse a senzala, não aceitavam esse acordo. Mas os italianos que vieram tentar a vida no Brasil, sim, e alguns prosperaram.

---

[3] Jorge Amado, no romance *Terras do Sem-Fim*, conta por meio da ficção a briga de coronéis por terras e a chegada de imigrantes em busca de melhores oportunidades no capítulo "Gestação de cidades", in Jorge Amado, *Terras do Sem-Fim*.

Na época do primeiro censo rural do Brasil, em 1920, italianos que quase certamente haviam chegado para trabalhar nos latifúndios possuíam 12 mil fazendas em São Paulo.[4] Provavelmente a maioria deles comprou pequenas fazendas familiares em solo esgotado na borda da "fronteira oca" do café. Alguns japoneses que começaram a chegar a partir de 1908 também galgaram os degraus da "escada agrícola": do trabalho em grandes fazendas de café para a posse de pequenas fazendas. Eles se especializaram na produção de hortaliças para o mercado consumidor de São Paulo. No Rio Grande do Sul, Minas Gerais e São Paulo, o caminhão Ford se tornou o símbolo do americanismo, mas também de pequenos fazendeiros em ascensão, ambiciosos. Pequenas fazendas também emergiram ao redor das colônias alemãs e italianas do Espírito Santo, Paraná, Santa Catarina e Rio Grande do Sul. Ao todo, nesses Estados do Sul, cerca de um terço das fazendas comerciais pertencia a imigrantes estrangeiros e seus filhos. Em 1920, a divisão étnica e cultural que dura até o presente já havia tomado forma: havia camponeses mestiços e empobrecidos no Nordeste do Brasil, oprimidos por secas e despejos, migrando para as cidades ou descambando para a servidão, e uma precária classe de pequenos fazendeiros brancos no Sul.

Para o Brasil, a quebra da Bolsa Americana em 1929 também ressaltou a agricultura e a plantação voltada para as exportações como o grande problema nacional. Preços caíram e devastaram os fazendeiros de café de São Paulo, ou melhor, os produtores de qualquer lavoura exportável: cacau, algodão, açúcar. Banqueiros comerciais

---

[4] Havia 11.825 fazendas de italianos, o que representava 14,6% do total de fazendas no país. Dessas, 33,7% tinha menos que 40 ha. No Brasil, os italianos eram duas vezes mais representados em pequenas fazendas (abaixo de 100 ha) do que o total. O censo mostra que suas fazendas tinham em média 77,5 ha. Cf. Brasil, *Recenseamento de 1920*, v. 1, parte 3 (Rio de Janeiro: Typ. da Estatística, 1923), pp. 12–15; 52–53.

confiscaram as garantias de empréstimos de plantio e tornaram-se proprietários involuntários de plantações improdutivas. Em resposta a isso, o governo interveio pesadamente no mercado de produtos agrícolas, oferecendo aos fazendeiros uma moratória no confisco de bens, criando companhias comerciais que monopolizavam o café, o cacau e o açúcar e forçando os fazendeiros a aderir a cartéis com cotas de produção.

A quebra também derrubou o sistema político. Getúlio Vargas, apoiado pelo Exército, governou de 1930 a 1945, às vezes no estilo de um ditador fascista, às vezes sob as vestes de um populista trabalhista como Franklin Roosevelt. Na regulamentação das grandes plantações, durante a década de 1930, o governo Vargas tentou, sem muita convicção, estender os direitos trabalhistas para os trabalhadores rurais e meeiros. Começou a regulamentar as cotas que fazendeiros de cana vendiam aos engenhos, mas suas políticas eram caracteristicamente conservadoras: aumento de programas de auxílio em secas da década de 1920, construção de pequenas represas e açudes para aliviar a seca no Nordeste e subsídio à migração para as fronteiras do Oeste.

Em programas envoltos em propaganda nacionalista e justificados pelo militarismo geopolítico, o governo Vargas declarou aberta a Marcha para o Oeste e a Batalha da Borracha, em pleno tempo de guerra, para assentar camponeses brasileiros nas fronteiras quase despovoadas do Oeste e na Amazônia. Essas colônias oficiais da fronteira ocidental eram proeminentes nos panfletos oficiais, mas provavelmente eram menores do que os movimentos extraoficiais e não autorizados de lavradores desalojados e assentados para qualquer fronteira viável, notavelmente de São Paulo para os vales gelados do Oeste do Paraná. Lavradores desempregados e fazendeiros despejados de São Paulo derrubavam florestas sem dono, sobreviviam de milho e plantavam café para ganhar algum dinheiro. Alguns deles eram filhos de imigrantes poloneses, alemães e italianos que não conseguiram comprar terras nas proximidades das colônias de seus pais. Nas décadas de 1940 e 1950, muitos deles tinham alguma experiência com sindicatos de lavradores e começaram a se organizar para enfrentar especuladores imobiliários que tentavam expulsá-los.

Depois da Segunda Guerra Mundial, tanto os Estados Unidos quanto o Brasil redefiniram suas regiões rurais mais pobres como zonas de crise nacional. Em 1965, Lyndon Johnson criou a Comissão Regional de Appalachia como um dos primeiros atos de seu movimento nacional de Guerra à Pobreza. O governo começou a reconhecer o novo Sindicato dos Lavradores que emergira da greve dos vinhedos da Califórnia de 1965. Em 1959, Juscelino Kubitschek criou a agência regional Sudene para abordar os problemas sociais do Nordeste e supostamente fazer a reforma agrária. A pobreza, a desnutrição, as secas sazonais e a servidão quase feudal naquela região haviam se tornado um escândalo nacional. Meeiros e trabalhadores assalariados de fazendas de cana do Nordeste organizaram ligas de camponeses, reivindicando contratos por escrito, salários justos e direitos à terra. A reforma agrária, mais do que qualquer outra questão, divide a esquerda e a direita no Brasil desde a década de 1950. Fazendeiros despejavam seus meeiros para não permitir que alguém estabelecesse uma reivindicação de redistribuição das terras. Eles voltaram a contratar trabalhadores diaristas. Embora tanto os governos militares quanto os civis, depois de 1964, tivessem assegurado que jamais houvesse uma reforma agrária com grande redistribuição de terras, a possibilidade da reforma pôs fim aos sistemas feudais mais descarados.

A resposta mais utópica à pobreza rural no Brasil é o Movimento dos Trabalhadores Sem Terra (MST), que exige a desapropriação de terras "improdutivas" e sua redistribuição para cooperativas de pequenos proprietários. O MST foi fundado em 1979, no fim da ditadura militar, com a ajuda de assistentes sociais mais radicais da Igreja Católica, como uma reação às sanguinárias batalhas por terras entre colonos apoiados pelo governo, assentados, grupos indígenas reivindicando suas reservas e chefões do agronegócio nas fronteiras pioneiras da Floresta Amazônica. No entanto, seu principal impulso era armar acampamentos de famílias pobres nas divisas de plantações ou ranchos em disputa no Sul do Brasil, pressionando os políticos a desapropriar a terra para acabar com o impasse. Onde o MST venceu esses confrontos, tentou estabelecer cooperativas que modelariam um futuro socialismo rural, mas que sobrevivem com os subsídios de uma economia de mercado. Porém, o MST não é a verdadeira resposta para a magnitude do colapso do trabalho rural no interior do Brasil: a questão não é que propriedades improdutivas monopolizam as terras, e sim que os latifúndios produtivos do agronegócio não precisam mais de trabalhadores.

Existe mais do que um futuro marginal para a agricultura de pequena escala e as fazendas familiares nos dois países? Nos Estados Unidos, o número de fazendas familiares atingiu o ápice em 1930, numa época em que 30% da renda dessas fazendas tinha origem fora da agricultura; hoje, elas derivam 90% de sua renda dessas outras fontes. É difícil estimar estatísticas sobre as pequenas fazendas no Brasil a partir dos censos da agricultura, que até recentemente não levavam em conta a agricultura de subsistência e provavelmente subestimavam o número de pequenas fazendas. O número de fazendas médias (de 10 ha a 100 ha), grandes o suficiente para que nenhum censo as esquecesse, certamente aumentou: provavelmente quadruplicaram seu número de 1920 a 1980 e no mínimo duplicaram-se. Fazendas e ranchos comerciais maiores, na faixa dos negócios familiares economicamente seguros e viáveis (100 ha – 1.000 ha), triplicaram em número entre 1920 e 1985, passando para cerca de 500 mil. Em 1985, o censo já contava as propriedades de subsistência mais meticulosamente; encontrou 3 milhões de fazendas com menos de 10 ha, quase cinco vezes mais do que o censo de 1940 conseguira contabilizar – certamente houve um crescimento real no número delas. Essas subfazendas familiares, das quais ao menos um terço tem menos de 2 ha, fornecem só uma fração da renda de uma família pobre e não produzem alimento suficiente para a sua subsistência. Elas continuam sendo uma parte importante da sociedade rural brasileira. O presidente Luiz Inácio Lula da Silva (2003–2010) nasceu numa dessas fazendas, no estado nordestino de Pernambuco, em 1945, antes que sua família migrasse para uma "pobreza melhor" na cidade portuária de Santos.

O crescimento do agronegócio no Brasil entre 1950 e 1990 produziu uma estrutura agroindustrial de propriedade de terra que, em seu ponto mais alto, é muito similar àquela dos Estados Unidos. Nos dois países, a maior parte da terra agrícola é possuída por latifúndios corporativos ou familiares. Ambos são exportadores globais de alimentos e fibras; dominam setores como o do algodão, soja, suco de laranja e carne de porco, de frango e bovina. Nos Estados Unidos, 173 mil fazendas são maiores do que 400 ha. Elas controlam 68% de toda a terra para agricultura. No Brasil, 100 mil fazendas e ranchos de mais de 500 ha controlam 56% da terra. Enquanto a agricultura nos Estados Unidos desenvolveu um conjunto de políticas e subsídios relativamente estáveis – e até mesmo estagnados – desde a década de 1930, no Brasil houve uma reação em 1990. De 1930 a 1990, durante três gerações, o governo estimulou o agronegócio por meio de um programa agressivo de subsídios estatais para setores favorecidos, concessões de terras na fronteira amazônica e controle de preços numa economia inflacionária. Por volta de 1990, foram abruptamente abolidos muitos dos controles, das agências estatais e dos cartéis semioficiais. Houve algumas grandes falências, mas, para surpresa de todos, as corporações brasileiras do agronegócio e as companhias multinacionais de grãos acostumadas a operar no Brasil floresceram em um mercado menos regulamentado.

A surpresa mais dramática foi o sucesso do álcool de cana-de-açúcar. Durante a crise petrolífera da OPEP da década de 1970, o governo militar subsidiou as companhias produtoras de açúcar e exigiu a fabricação de carros que funcionassem a álcool. O monopólio nacional do petróleo fixava os preços da gasolina e do álcool nas bombas. Era um projeto evidentemente fadado ao fracasso. Mas funcionou. Inovações brasileiras na agronomia da cana, na química de destilação e na tecnologia dos motores tornou o álcool, agora rebatizado como "biocombustível" ou "bioetanol", um combustível competitivo durante as altas dos preços do petróleo na década de 2000. O álcool combustível não é um setor livre de regulamentação, tampouco uma fonte de energia verdadeiramente renovável ou um sistema sustentável de agricultura, mas chega muito mais perto disso do que o setor concorrente de etanol de milho do Meio-Oeste dos Estados Unidos.

Nesse ambiente do agronegócio, as utopias rurais da honra do caubói, das pequenas fazendas familiares, do estilo de vida da cidade pequena e de uma relação sustentável com a terra são quase impossíveis de se realizar. Os trabalhadores rurais dos Estados Unidos hoje não são mais filhos de fazendeiros sem posses. São quase todos mexicanos desalojados pelo colapso de ranchos e plantações de tamanho médio em seu país. Pequenos fazendeiros, tanto no Brasil quanto nos Estados Unidos, são ou sobreviventes marginais ou um elo terceirizado, porém disciplinado, na cadeia de produção integrada de algum produto do agronegócio, como frango ou tabaco. Mas os fazendeiros nunca desistem. Como diz a piada estadunidense, um produtor de laticínios de Vermont ganha na loteria, e um repórter pergunta o que ele vai fazer: "Continuar tocando a fazenda até o dinheiro acabar".

Nelson Rockefeller e o Brasil: semeando o bem-estar*

Antonio Pedro Tota**

Os Estados Unidos da América criaram seus próprios padrões e estereótipos para pensar a cultura latino-americana. Os seus vizinhos ao sul do rio Grande foram sempre vistos pelos olhos da racionalidade: ibero-americanos eram associados à natureza, a reações emotivas; anglo-americanos, à cultura racional de sociedade materialista. Entretanto, segundo Fredrick Pike, num ensaio seminal,[1] houve uma inversão desses estereótipos em determinados momentos da história. Um desses momentos foi o da Segunda Guerra Mundial e, em certa medida, alguns anos do imediato pós-guerra. Se, antes da Primeira Guerra, éramos vistos como "crianças que precisavam levar um corretivo", no segundo conflito passamos a adultos comportados, ou seja, viramos um país que poderia contribuir e mesmo ser referência para o futuro da humanidade.

Nelson Aldrich Rockefeller teve um papel crucial nessa transformação, pois ajudou o governo de Franklin Delano Roosevelt a entender melhor os seus vizinhos. Nelson era neto de John D. Rockefeller, que, na segunda metade do século XIX, fundou a poderosa e temida

---

* Este artigo foi escrito com base em capítulos do livro *O amigo americano Rockefeller e as receitas para salvar o Brasil* (São Paulo: Companhia Das Letras, no prelo).

** Antonio Pedro Tota é professor na Pontifícia Universidade Católica de São Paulo. Autor de *O imperialismo sedutor: a americanização do Brasil na época da Segunda Guerra* (São Paulo: Companhia Das Letras, 2000).

[1] Fredrick B. Pike, "Latin America and the Inversion of United States Stereotypes in the 1920s and 1930s: the Case of Culture and Nature", em *The Americas – A Quarterly Review of Inter-American Cultural History*, 42 (2), outubro de 1985, pp. 131-162.

Standard Oil Company, a corporação que monopolizou durante muito tempo os negócios relacionados ao petróleo, transformando-o num dos homens mais ricos – se não o mais rico – do mundo. A família era, conforme a tradição, republicana e batista. Seu neto, o jovem Nelson Rockefeller, era republicano liberal, no sentido empregado na política americana, isto é, não era um reacionário. Isto já seria o bastante para ter posições próximas dos democratas. Mas, além disso, tinha ambições políticas suficientes para se aproximar de Roosevelt. Em tempos de crise, como era o caso em 1940, com a França ocupada pelas forças de Hitler, a Inglaterra ameaçada e a África tomando a forma de um trampolim para a América, as diferenças entre um republicano progressista como Nelson e um democrata de "esquerda" como Roosevelt eram quase imperceptíveis.

Com a conturbada conjuntura europeia, os contatos entre Rockefeller e Roosevelt eram relativamente frequentes, mas Nelson ansiava por discutir mais detalhadamente a situação das relações comerciais dos Estados Unidos com América Latina. Esse momento chegou quando as tropas nazistas invadiram a França. Roosevelt sabia que precisava ajudar os ingleses e, sem autorização prévia do Senado, assumiu um compromisso:

> [...] [S]eguiremos duas linhas óbvias e simultâneas. Colocaremos à disposição dos que se opõem à força os recursos materiais desta nação e, ao mesmo tempo, vamos controlar e acelerar o uso desses recursos, a fim de que nós mesmos, nas Américas, possamos dispor de equipamento e de igual treinamento para enfrentar o caso de qualquer emergência e toda defensiva.[2]

---

[2] *Apud Ibid.*, p. 162.

Note o plural usado por Roosevelt: "Nós mesmos, nas Américas". A América do Sul fazia parte da estratégia de defesa dos Estados Unidos. Os isolacionistas republicanos fizeram um grande estardalhaço dizendo que Roosevelt estava empurrando o país para uma guerra que não era deles, mas o republicano Nelson Rockefeller concordava com Roosevelt: pensava nas Américas, e não só na América.

Entretanto, o presidente americano, o Departamento de Estado e Nelson sabiam que em vários países latino-americanos havia demonstrações, senão de simpatia, pelo menos de admiração pelas fantásticas vitórias nazistas. No Brasil, em especial, um pronunciamento de Vargas havia deixado muitos políticos americanos pensando que nosso presidente estava se declarando a favor dos alemães. No entanto, ao se ler o pronunciamento, nota-se que não era bem assim.

Em 11 de junho de 1940, a bordo do encouraçado Minas Gerais, nas comemorações do aniversário da Batalha de Riachuelo, da Guerra do Paraguai, o presidente brasileiro declarou que o antagonismo entre os países americanos já não existia mais. Guerras entre países irmãos, como ocorrera no século anterior, não poderiam acontecer. Agora, disse ele, "estamos unidos por vínculos de estreita solidariedade a todos os países americanos, em torno de ideias e aspirações e no interesse comum da nossa defesa [...]".[3] Vargas deixava claro o seu apoio à causa defendida pelos Estados Unidos – para ele as Américas deveriam permanecer juntas.

O presidente brasileiro estava quase que repetindo algumas das ideias de Roosevelt reveladas em seus discursos. Para Vargas, já havia passado "a época dos liberalismos imprevidentes, das demagogias estéreis, dos personalismos inúteis e semeadores de desordem."[4] Ele atacou sim os liberalismos imprevidentes, mas não o liberalismo;

---

[3] *Apud* Edgard Carone, *A Terceira República (1937-1945)* (São Paulo: Difel, 1976), p. 56.

[4] *Ibidem.*

condenou a exacerbação dos nacionalismos, mas não o nacionalismo em si. Eram declarações muito mais próximas do pensamento rooseveltiano do que do fascista. No seu discurso de posse, em março de 1933, Roosevelt havia dito que, se fosse preciso, pediria poderes extraordinários para enfrentar a crise que havia sido provocada por gananciosos homens de negócios partidários de "liberalismos imprevidentes". Mesmo assim, alguns políticos dos Estados Unidos queriam comparar Vargas a um Mussolini da América do Sul. Talvez por causa do trecho do discurso em que o presidente brasileiro acentuava o período de transformação que a humanidade vivia, em que era a hora dos povos vigorosos lutarem pelo seu futuro removendo o "entulho das ideias mortas e dos ideais estéreis". Ocorre que Roosevelt usou várias vezes esse tipo de argumento e também foi considerado ora fascista ora comunista tanto por socialistas como pelos conservadores empedernidos de seu país.

Rotular o governo Vargas de fascista foi uma moda que pegou entre setores liberais americanos e, talvez por capilaridade, a ideia tenha sido adotada por setores da *intelligentsia* brasileira. Talvez a fonte de onde os brasileiros beberam tenha sido o livro *Brazil under Vargas*, publicado em 1944,[5] de Karl Loewenstein, cientista político alemão ligado a Max Weber que fugiu de seu país quando os nazistas chegaram ao poder. Entre 1942 e 1944 trabalhou no Comitê Consultivo de Emergência para Defesa Política das Repúblicas Americanas, que nasceu em uma conferência de chanceleres americanos realizada, ironicamente, no Rio de Janeiro. Foi, provavelmente, nessa agência do governo Roosevelt que ele elaborou essa "hipótese fora do lugar" sobre o Brasil do governo Vargas. O senhor Loewenstein esperava compreender o Brasil apoiado no conceito de totalitarismo, desenvolvido posteriormente no clássico ensaio de Hannah Arendt.

[5] Karl Lowenstein, *Brazil under Vargas* (Nova York: The Macmillan Company, 1944).

> (...) [S]omente dois anos depois do começo da guerra, o Departamento de Imprensa e Propaganda, o DIP, foi criado como uma agência separada e especial da administração central. O DIP era uma forma acabada de Ministério de Propaganda, baseado, ou pelo menos inspirado, no conhecido modelo de instituição do doutor Joseph Goebbels [...] em termos legais algumas funções do DIP eram reminiscências do conceito alemão de *Gleichschaltung*.[6]

Loewenstein usa o conceito de *Gleichschaltung*, de difícil tradução para o português. Seria algo como *nivelamento*, um Estado com ideologia hegemônica. Ora, para Richard Morse, "as sociedades ibero--americanas não oferecem condições para a elaboração de ideologias hegemônicas".[7] Impossível se pensar esse tipo de situação no Brasil, mesmo sob o Estado Novo. A interpretação de Loewenstein é, no mínimo, simplista e, talvez por isso mesmo, tornou-se referência para estudos sobre o período. Quanto à singularidade brasileira, não diz nada, absolutamente nada, a não ser senso comum, semelhante ao dos condensados da revista *Seleções/Reader's Digest*. Por sorte, alguns americanos, como Nelson Rockefeller, sabiam que "o Brasil não é para principiantes" – como alerta a frase atribuída a Tom Jobim.

As esmagadoras vitórias alemãs transformaram a América do Sul em importante peça da estratégia dos Estados Unidos. Pensava-se que, com a França dominada, a Alemanha chegaria até a Espanha, com ajuda ou não do governo franquista. De lá para a África, no Senegal. De Dacar, imaginava-se, os alemães chegariam facilmente a Natal,

---

6 *Ibid.*, pp. 238–239.

7 Richard Morse, *O espelho de Próspero: cultura e ideia nas Américas* (São Paulo: Companhia Das Letras, 1995), p. 24.

no Rio Grande do Norte, uma via "segura" para Miami. Na época, este era o rumor, que rimava com terror...

Para dirimir a ameaça germânica, Nelson propunha que os Estados Unidos protegessem "[...] sua posição por meio de medidas econômicas [...] contra as técnicas totalitárias [...]".[8] O governo americano deveria comprar muito mais dos países latino-americanos; ajudá-los a reorganizar a produção e reduzir ou eliminar a maior parte das tarifas sobre os produtos comprados das outras repúblicas do continente; cooperar com a industrialização e a expansão da agricultura, comprar o máximo de matérias-primas necessárias. A dívida deveria ser repensada em termos mais políticos, facilitando novas relações financeiras e comerciais; as relações diplomáticas deveriam ser reformuladas. "Por exemplo, os Estados Unidos têm somente 230 agentes consulares de baixa qualidade, isto é, desconhecem a realidade de cada país que estão servindo [...]".[9]

Nelson tinha considerável experiência em trabalhos com a América Latina, em especial na Venezuela, onde promoveu reformas no campo social e econômico nas suas empresas petrolíferas. Tais ações poderiam servir de modelo para criar condições para melhorar a infraestrutura na América do Sul.

Para Hopkins, o assessor especial de Roosevelt, aquele era o momento apropriado: os departamentos de Estado, da Agricultura, do Tesouro e o seu, do Comércio, estavam em busca de um canal mais seguro de relações com a América Latina para manter o continente unido.

---

8 Donald W. Rowland, *History of the Office of the Coordinator of Inter-American Affairs – historical report on war administration* (Washington: US Government Printing Office, 1947), anexos.

9 *Ibidem.*

O presidente americano convocou o jovem neto do multimilionário para fazer uma ligação mais íntima entre os Estados Unidos e os vizinhos da América Latina. Em agosto de 1940, ele se transformou no mais novo – e provavelmente o mais rico – funcionário do governo democrata, dirigindo o Office of the Coordinator of Inter-American Affairs.

O Brasil

No início da Semana da Pátria de 1942, Nelson Rockefeller chegava pela segunda vez ao Brasil, agora como funcionário do governo americano. Durante o Estado Novo, as comemorações da data faziam, mais do que nunca, parte do projeto de enaltecimento da nação. O enviado soube aproveitar as festividades patrióticas e deixou-se fotografar ao lado do chefe da nação em algumas ocasiões, em especial no Jockey Club, numa corrida em benefício das vítimas do afundamento, por submarinos do Eixo, dos navios Baependy, Arara, Aníbal Benévolo, Itagiba e Araraquara. Depois, ele foi ao desfile de 7 de Setembro no centro da capital. Em várias fotos, Nelson aparece segurando um menino de uns 6 anos, ao lado de dona Darcy Vargas, a primeira-dama. O presidente está sentado, provavelmente por causa de um acidente de carro sofrido anteriormente, ladeado pela esposa e por Gustavo Capanema, Ministro da Educação e Saúde Pública.

À noite, a praia de Copacabana ficou às escuras por causa do blecaute instituído como medida de segurança para evitar o bombardeio vindo de algum cruzador ou submarino alemão. Nessa mesma noite, a mata ressequida pela falta de chuva do morro do Cantagalo pegou fogo, iluminando toda a região, que podia ser vista de uma grande distância da costa. Rumores logo correram pela cidade: a presença do ilustre estadunidense fizera a Quinta Coluna sabotar o plano do blecaute para que o Rio fosse bombardeado. Mas tudo não passara de um pequeno acidente causado pela seca.

Coincidência ou não, no dia seguinte Nelson almoçou com o Ministro da Guerra, o general Eurico Gaspar Dutra. O americano fez um dos seus vários discursos. Depois, numa das salas do grande edifício do Ministério da Guerra, inaugurado no ano anterior, Nelson teve uma reunião com o ministro e o Chefe do Estado Maior das Forças Armadas, general Góis Monteiro.

Nelson parecia sentir-se à vontade entre os militares. Numa das fotos, ele aparece sentado, conversando animadamente, segurando o braço do almirante Ernani do Amaral Peixoto, que sorria de forma simpática. Sentiu-se à vontade também quando visitou, em companhia de dona Darcy Vargas, as instalações da Casa do Pequeno Jornaleiro, parte de uma fundação que levava o nome da primeira-dama brasileira. Ali, Nelson pôde verificar o esforço da esposa do presidente em dar trabalho aos jovens desempregados e desamparados. De fábricas de sapatos a hortas bem cuidadas que produziam legumes e hortaliças, dona Darcy estava mostrando, orgulhosa, os frutos de sua fundação. Nelson não resistiu e apertou as mãos de um jovem uniformizado, sendo observado por dona Darcy e outros membros da Casa do Jornaleiro. Nelson bem que podia estar lembrando-se de algo parecido que aconteceu em seu país com a formação, pelo governo Roosevelt, do Civilian Conservation Corps (segundo alguns, à moda da *juventude balilla* do Duce) para treinar e dar trabalho a milhões de jovens, também uniformizados como militares, desempregados pela crise. Ele parecia completamente integrado, partilhando o prazer de tomar um cafezinho com operários, num organizado e higiênico restaurante do SAPS, o Serviço de Alimentação e Previdência Social, criado dois anos antes. Da mesma forma, mostrava-se à vontade examinando um estaleiro onde estavam sendo montados barcos de porte médio projetados para ajudar a marinha americana na patrulha do nosso litoral. Conversou com operários de macacões sujos de graxa. Parecia um político em busca de votos em plena campanha. E não foi diferente em jantar na Associação Brasileira de Imprensa oferecido pelo seu presidente, Herbert Moses, em nome dos jornalistas brasileiros, que encerrou mais um dia do enviado americano na capital brasileira.

Na sequência da jornada, Nelson Rockefeller teve um encontro mais demorado com o presidente do Brasil e declarou que teve ótima impressão de Getúlio Vargas, que:

> [...] com larga visão de estadista, serenidade e tacto, seguiu os acontecimentos que se desenrolavam no cenário mundial, antevendo as suas desastrosas consequências e agindo na ocasião oportuna. O Presidente Vargas, tal como o Presidente Roosevelt, previu a catástrofe que haveria de atingir o nosso Continente.[10]

Em uma palestra em São Paulo, ele foi hábil o suficiente para enaltecer as duas maiores cidades brasileiras: as belezas naturais do Rio de Janeiro e o promissor futuro da pujança industrial de São Paulo. Muitos estudantes da USP estavam na plateia e aplaudiram com entusiasmo os discursos de Nelson quando ele destacou o papel da universidade na luta pela liberdade defendida por americanos e brasileiros. E pensar que 27 anos depois, estudantes da mesma instituição não receberam tão bem Nelson em sua última visita ao Brasil: queimaram bandeiras dos Estados Unidos, destruíram postos de gasolina da Esso, picharam muros e fizeram manifestações contra o representante máximo do "imperialismo ianque"...

---

[10] *O Estado de S. Paulo*, 11-09-1942, p. 4.

Em 1942, a situação era a mais amigável possível; os brasileiros se esmeravam para mostrar amizade e os norte-americanos queriam mostrar a dedicação nos planos para ajudar o Brasil. Por isso, a agência chefiada por Nelson tinha projetos que abrangiam desde programas de rádio a estudos para o aproveitamento das riquezas da Amazônia. O saneamento da região era prioritário.

Os médicos do *Amazon Development Project* trabalhavam em parceria com o Instituto Agronômico do Norte. Os americanos eram coordenados por John Caldwell King. O próprio King, aliás, coronel e vice-presidente da Johnson & Johnson, a gigante da indústria farmacêutica, havia mandado um memorando para Nelson Rockefeller. A Amazônia, segundo King, precisava ser aproveitada. A região "poderia facilmente abrigar mais de cem milhões de pessoas que poderiam tirar dali seu sustento [...] uma vasta área para novas atividades industriais americanas, uma gigantesca e inesgotável reserva de matérias-primas tropicais, a Amazônia é, hoje, a maior prova da falha do homem branco. [...] Nós, os Estados Unidos, estamos diante de uma das maiores oportunidades [...]"[11] para ajudar a transformar o homem pobre e sofredor da região num virtuoso ser vivo de novos tempos, onde o maná, o leite e o mel seriam abundantes. Era como se King estivesse no púlpito de uma igreja batista pregando os caminhos da salvação. O caboclo brasileiro transformado em homem mais saudável e apto para colher o látex das árvores espalhadas pela imensidão da Floresta Amazônica. Um pioneiro tropical, os "William Beans e James Harrods, os John Seviers e James Robertsons, os Daniel Boones e David Crocketts, os

[11] Carta de J. C. King para Nelson Rockefeller, 17-06-1942. Amazon Basin Project National Archives, RG 229, box 76, *apud* Gerard Colby & Charlotte Dennett, *Thy Will Be Done: the Conquest of the Amazon: Nelson Rockefeller and Evangelism in the Age of Oil* (Nova York: HarperCollins Publishers, 1995), p. 143.

Marcus Whitmans e Kit Carsons. Eles estão avançando, lentamente conquistando as vastas fronteiras da Amazônia".[12] Caboclos brasileiros transformados em heróis míticos conquistadores do "oeste bravio", do *wilderness* sul-americano. Técnicos e antropólogos do porte de Charles Wagley, da Columbia University, vieram para estudar índios e caboclos.

O Office of the Coordinator of Inter-American Affairs – ou simplesmente *Office* – tinha um espectro muito amplo de atuação, ocupado em conquistar "corações e mentes" brasileiros. Hollywood teve papel de destaque. Artistas faziam verdadeira ponte aérea entre Los Angeles e Rio de Janeiro. Disney foi um grande colaborador no esforço de guerra ao fazer os seus filmes. Muitos dos seus desenhos animados eram apresentados nos circuitos comerciais, como *Aquarela do Brasil* e *Você já foi à Bahia?*, com vários animais representando regiões da América Latina: o destaque era para o Pato Donald e o Zé Carioca.

O trabalho de Disney poderia ser usado como solução para problemas graves da nossa sociedade, isto é, o analfabetismo infantil e adulto. Disney adorou a ideia, mas não deu andamento ao projeto.

Compreender os brasileiros

Nelson Rockefeller mostrava-se cada vez mais um mestre no manuseio da cultura como arma. Já usava o cinema, o rádio e a imprensa, mas precisava de um estudo mais profundo para conhecer bem o brasileiro e assim conquistar mais fortemente nossos corações. Por

[12] Seth Garfield, "A Amazônia no imaginário norte-americano em tempo de guerra", in *Revista Brasileira de História*, 29 (57), São Paulo, 2009, pp. 19–65.

isso, sua agência encomendou um estudo antropológico que realizasse um mergulho na alma latino-americana.

Esse sistema de estudar outros povos pela antropologia já era empregado pelo governo dos Estados Unidos. Uma das mais conhecidas pesquisas resultou no livro *O crisântemo e a espada*, de Ruth Benedict, da Universidade de Columbia, contemporânea de Franz Boas. A pesquisa foi encomendada pelo governo para entender a cultura dos japoneses e encontrar "pontos fracos" para poder atacá-los. Foi a partir de uma sugestão de Ruth, por exemplo, que Roosevelt resolveu manter a figura popular e sagrada do imperador e seu governo imperial na eventual rendição dos japoneses.

Nelson Rockefeller pensava em algo semelhante para solidificar a presença dos Estados Unidos na América Latina. No entanto, não se tratava de combater um inimigo, mas de manter uma amizade que consolidasse os ideais de um Estados Unidos paradigmático. Liberalismo e democracia: dois motes que precisavam ser melhor entendidos pela cultura ibero-americana. No entanto, talvez a fórmula não fosse totalmente adequada aos nossos países e precisava ser burilada para adaptar-se a culturas de raízes diferentes. Foi para adicionar mais ferramentas ao vasto repertório de estudos sobre o subcontinente que Nelson pediu que se realizasse um estudo semelhante ao de Ruth Benedict.[13] Os antropólogos, sociólogos e arqueólogos Wendell C. Bennett, John Gillin, e Alfred Métraux,[14] todos altamente qualificados e experientes em cultura latino-americana,

---

[13] Seria um *O crisântemo e a espada* do Brasil. Devo esta ideia a Fernando Santomauro, um arguto estudante de Relações Internacionais da PUC-SP, que colaborou no levantamento de dados para o presente artigo.

[14] Rockefeller Family Archives (Rockefeller Archive Center, Sleepy Hollow, New York), Nelson A. Rockefeller, personal papers (group 4), series O (Washington, D.C.), sub-series: Coordinator of Inter-American Affairs, 1940–1944, box 3, folder 18.

cumpriram a tarefa. O estudo intencionava compreender amplamente nossa cultura para possibilitar um contato mais íntimo entre norte e sul-americanos por meio do trabalho de campo feito por pesquisadores americanos com auxílio de cientistas sul-americanos. Conhecer o nosso presente para enfrentar o futuro: um dos pontos mais importantes era ajudar a liderança da América do Sul a promover o progresso e a modernização.

A antropologia física era vista como um instrumento para se entender a convivência das diferentes raças na maioria dos países da América do Sul. "Como as raças se adaptaram ao meio ambiente?" era uma das perguntas dos cientistas. A mistura de brancos com índios ou a de negros com brancos facilitou a adaptação nos ambientes naturais hostis? O estudo visava produzir dados que pudessem interferir na realidade dos povos para melhorar o padrão de vida. Para isso, discutiram conceitos de cultura e padrão cultural. "O comportamento de indivíduos ou de grupo (incluindo sociedades) só pode ser entendido em termos de seu condicionamento cultural".[15] Um ponto importante que não deve ter surpreendido Nelson foi a conclusão do estudo sobre as relação inter-raciais. O "problema de raça", assim mesmo, entre aspas, como "nós pensamos nos Estados Unidos, é de menos importância na maior parte dos países da América do Sul".[16] Claro que há diferenças, dizia o documento, mas elas são de caráter cultural, e não racial. Em grande parte, isso se deveu aos 400 anos de mistura racial. Isso poderia servir como inspiração para os Estados Unidos reverterem o racismo presente em sua cultura. "É, portanto, recomendado que a formação de um *bureau* ou escritório permanente seja considerada",[17] concluía o documento,

---

[15] *Ibid.*, s/p.

[16] *Ibid.*, s/p.

[17] *Ibid.*, s/p.

que fazia, ainda, algumas análises sobre as peculiaridades de várias regiões da Amazônia, em especial a cidade de Santarém, o rio Tapajós e a experiência da Fordlândia. Os antropólogos ficaram surpresos com a presença de descendentes de sulistas americanos derrotados na Guerra de Secessão, ocorrida cerca de oitenta anos antes do estudo, que se exilaram na Amazônia. Certo que, além da análise antropológica, os cientistas lembravam que na ilha de Marajó havia uma estratégica estação de rádio sem fio, ou telégrafo sem fio, orientando a navegação dos navegantes pelo grande rio Amazonas. Belém tinha uma base aeronaval americana.

O cinema foi outro instrumento de que a agência de Rockefeller se valeu para compreender nossa cultura. Orson Welles foi um dos "soldados" da batalha cultural para salvar o mundo da tirania. O controvertido filme *It's all true* já foi bastante estudado. Uma obra inacabada. Os fragmentos que ainda existem foram recuperados em parte pelo trabalho da pesquisadora Catherine Benamou.* Welles andou pelo Brasil durante vários meses à procura dos temas ideais para retratar a vida do povo, das pessoas comuns. No Ceará, filmou o cotidiano de uma vila de pescadores. O episódio da morte de Jacaré, líder dos jangadeiros, abreviou sua estada no Brasil. Paralelamente à conturbada produção do filme, Welles fez palestras, promoveu uma festa em homenagem ao aniversário de Vargas, namorou algumas brasileiras, conheceu Minas e filmou Ouro Preto.

Ao retornar aos Estados Unidos, Welles continuou colaborando com o esforço de guerra num programa de rádio chamado *Hello Americans*. Entrevistou Oswaldo Aranha e fez um pequeno show com Carmen Miranda. Mas o filme de Welles teve o mérito de

---

* Catherine Benamou é professora da University of California, Irvine e especialista em cinema latino-americano.

mostrar pelo menos às pessoas que colaboraram com o cineasta[18] um Brasil que até então era ofuscado pela produção da indústria cinematográfica pasteurizada de Hollywood. O povo aparece como povo, e não como estereótipo típico dos filmes da época. As paisagens brasileiras e as pessoas se mostram como realmente eram. Ele mostrou talentos locais e muitos artistas já populares, como Pixinguinha e Grande Otelo, além das já conhecidas bandas.[19]

Porém não foi só com a inclusão do povo, das manifestações populares e do folclore brasileiro em seu filme que Welles contribuiu para o esforço de guerra, cooperando com o Brasil. Outro feito importante da época foi a comemoração do aniversário de Vargas, quase como o Dia do Presidente nos Estados Unidos. A ideia não veio do presidente brasileiro nem tampouco do DIP. Vargas não pareceu muito entusiasmado com a ideia, mas o povo logo aderiu e o *Office* prontamente endossou, embora não tenha lhe custado um centavo. O Dia do Presidente brasileiro foi uma iniciativa da Sociedade Americana do Rio de Janeiro, provavelmente com alguma participação de Jefferson Caffery e com grande ajuda do DIP que, de pronto, aceitou a ideia.[20]

Centenas de telefonemas e entrevistas pessoais lotaram a agenda do pessoal do *Office*, no Rio de Janeiro, durante as semanas que precederam as festividades. O DIP propôs que se realizasse a festa no Cassino da Urca com transmissão através de cadeia de rádio para a sociedade americana, sugestão prontamente aceita. "Dificilmente poderemos encontrar outra prova de perfeita sintonia e cordialidade entre os membros do governo brasileiro e os da Agência do

---

[18] Relatório da divisão brasileira do *Office*, 25-05-1942, in Rockefeller Family Archives, cit.

[19] Ver Robert Stam e Ella Shohat, *Crítica da imagem eurocêntrica: multiculturalismo e representação* (São Paulo: Cosac Naify, 2006), p. 333.

[20] Relatório da divisão brasileira do *Office*, cit.

Inter-American Affairs".[21] O programa, que acabou sendo organizado pelo *Office*, com a colaboração do DIP, foi transmitido do Cassino da Urca e teve como mestre de cerimônia Orson Welles, que cumpria mais uma tarefa para consolidar as relações entre o Brasil e os Estados Unidos. Naquela noite, os ouvintes estadunidenses e brasileiros acompanharam pelo rádio vários artistas e orquestras nacionais e internacionais.

Coincidentemente, nesse mesmo dia, o tenente coronel James "Jimmy" Doolittle comandou um esquadrão de 16 bombardeiros B-25 que, pela primeira vez, levantaram voo de um porta-aviões e bombardearam algumas cidades japonesas, entre elas Tóquio. O ataque teve mais efeito moral do que militar, mas foi um sinal de que os Estados Unidos iriam colocar todo seu potencial para participar da guerra.

Enquanto a notícia da ação de Doolittle não chegava ao ocidente, Orson Welles iniciava o show em homenagem a Vargas. Uma orquestra abriu a noite com uma canção lenta, em ritmo de *fox-trot*. Seria uma festa de solidariedade de todas as repúblicas latino-americanas. Mas o Chile e a Argentina não romperam relações com o Eixo – essas eram as vozes destoantes que os americanos tiveram que engolir.

A orquestra da casa era a de Carlos Machado, uma versão brasileira de *band leader*, e o show teve a participação de Grande Otelo, amigo de Welles; de Jararaca e Ratinho, a dupla caipira que fazia uma *blague* de Getúlio Vargas sem ser censurada; da orquestra do maestro francês Ray Ventura; de Linda Batista, Emilinha Borba e tantos outros artistas brasileiros que se esforçavam para demonstrar uma alegria difícil de ser mantida no clima incerto de uma guerra que se alastrava pelo mundo.

---

[21] *Ibidem.*

A guerra foi lembrada quando Linda Batista encerrou o programa cantando *Sabemos lutar*, marcha patriótica de Nássara, Frazão, R. Magalhães Jr. e P. Frischauer:

> *Na guerra se eu tiver que combater*
> *Minha terra juro que hei de defender*
> *Com amor, com ardor [...]*
> *Hei de defender o céu azul*
> *Que cobre as esperanças da América do Sul*
>
> *Nós somos ordeiros e gostamos da paz*
> *Amamos a beleza da nossa natureza*
> *Mas se alguém nos vier desrespeitar*
> *Nós mostraremos que sabemos lutar [...]*

A amizade entre os Estados Unidos e o Brasil aparecia, cada vez mais, nos documentos da agência de Nelson e da própria embaixada. "Todas atividades propostas pela divisão brasileira do *Office* estão sendo feitas com total cooperação e assentimento do governo do presidente Vargas."[22] Do ponto de vista nelsoniano, isso poderia ajudar no crescimento industrial e nas relações comerciais entre Brasil e Estados Unidos. Relações mais pessoais poderiam superar obstáculos burocráticos do Departamento de Estado, e os brasileiros gostavam disso. Para os analistas não existiam sentimentos antiamericanos no Brasil, o que parecia traduzir a fé que eles depositavam em seu sistema: era impossível ser antiamericano.

Essa amizade era demonstrada na troca de presentes. Para cada um, presentes adequados. Nelson deu ao nosso Ministro das Relações Exteriores uma edição refinada, em capa dura, de fotografias de

---

[22] *Ibidem.*

obras e maquetes em homenagem à arquitetura brasileira expostas no MoMA de Nova York. Oswaldo Aranha ficou lisonjeado quando recebeu o luxuoso volume do *Brazil Builders*. As construções brasileiras eram feitas e planejadas por técnicos e artistas altamente qualificados: este era o recado. A exposição itinerante percorreu várias cidades americanas.

Já o General Dutra, que não chegava a ser um admirador de arte e arquitetura, foi presenteado com um aparelho de rádio portátil e ficou maravilhado com a técnica estadunidense. Disse que iria pessoalmente agradecer a Nelson quando viajasse aos Estados Unidos.

Mudança de rumos: missão possível

Roosevelt morreu em abril de 1945, e a guerra, na Europa, acabou menos de um mês depois. Nelson já era subsecretário de Estado para assuntos latino-americanos. As ações independentes do subsecretário irritavam o novo presidente, Harry Truman, e seu secretário de Estado, James Byrnes. Em agosto, Nelson foi demitido, um choque para o autocentrado Rockefeller. No seu lugar, entra Spruille Braden, o ex-embaixador na Argentina que via a América Latina – Brasil incluso – pela lente desfocada da teoria do cientista político alemão Karl Loewestein. A *política da boa vizinhança* foi encerrada e as relações com o Brasil tomaram outro rumo.

Nelson, afastado do governo, deu início a uma reaproximação com o Brasil, agora como obra pessoal. Desembarcou aqui em novembro de 1946 com um grande plano para salvar-nos da pobreza e seu corolário, o comunismo. O seu interesse pelo Brasil teve início antes da guerra e intensificou-se durante o conflito mundial. A situação do país, pensava, poderia produzir descontentamento e mesmo revoltas e assim abrir caminho para grupos políticos com ideologias exógenas – leia-se comunistas. Na época, grande parte da população brasileira era analfabeta, sujeita a doenças decorrentes da falta de condições sanitárias e da má nutrição; estradas e sistemas de comunicação eram pouco desenvolvidos, estrangulando o escoamento de produtos agrícolas; havia poucos mecanismos de crédito para pequenos agricultores; a pecuária e a cafeicultura precisavam se modernizar.

O americano havia encomendado vários estudos para se inteirar melhor da nossa situação e montar um projeto para salvar o país. Melhor seria dizer salvar e converter, quase que no espírito religioso desses termos – essas eram as ideias fixas de Nelson, um trabalho de missionário. Por isso, ele preparou-se bastante antes de vir aqui no fim de 1946. No começo do ano, em Nova York, Rockefeller patrocinou encontros para se pensar a situação do Brasil. Uma das palestras foi a de Adolf Berle, um dos primeiros entre o *brain trust* de Roosevelt e ex-embaixador americano no Brasil.

Boa parte dos presentes na palestra havia frequentado os seminários do Latin American Study Group, sob a direção de Frank Tannenbaum, o anarquista professor da Universidade de Columbia, amigo e conselheiro de Lázaro Cárdenas, presidente nacionalista do México e, mais tarde, amigo de Fidel Castro. Vale ainda dizer que havia um número considerável de intelectuais e antigos funcionários do Departamento de Estado que estavam interessados na América Latina, apesar da pouca atenção do próprio governo. Nelson apresentou Berle à plateia, embora muitos já o conhecessem. Começou traçando um breve currículo do palestrante. Sobre as atividades como diplomata entre 1944 e 1945, ele disse: "Serviu como embaixador no Brasil, [...] quando o país estava em processo de transição de um período de uma ditadura esclarecida para uma democracia".[23]

Numa interpretação oposta à de Loewestein, Nelson usou a palavra *enlighted*, que em tradução literal significa *esclarecida*. Mas, no contexto usado, dizer apenas *esclarecida* não dá conta do sentido mais abrangente. No dicionário *American Heritage*, o verbete *enlighten* é explicado como "*to give spiritual or intellectual insight to*". Quando ele usou *enlighted* para explicar o Estado Novo, ficou patente a habilidade do político que estava se amadurecendo em Nelson Rockefeller. O dicionário amplia ainda o sentido da palavra, lembrando uma frase de Thomas Jefferson: "*Enlighten the people generally, and tyranny and oppression of body and mind will vanish like evil spirits at the dawn of day*". Ou seja, esclarecendo o povo, a tirania desapareceria. Nas palavras de Nelson, ou no verbete do dicionário, *enlighted* tem um significado carregado de americanismo que vem desde o *founding father* Thomas Jefferson. Quer dizer, apesar de amplos setores da academia brasileira rotularem, ainda hoje, o Estado Novo de tirânico, os americanos entendiam o governo Vargas como um governo de transição do atraso para a modernização. Mesmo assim, é curioso lembrar que Berle foi o pivô da crise que terminou com a deposição de Vargas em outubro do ano anterior.

A palestra de Berle pronunciada no *Council of Foreign Relations* funcionava como um guia, um *vade mecum* para Nelson entender melhor ainda nosso país. O ex-embaixador insistiu que o Brasil deveria ser tratado como futura potência graças às suas riquezas naturais. Começou com uma breve informação sobre a população: mais de 40 milhões de habitantes, projeção para dobrar a cada 20 ou 25 anos.

[23] Discurso de Adolf A. Berle's para o Council on Foreign Relations, 03-04-1946, in Rockefeller Family Archives, cit., box 23A, folder 150.

Nossas riquezas naturais foram lembradas, embora não estivéssemos aproveitando a terra que poderia ser arável. Lembrou que o caminho mais seguro para conhecer e explicar o Brasil e os brasileiros era o da cultura. Éramos marcados mais pela preocupação com as questões estéticas – das populações mais pobres às elites – do que com as questões mais técnicas. "Enquanto o americano se preocupa com a qualidade do abastecimento de água de uma cidade, o brasileiro quer primeiro embelezá-la".[24] O Brasil, segundo o palestrante, era a única nação de origem portuguesa no meio de dezoito países de origem hispânica, o que, na opinião de Berle, só reforçava a nossa natural habilidade para lidarmos com o que é "estrangeiro". "O Brasil é um notável exemplo de civilização mediterrânea. O Rio de Janeiro, por exemplo, é uma cidade com mais vigor do que Roma ou Paris. É como se víssemos um jovem forte ainda em fase de crescimento."[25]

A comparação entre os Estados Unidos e o Brasil era constante nos discursos dessa *intelligentsia* americana. A nossa situação econômica lembrava muito a dos Estados Unidos depois da Guerra Civil. A renda nacional era de mais de cinco bilhões de dólares.

Berle disse, ainda, que a cooperação dos dois países durante a guerra não poderia continuar da mesma forma em tempos de paz.

> Nós devemos pensar numa América Latina com melhores condições de vida ou teremos uma grande dor de cabeça no continente. E o povo da América Latina sabe que pode alcançar um nível de vida bem melhor, mas sabe também que é preciso melhorar sua produtividade para alcançar esse nível mais alto.[26]

---

[24] Discurso de Adolf A. Berle's para o Council on Foreign Relations, cit..

[25] *Ibidem.*

[26] *Ibidem.*

Berle não explicitou de imediato qual seria a dor de cabeça; nem era necessário: depois da guerra, só poderia ser o comunismo, que promoveria uma subversão e instituiria uma ditadura totalitária "não esclarecida". Mas o povo, segundo Berle, não queria o comunismo e chegava mesmo a temer o sistema experimentado na URSS. Como que mandando um recado para os vizinhos, ele disse que os Estados Unidos não tinham planos para dominar territórios e exercer pressão política ou econômica. Resumindo, os países do subcontinente não deveriam temer os Estados Unidos como a potência dominadora. Deveriam procurá-los para ajuda em busca do progresso.

Fazendo uma autocrítica, ele disse que os americanos tinham a tendência de subestimar os vizinhos do Sul. Por isso, era preciso estudar com atenção o constante desejo de mudanças. A parte mais importante da palestra de Berle foi quando ele disse que os americanos deveriam ficar atentos porque tudo indicava que o Brasil poderia, dali uns vinte anos, voltar-se completamente para a Europa e esquecer as relações econômicas com os Estados Unidos. "This of course would be disastrous to us".[27]

Difícil resistir à tentação de formular uma teoria, que alguns podem chamar de teoria da conspiração. Consultores de confiança de Nelson, como era o caso de Berle, achavam que o Brasil corria o risco de ser atraído pelo comunismo. Pelo jeito não era um risco maior do que as oportunidades oferecidas por um promissor mercado europeu devastado pela guerra. Um mercado assim oferecia possibilidades infinitas a um país rico em recursos como o nosso. Berle era levado a sério por Rockefeller.

---

[27] *Ibidem.*

A última afirmação de Adolf Berle deve ser examinada no contexto da conjuntura do imediato pós-guerra, quando isso poderia muito bem sugerir que americanos com o poder de Nelson Rockefeller, mesmo fora do governo, fariam grandes esforços para manter o Brasil longe do promissor e necessitado mercado europeu do pós-guerra. No entanto, Nelson tinha uma percepção mais acurada do papel dos vizinhos latinos do que seus antigos pares do governo e parecia entender melhor do que ninguém o que Berle havia exposto: os americanos tinham que, por exemplo, aprender com os brasileiros – deixar de ser arrogantes. Nelson era, acima de tudo, um político em formação preocupado com o papel de grande potência hegemônica em que seu país se transformara. Uma economia exuberante e uma cultura de massa dinâmica que os Estados Unidos souberam usar com maestria durante a guerra. Eis o *background* para novas investidas por aqui. O grupo de Nelson pretendia demonstrar isso oferecendo oportunidades para a "chegada" da modernidade em nosso país. Os americanos estariam assim atuando em duas frentes de uma "guerra" que envolveria projetos modernizantes, e não exércitos.

Enquanto o novo secretário de Estado, George Marshall, apresentava seu plano para a Europa, um "plano Nelson" para o Brasil estava em gestação. Era um plano que acenava com possibilidades aparentemente infinitas de progresso. Com isso, esqueceríamos a Europa, pelo menos como um mercado. Numa linguagem militar, era uma grande manobra para desviar o olhar do brasileiro em direção ao teatro europeu de operações.

Cerca de dois meses depois da palestra de Berle, Nelson Rockefeller e seus associados foram ao escritório de registro de empresas do Departamento de Estado de Nova York e oficializaram a AIA, a American International Association for Economic and Social Development, que em português ficou Associação Americana Internacional de Fomento Econômico e Social. A instituição estava "organizada com o propósito de promover o autodesenvolvimento e um melhor padrão de vida [...] atuando na agricultura, na conservação da terra, na saúde pública, saneamento, alfabetização, indústria, comércio e outros setores...".[28]

A realização do projeto da AIA, segundo seus idealizadores, tinha que estar associada à pesquisa científica e ao desenvolvimento da técnica. Em palavras menos formais, o "ideal da AIA era promover o bem-estar [*welfare*]". Todo o esforço da instituição deveria estar voltado para um futuro "de promessas de uma vida melhor" baseadas na tecnologia e na ciência.[29]

A missão para a qual ele havia sido "escolhido" tiraria a América Latina da ignorância, da pobreza e da doença.

A filosofia da AIA era a ideia de treinamento: treinar as pessoas para buscar formas de atingir, material e psicologicamente, um nível de vida melhor. A fórmula continha alguns elementos fundamentais que caracterizam a essência do espírito americano. Primeiro, a crença na infalibilidade da técnica. Desde que corretamente aplicada, a técnica poderia resolver todos os problemas; assim, as pessoas podem ser treinadas para usá-la com sabedoria. De forma subjacente e sutil, estava presente também a ideia de que o brasileiro deveria aprender a fazer as coisas por si mesmo e fazer benfeito. Outro conceito caro ao americanismo, o *do it by yourself* ou "faça você mesmo"

[28] Relatório de Joan para Nelson sobre objetivos da AIA, 01-07-1946, in Rockefeller Family Archives, cit., Nelson A. Rockefeller, personal papers (group 4), series B (AIA–IBEC, 1945-1971), box 1, folder 1/2.

[29] Cf. Martha Dalrymple. *The AIA Story: two decades of international cooperation* (New York: American International Association for Economic and Social Development, 1968), p.14.

– que, mais tarde, veio a desembocar nos sistemas *self-service* de supermercados e restaurantes, nos caixas eletrônicos dos bancos, entre outros – havia sido notado por Tocqueville já na primeira metade do século XIX. Para ele, o anglo-americano "experimenta todas as necessidades e desejos que uma civilização avançada faz nascer [...] por isso é [...] obrigado a procurar por si mesmo os objetos que a sua educação e seus hábitos tornaram necessários".[30] Não foi preciso muito tempo para que fosse criado um conceito típico para essa atitude "prática": *American ingenuity*, ou a engenhosidade americana, outro traço típico do *American way of life*. Tudo isso estava presente de forma embrionária no projeto original da AIA.

Mais tarde, Nelson deu sinal verde ao seu advogado para completar seu novo projeto, a criação do IBEC, a International Basic Economy Corporation, empresa irmã da AIA. Irmã, mas não igual. A AIA era uma associação sem fins lucrativos, filantrópica. O IBEC, como o próprio nome indica, era uma corporação que visava obter lucros em diversos empreendimentos a serem implantados no Brasil. Havia uma peculiaridade no capitalismo que Nelson "praticava": os lucros deveriam ser aplicados no próprio país, em setores como educação, saúde e também em empreendimentos comerciais e industriais que tivessem destacado papel social. Tudo isso com o objetivo de:

> [...] promover o desenvolvimento econômico de várias partes do mundo, para tornar viável a produção de bens e serviços indispensáveis para promover a melhoria do padrão de vida, acreditando que estes objetivos podem ser alcançados por meio de uma corporação com dedicação exclusiva e empregando

---

[30] Alexis de Tocqueville, "Algumas considerações sobre as causas da grandeza comercial dos Estados Unidos", in *A democracia na América* (Belo Horizonte: Ed. Itatiaia, 1977), livro I, pp. 306–316.

métodos científicos e técnicas modernas [...] assim firmamos este formulário para ter ações negociadas na Bolsa de Valores de Nova York [...].[31]

O preâmbulo da formação do IBEC soava estranho, pois a proposta tinha "alguma coisa de diferente no mundo dos negócios: era uma corporação com uma ideologia política, aparentemente dedicada menos à obtenção de lucros do que propagação de ideias – no caso o fervor anticomunista de Nelson",[32] objetivo velado que o funcionário responsável pelo registro de empresas de Nova York não percebeu, dizendo que a bolsa não aceitava o registro de empresas que não visasse lucros. Os advogados de Nelson convenceram o funcionário a registrar a empresa mesmo assim: era para o bem do país, pois, além de combater o comunismo, a empresa ainda poderia ajudar a fazer com que a América Latina esquecesse a imagem dos *yankees* como imperialistas.

Esta era a árdua batalha do jovem milionário que poderia muito bem, nessa altura da vida, estar gastando sua fortuna em festas e orgias. Não que ele fosse um bem comportado batista que não caía nas tentações da carne – longe disso. No entanto, ele não agia como muitos da elite endinheirada que se envolviam em escândalos. Nelson não deixava as ocupações mundanas sobreporem-se a seus objetivos maiores, que davam sentido à sua vida: manter as Américas distantes de ideologias estranhas à "civilização cristã ocidental" e, acima de tudo, tornar-se presidente dos Estados Unidos.

---

[31] Wayne G. Broehl Jr., *The International Basic Economy Corporation. Thirteenth Case Study in NPA Series. United States Business Performance Abroad* (Washington: National Planning Association, 1968), p. 9.

[32] Peter Collier & David Horowitz, *The Rockefellers: an American Dynasty* (Nova York: Signet Book New American Library, 1977), p. 260.

Assim, a ideia fundamental das organizações de Nelson ia bem além dos objetivos explícitos nos documentos e nas cartas de intenções. Ele foi, posteriormente, considerado um legítimo *cold warrior*, isto é, um combatente determinado na luta dos Estados Unidos contra o comunismo soviético. A AIA e o IBEC nasceram para "converter" o capitalismo num sistema mais humano e combater o comunismo.

A peregrinação e a missão

A visita de Nelson ao Brasil em 1946 seguiu uma rigorosa agenda de encontros e reuniões com lideranças políticas e de empresários.

Quando participou de um almoço oferecido pelo ministro interino das relações exteriores, Souza Leão Gracie, no Palácio do Itamaraty, fez um longo discurso lembrando a aliança Brasil–Estados Unidos na luta contra o Eixo. Destacou a brilhante campanha das forças aeronavais americanas e brasileiras, que conseguiram limpar o Atlântico Sul dos submarinos alemães e italianos; recordou sua visita anterior, em setembro de 1942, e o entusiasmo dos brasileiros se preparando para combater o nazifascismo. Recuou no tempo até a época da Inconfidência Mineira, passando depois para o Brasil independente e para a visita de D. Pedro II aos Estados Unidos, em 1876, que acabou por estimular as relações comerciais entre os dois gigantes da América. Citou Nabuco e Rui Barbosa. E, claro, lembrou que nenhum presidente americano contribuiu mais para o mútuo entendimento entre os dois países do que Franklin Delano Roosevelt. Foi durante a guerra que os Estados Unidos mais se envolveram com o Brasil, ajudando o governo no campo da saúde, da nutrição e do saneamento e nas tentativas de modernizar a agricultura e os transportes. Os Estados Unidos precisavam de um Brasil moderno.

Roosevelt, disse Nelson, sempre achou que os Estados Unidos e o nosso país eram muito semelhantes. E recordou uma conversa que teve com o presidente americano logo depois que voltou do Brasil em setembro de 1942. Na ocasião, Roosevelt disse a Nelson que o Brasil era "um país maravilhoso. Se eu fosse um rapaz jovem, iria para lá [...] um dia esta será a mais importante área de desenvolvimento do mundo inteiro; a história do nosso Oeste lá será repetida."[33]

Nelson soube, com bastante habilidade, pôr na boca do falecido presidente o que ele mesmo pensava, ou melhor, ele e muitos outros americanos parceiros do ambicioso projeto. O Brasil seria um novo Oeste a ser conquistado. E, da mesma forma que na história dos Estados Unidos, graças à exploração da terra, à revolução agrícola conectada ao desenvolvimento técnico e ao consequente bem-estar da sociedade, o Brasil alcançaria a modernização.

Um dos mais caros temas que forjaram o americanismo foi a conquista do oeste. Trazer esse tema para a história do Brasil demonstra o alto nível dos assessores de Nelson Rockefeller. O discurso buscava convencer a seleta plateia de que, com alguma ajuda, trilharíamos o mesmo caminho dos Estados Unidos. Para Nelson, só atingindo um padrão de vida mais alto combinado com a expansão da democracia, o Brasil conheceria o bem-estar e a segurança.[34]

Ele propunha uma cooperação entre seus empreendimentos com os empresários e o governo brasileiro nas áreas de produção e de distribuição de alimentos, transporte e armazenagem, setores-chave para a segurança do país. "É necessário", dizia ele no discurso, "que o

---

[33] Discurso de Nelson A. Rockefeller em jantar cedido por Souza Leão Gracie, ministro interino das relações exteriores no Palácio do Itamaraty Palace, Rio de Janeiro, Brasil, 18-11-1946, in Rockefeller Family Archives, cit., Nelson A. Rockefeller, personal papers (group 4), series A (activities), box 145; folder 1578.

[34] *Ibidem.*

Brasil aumente a produção de gêneros alimentícios e que se diminua o preço de transporte e distribuição".[35] Era como se ele tivesse lido as propostas do economista Eugênio Gudin, que na mesma época debatia o problema com Roberto Simonsen. Empresas eficientes e organizadas para treinar jovens em diversas atividades, em especial ligadas à agricultura, eram indispensáveis. Nelson lançou mão de um poderoso argumento destinado a conquistar corações e mentes de alguns políticos brasileiros: "O lucro desses empreendimentos será reempregado em outras atividades de natureza produtiva ou com objetivos sociais, tais como educação, prática em nutrição e em treinamento e demonstrações de agricultura", experiências já testadas durante a guerra em projetos pilotos no Ceará.[36]

O IBEC estava ainda em formação, mas Nelson já anunciava como seria seu futuro funcionamento. A cooperação entre seus técnicos e os brasileiros tinha por objetivo "levar à casa do mais modesto cidadão, as simples mas modernas práticas de saneamento, higiene e cuidado infantil". Esses objetivos só seriam alcançados se fossem usados métodos científicos e técnicas de produção, distribuição e venda de alimentos. Só assim o Brasil atrairia os recursos do capital externo necessários para produzir alimentos em quantidade suficiente e distribuir a preços acessíveis para satisfazer as necessidades do povo brasileiro. Falando de outra forma, era preciso consolidar um mercado saudável e dinâmico, como nos Estados Unidos. Pessoas saudáveis vivendo em ambientes sanitariamente adequados poderiam ser trabalhadores bastante ativos na indústria nascente, melhorando seus salários e aumentando as possibilidades de lucro das empresas. O mercado consumidor equilibrado seria uma consequência natural.

---

[35] *Ibidem.*

[36] *Ibidem.*

Ora, as promessas feitas pelo governo americano de que o Brasil seria tratado como parceiro preferencial e que receberia a ajuda necessária para se converter em potência regional foram caindo no esquecimento com o fim da guerra. A plateia que ouvia o ex-alto funcionário do Departamento de Estado dizer que pretendia ajudar o Brasil a se transformar num país moderno, via renovadas as esperanças de que os Estados Unidos, por intermédio da iniciativa privada, iriam cumprir a promessa postergada.

Em um outro encontro com secretários da agricultura, promovido pelo ministério da área, fez um discurso enfatizando o papel das atividades agrícolas no desenvolvimento do país. Ele se dirigiu ao Ministro da Agricultura Daniel de Carvalho e fez elogios ao plano do governo brasileiro de extensão agrícola, lembrando que era similar ao dos Estados Unidos. Vivíamos no mundo pós-guerra, mas ainda sob o clima bélico. Nelson repetiu a mesma história contada no almoço do Itamaraty sobre a atração e a esperança que Roosevelt tinha pelo nosso oeste, nosso *wilderness*. Em seguida foi direto ao assunto para esclarecer sua missão com a AIA e o IBEC. Ele fez algumas perguntas para nortear a explicação do funcionamento dos projetos conjuntos entre o seu país e o nosso; queria saber o que estávamos fazendo para, num futuro próximo, aumentar a quantidade de tratores, caminhões, máquinas, implementos agrícolas para o consequente aumento da produção de trigo, de milho e outros cereais. Num primeiro momento tudo isso poderia ser adquirido nos Estados Unidos; e, se assim fosse, qual seria a forma que nós esperávamos encontrar para cooperar com o seu país a atacar os problemas do pós-guerra?

De forma didática e com auxílio de gráficos, mostrou que a recessão esperada pelos Estados Unidos do pós-guerra não se concretizou; ao contrário, a produção havia crescido em todos os setores, assim como o consumo. Havia mais trabalhadores empregados em 1946 do que no pico da economia de esforço de guerra de pouco tempo antes. Greves podem acontecer, ele afirmou, mas a maioria dos trabalhadores estava satisfeita.

Curiosamente, no mesmo dia, Nelson visitou o Congresso Nacional e lá fez questão de conhecer e cumprimentar o senador Luís Carlos Prestes, do Partido Comunista, e pediu seu telefone para trocar algumas ideias, como que para conhecer de perto o inimigo a ser combatido. Conhecer muito bem os comunistas, melhorar ao máximo as condições dos trabalhadores que deveriam permanecer juntos, sindicalizados, para reivindicar melhores salários, mas sem se envolver em política. Toda a riqueza e as grandes inovações técnicas dos Estados Unidos eram as armas para consolidar o modelo americano em oposição ao modelo soviético, que parecia atrair setores do movimento trabalhista.

Nelson precisava justificar a pouca atenção dada pelos Estados Unidos aos problemas brasileiros, envolvidos que estavam com questões internas resultantes do pós-guerra. Além do mais, o governo americano tinha prioridades na Ásia e na Europa. Por tudo isso, deveríamos contar com nossos próprios meios para promover a modernização de nossa sociedade e assim ajudar o continente na luta contra o perigo vermelho. Se isso parecia difícil, nossos anticomunistas podiam contar com a ajuda da AIA e do IBEC do missionário Nelson Aldrich Rockefeller. Era o que ele indicava na palestra daquela tarde no encontro de secretários da agricultura de vários estados brasileiros:

> É meu desejo contribuir para o progresso do Brasil ainda que de forma modesta cooperando com vocês [...] Não é meu propósito comprar e manter propriedades no Brasil para fins especulativos. Capital empregado assim tende a ser estéril e impedir

> o progresso. No entanto, se o capital for usado para estimular a produção por meio de métodos mais eficientes, isto pode se transformar num importante fator de progresso.[37]

Ele jamais usava os termos *comunista* ou *anticomunista*. Preferia demonstrar de forma subjacente sua posição ideológica. Enquanto Rockefeller estava aqui tentando vender suas ideias, a revista *Time* publicou uma reportagem sobre a viagem do missionário capitalista.[38] O título da matéria era sugestivo: *Enlightened Capitalism*. Um capitalismo esclarecido, o mesmo adjetivo usado por Nelson ao se referir ao Estado Novo. Isto queria dizer que o capitalismo não era mais selvagem, explorador: era agora um capitalismo humanizado. Segundo a revista, os brasileiros estavam entusiasmados com esse primeiro contato com um projeto que prometia mudar o perfil do capitalismo do pós-guerra. "No Rio de Janeiro, na semana passada, Nelson Rockefeller, otimista zeloso vendedor da Política da Boa Vizinhança [...] desembrulhou o pacote de novas ideias chamado *American International Association for Economic and Social Development*. [...] O objetivo dos projetos de Rockefeller, secretamente elaborados pelos seus *brain trusts* de alta octanagem, misturando negócios (que serão administrados por um sistema de corporações) com filantropia, é expandir a produção" de alimentos e bens de consumo, pois só assim haveria a expansão de uma nova classe média participante de um mercado consumidor com renda suficiente para ampliar os laços comerciais com os Estados Unidos. O ponto de vista etnocêntrico

---

[37] Discurso de Nelson A. Rockefeller em reunião no Ministério da Agricultura (Rio de Janeiro, Brasil, 20 nov. 1946). Em Rockefeller Family Archives, cit., Nelson A. Rockefeller, personal paper (group 4), series A (activities), box 1458, p. 1578.

[38] A expressão "missionário capitalista" foi empregado por Darlene Rivas no título de seu livro, *Missionary Capitalist. Nelson Rockefeller in Venezuela* (Chapel Hill: The University of North Carolina Press, 2002).

da matéria estava no tom jocoso e irônico com que tratou a cultura alimentar dos brasileiros: a missão de Nelson era ensinar os "comedores de feijão com farinha" a incluir saladas e vegetais na dieta nacional. Uma missão alimentar civilizadora. A *Time* concluía: essa classe média com um padrão de vida mais alto ajudaria a mudar a imagem de imperialista dos Estados Unidos.[39]

No discurso para os secretários da agricultura, Rockefeller voltava a dizer que o lucro não precisava ser necessariamente combatido, desde que fosse de natureza criativa incentivando a produção para baixar os preços e assim deixando o consumidor livre para saciar seus desejos no mercado. Era como se Nelson estivesse lendo Benjamin Franklin, que dois séculos antes dizia, na colônia da Nova Inglaterra, que o dinheiro era (ou é) de natureza profícua.

Um dos pontos fracos de nossa agricultura era, segundo Nelson, a pobreza de nosso sistema de transportes, o que prejudicava tanto produtores como consumidores. E a solução era emular os Estados Unidos, isto é, utilizarmos caminhões com motores movidos a combustíveis derivados de petróleo. Lembrou que os Estados Unidos tinham especialistas no assunto e que eles poderiam muito bem contribuir com o projeto para o Brasil. Junto ao problema do transporte, era preciso adequar o fornecimento de implementos agrícolas e o crédito rural. Com a conjugação desses fatores, o Brasil se transformaria em uma potência regional de grandeza considerável. Aí sim nosso país repetiria o sucesso do poderoso vizinho do Norte. Os setores nacionalistas e da esquerda brasileira viam-no como um vendedor da Esso. Indiretamente seu projeto ia de encontro com os interesses da Standard Oil. Mas Nelson era astuto e político para defender abertamente os interesses das empresas da família.

---

[39] "Enlighted Capitalism", in *Time*, 25-11-1946.

Um homestead nacional

> O Brasil é um dos poucos países no mundo em que o pioneiro pode construir um lar na fronteira. Esses lares-fazendas deverão ser de tamanho médio. E isto tem uma significação sociológica muito importante. Pois o tamanho das fazendas determina a natureza da organização social. Em uma fazenda muito pequena a família não pode conseguir o suficiente para sobreviver e estará, certamente, condenada a viver na pobreza. A fazenda média, ao contrário, é do tamanho suficiente para sustentar uma família e que possa viver em razoável conforto. Esta é a unidade ideal para uma sociedade democrática. É um sinal esperançoso que, no Brasil, esse tipo de propriedade tem aumentado rapidamente em especial nas áreas pioneiras.[40]

Fronteira, no sentido usado pelo americano, é uma palavra-conceito de difícil conversão para o entendimento da cultura brasileira. A linha pioneiro–lar–fronteira–pequena ou, principalmente, média fazenda–viver em conforto–democracia são as palavras-chave para se entender o mais profundo sentido do ser americano, ou melhor, do americanismo. E era isso que Nelson queria para o Brasil e os brasileiros: um país coberto de médias propriedades que pudessem gerar o sustento de uma família livre e gerar um sobreproduto vendido para

[40] Discurso de Nelson A. Rockefeller em reunião no Ministério da Agricultura (Rio de Janeiro, Brasil, 20 nov. 1946). Em Rockefeller Family Archives, cit., Nelson A. Rockefeller, personal paper (group 4), series A (activities), box 1458, p. 1578.

as cidades habitadas por uma classe média. Era a história do sucesso dos Estados Unidos transposta para o gigante da América do Sul.

Por razões culturais e sociais, é quase certo que o recado do americanismo de Nelson não tenha sido captado pela plateia de secretários da agricultura ligados, de uma forma ou de outra, à grande propriedade agrária. Mas podem, ao menos, ter percebido que na fala do americano tinha alguma novidade que poderia ajudar o Brasil a sair do atraso e mergulhar na modernidade, abrir uma porta para uma latente potência regional. Nelson deve ter se baseado na palestra de Berle feito pouco tempo antes em Nova York.

E o que Nelson queria fazer era criar, quase que por decreto, o pequeno e o médio proprietários, isto é, pioneiros, que fizeram os Estados Unidos conquistando e civilizando a fronteira. No entanto, o conceito de fronteira, como Nelson estava passando, era praticamente impossível de ser transposto para nossa realidade: nossa "fronteira" já estava conquistada desde as leis de terra de 1850.

Se na época da guerra o grupo de Nelson usou estudos de antropólogos para melhor entender o Brasil, na nova fase encomendou pesquisas e análises de economia e política. Assim, quando ele chegou ao Brasil em 1946, veio bem armado para cumprir sua missão. Na bagagem, um estudo preparado pela Hanson Associates, empresa de Washington, orientava o americano a identificar nossos principais problemas. Abrangia a área da economia, a área social, a questão da terra, a agricultura, as questões trabalhistas e o governo do general Eurico Gaspar Dutra. Era um panorama geral do Brasil no imediato pós-guerra que serviu para orientar o grupo liderado por Nelson. Segundo esse documento, a crise econômica no Brasil deveria ser tratada com cuidado pela AIA, porque o custo de vida nas cidades estava subindo acima dos 35% ao ano, o que poderia vir a ser uma bomba de efeito retardado que abriria uma brecha para a propaganda comunista. A previsão das colheitas não era muito promissora, apesar da produção de alimentos ter crescido 10% *per capita* em relação ao período anterior à guerra.

A política trabalhista do governo Dutra não tinha um plano muito claro para lidar com a crescente onda de reivindicações das massas urbanas: ora reprimia, ora negociava, aproximando-se de líderes varguistas. Só o combate ao Partido Comunista parecia ter objetivos mais definidos, principalmente depois que o senador Luís Carlos Prestes declarara lealdade à União Soviética em caso de guerra com o Brasil.

O que mais preocupava Nelson e seu grupo era a situação da produção, da importação, da exportação e do transporte de gêneros de primeira necessidade e os gargalos que impediam a distribuição dos alimentos. O governo americano não atendia à entrega comprometida de veículos de transporte e de trigo. A falta de planejamento prejudicava a produção de arroz e milho e "o controle de preços não funcionou".[41] Todos os dados do relatório só reforçavam a tese de que o governo dos Estados Unidos não estavam dando a devida atenção a seu vizinho mais importante do continente.

Era o que Nelson pensava. A forma de ajudar o Brasil era, em primeiro lugar, salvar a nossa lavoura. E foi com essa ideia na cabeça que ele desembarcou aqui.

Nelson Rockefeller, por meio das pesquisas e dos relatórios produzidos pelo seu *staff*, estava ciente de todas as dificuldades econômicas que o Brasil enfrentava. Não foi coincidência que ele tivesse chegado logo após o governo americano eliminar o teto fixo para o preço do

[41] Memorando para Nelson A. Rockefeller de Hanson Associates, 4 nov. 1946. Em Rockefeller Family Archives, cit., Nelson A. Rockefeller, personal papers (group 4), series personal activities, box 10, p. 69.

café, o nosso principal produto de exportação, criando, momentaneamente, um clima mais ameno nas relações entre os Estados Unidos e o Brasil.

No dia 16 de novembro, o jornal *O Correio da Manhã* destacou a importância da visita do jovem empresário ao nosso país: "Nelson Rockefeller faz parte dos que [...] vem se dedicando [...] [a] aproximar os povos latinos da América de seu irmão estadounidense [sic], isto é, tudo empreendendo por elevar o nível dos primeiros ao padrão do segundo".[42] O artigo sintetizava os objetivos do projeto de Rockefeller destinado a melhorar as condições sanitárias de nossa população do interior e os padrões técnicos da pequena agricultura do Brasil.

Antes de começar a maratona de conferências para expor suas ideias, ele ofereceu, à noite, um coquetel para mais de trezentos convidados na pérgula do Copacabana Palace. Não faltou, por exemplo, o casal Amaral Peixoto – mais precisamente Alzirinha Vargas e seu marido Amaral Peixoto. A filha de Vargas tinha ficado um pouco abalada pelas intromissões de Adolf Berle em nossos assuntos "domésticos", e o caloroso encontro com Nelson ajudou a restaurar as boas relações entre os "representantes" dos dois países. Estavam lá também os Guinle, família de grandes empresários proprietária do hotel, João Daudt de Oliveira, da Conféderação Nacional do Comércio, Herbert Moses, da Associação Brasileira da Imprensa, e outros tantos políticos, homens de negócios e representantes da elite carioca. Algum tempo depois, Nelson, de volta aos Estados Unidos, disse para seus amigos: "Todo mundo estava na festa – o velho grupo, o novo grupo, a direita e a esquerda. Minhas ideias foram muito bem recebidas no Brasil".[43]

---

[42] *O Correio da Manhã*, 16 nov. 1946, p. 1.

[43] Martha Dalrymple, *The AIA Story: Two Decades of International Cooperation*, cit., p. 31.

No dia seguinte, o governo brasileiro concedeu ao americano a honraria da Comenda Oficial da Ordem Nacional do Cruzeiro do Sul como parte da recepção oficial. Em seguida, Nelson, cumprindo um rigoroso calendário no Rio de Janeiro, começou por visitas a fábricas e à Floresta da Tijuca. Depois subiu a serra e foi até Petrópolis, onde visitou o museu da cidade. Almoçou na fazenda Santo Antônio, do cafeicultor Argemiro de Hungria Machado. Nelson admirou a arquitetura barroca da casa sede da fazenda e, em especial, a capela com a bela arte sacra do século XVIII, hoje parte do patrimônio histórico nacional.

Mas Nelson não veio ao Brasil para visitar museus e admirar arte barroca. Nas várias conferências que deu, disse que tinha vindo para mostrar que o nosso país poderia transformar-se numa potência regional aos moldes dos Estados Unidos. Embora a agricultura fosse o centro de suas palestras, ele também falava na industrialização conectada com a expansão da fronteira agrícola. Era o que dizia esperar das ações da International Basic Economy Corporation (IBEC).

Com base nas suas experiências como coordenador do *Office* do tempo da guerra, Nelson acreditava que melhoraria o nível de vida dos habitantes da América Latina implantando um sistema de saneamento básico e monitorando a saúde. A modernização das atividades agrícolas, a agroindústria e as próprias indústrias eram as bases do esforço para tirar a população do estado de pobreza. Saúde e condições sanitárias deveriam ser de responsabilidade de uma entidade filantrópica e/ou governamental. A industrialização e a modernização da agricultura seriam, segundo os projetos, de empresas capitalistas que visavam lucro.

As duas alternativas eram complementares, interagiam. Por isso, um dos princípios da AIA era que se um de seus projetos fosse lucrativo, o rendimento deveria ser utilizado para a melhoria das condições gerais da população que vivesse perto do local do projeto. Uma vez que o projeto estivesse solidamente estabelecido e estável, a AIA se comprometia a vender ou doar as instalações para o governo ou para uma instituição privada. Esse mecanismo chegou a transformar algumas empresas com fins lucrativos em filantrópicas e vice-versa.

Nelson Rockefeller estava no Brasil quando uma epidemia de cólera ameaçou a população de porcos do Rio Grande do Sul, do Paraná, de São Paulo e de regiões de Minas Gerais. Os técnicos da AIA aproveitaram para demonstrar a "eficiência" da técnica de combate a doenças de animais. Em pouco tempo, um avião trouxe vacinas e veterinários dos Estados Unidos que salvaram os porcos brasileiros. No começo de 1947, a epidemia estava controlada.[44] O episódio abriu oportunidades para a introdução, pelo IBEC, de novas raças mais produtivas, como foi o caso do *duroc-jersey*, um tipo de suíno maior e, teoricamente, mais resistente.

De porcos, arte abstrata e reformas urbanas

Nelson Rockefeller viajou várias vezes para o Brasil. Fazia uma ponte aérea entre Nova York e São Paulo ou Rio de Janeiro para tratar de assuntos muito diversos: da construção de aeroportos ao combate da praga do café. Mas não descuidava da arte e da política.

Numa foto de julho de 1950, Assis Chateaubriand está sentado ao lado do presidente Dutra e de senhoras da sociedade com casacos de pele. De pé, entre outros, está Pietro Maria Bardi, o diretor do MASP, o Museu de Arte de São Paulo. A figura central da fotografia, no entanto, é Nelson Aldrich Rockefeller sentado no chão. Com

---

[44] *Ibid.*, p.15.

sorriso simpático, irradia autoconfiança. Ele havia sido convidado por Assis para (re)inaugurar o MASP e na ocasião fez um discurso que pode ser considerado a pedra angular da política cultural dos Estados Unidos em defesa do liberalismo. Ele traçou ali um paralelo entre o povo brasileiro e o americano e falou de economia e política. A ênfase era sobre as vantagens do mundo livre e as ameaças que poderiam destruí-lo. A união profunda entre os dois povos era, segundo ele, o melhor meio de defesa da liberdade.

A parte fundamental do discurso foi reservada para o final, quando relacionou arte e liberdade. A arte abstrata, disse ele, deve ser respeitada como a expressão da emoção e das aspirações humanas. "Os nazistas suprimiram a arte moderna rotulando-a de arte degenerada [...] e os soviéticos suprimiram a arte moderna qualificando-a de formalista e burguesa."[45] O que Rockefeller quis dizer é que a arte abstrata representava a maior liberdade do indivíduo, a qual só poderia realizar-se num mundo democrático e livre. Já a arte figurativa era vista como uma arma do realismo socialista, antidemocrática, de sociedades totalitárias. Tratava-se, portanto, de impedir que nossa sociedade fosse contaminada como que por uma bactéria comunista, a penetrar no corpo doente do Brasil. Para combater esse perigo, o mote era alimentar o povo e educar a elite, via livre iniciativa.

Da arte para a criação extensiva de frangos e de porcos. Falta de moradia? A IBEC Housing, outro de seus empreendimentos, resolveria o problema com a construção de casas, seguindo o mesmo padrão de linha de montagens das fábricas de Detroit. A EMA, Empresa de Máquinas Agrícolas, venderia tratores, arados e colhedeiras a crédito para os agricultores. A Helico, uma empresa de helicópteros,

---

[45] Discurso de Nelson A. Rockefeller na reinauguração do Masp, julho de 1950. Em *Revista Habitat*, 1, out.–dez., 1950. pp. 18-19.

pulverizaria produtos para fertilizar e combater as pragas das plantações. A IBEC Technical Service fez pesquisas para a introdução de novas gramíneas destinadas à pastagem e formas mais adequadas de combate à praga do café.

Nelson lançou no Brasil o fundo Crescinco de investimento, considerado um dos primeiros atos para a instituição de mercados de capitais mais modernos em nosso país. Uma cidade como São Paulo precisava de um aeroporto mais moderno e dinâmico, por isso a equipe de Nelson lançou-se em estudos para substituir o congestionado Congonhas. Nossas ruas e avenidas precisavam ser mais adequadas à circulação. Nelson chamou Robert Moses, o transformador de Nova York, para elaborar o *Programa de Melhoramentos Públicos de São Paulo*, que resultou nas atuais marginais dos rios Tietê e Pinheiros.

Ele era propelido pela crença de que seus projetos seriam a salvação da América Latina. Num certo sentido, o Brasil atual do agronegócio, coexistindo com uma grande maioria de pequenas e médias propriedades rurais, parece repetir a própria história dos Estados Unidos. A modernização do campo, acompanhada de uma expansão de uma população urbana consumidora, comprando eletrodomésticos e alimentos em supermercados, é o Brasil sonhado por Nelson.

Imigrantes do Velho Mundo num Novo Mundo: a herança compartilhada do Brasil e dos Estados Unidos

Barry Moreno*

Tanto o Brasil quanto os Estados Unidos testemunharam transformações dramáticas em suas sociedades por meio da migração em massa. De 1874 a 1957, relata-se que um total de 4.993.656 pessoas chegaram ao Brasil, enquanto os Estados Unidos recebiam 32.622.063 imigrantes no mesmo período. Embora os Estados Unidos continuassem sendo o destino mais popular para migrantes que chegavam ao Novo Mundo, a atração pelo Brasil era tal que sua posição como destino de imigrantes na América Latina só era inferior à da Argentina.

Como era de se esperar, a principal fonte de imigrantes para os dois países era a Europa. Como ex-colônias de Portugal e da Grã-Bretanha, respectivamente, Brasil e Estados Unidos atraíram primeiro migrantes de suas metrópoles, antes que outros europeus

* Barry Moreno trabalha na Biblioteca do Memorial Bob Hope do Museu de Imigração Ellis Island, onde ele exerce a sua paixão pela história cultural, pela literatura, por línguas estrangeiras e pelo fascinante mundo da imigração que pertence à história de Ellis Island. Ele é o autor de diversos livros, entre eles, *The Statue of Liberty Encyclopedia* [Enciclopédia da Estátua da Liberdade] (New York, Simon & Schuster, 2000), *Italian Americans* [Ítalo-americanos] (Hauppauge, Barron's Educational Series, 2003), *The Encyclopedia of Ellis Island* [Enciclopédia de Ellis Island] (Mount Pleasant, Arcadia Publishing, 2004), *Children of Ellis Island* [Crianças de Ellis Island] (Mount Pleasant, Arcadia Publishing, 2005), *Manhattan Street Scenes* [Cenas urbanas de Manhattan] (Mount Pleasant, Arcadia Publishing, 2006), *Ellis Island's Famous Immigrants* [Famosos imigrantes de Ellis Island] (Mount Pleasant, Arcadia Publishing, 2012), e, com Diethelm Knauf, coautor de *Leaving Home: Migration Yesterday and Today* [Saindo de casa: migração ontem e hoje] (Bremen, Edition Temmen, 2011).

resolvessem se juntar ao fluxo migratório. Uma etnia, os alemães, logo deixou sua marca nos dois países. Seis milhões deles desembarcaram nos Estados Unidos de 1820 a 1914, enquanto uns 200 mil alemães se estabeleceram como colonos no Sul do Brasil, principalmente nos Estados de Santa Catarina, Rio Grande do Sul e Paraná. Para explorar suas lucrativas economias rurais latifundiárias, os dois países também mantiveram substanciais forças de trabalho escravas por várias décadas após sua independência. No entanto, à medida que a escravidão declinava e a emancipação era instituída, somente o Brasil desejava substituir os escravos por estrangeiros.

Apesar das semelhanças, Brasil e Estados Unidos adotaram procedimentos completamente diferentes para recepcionar os recém-chegados. Motivados por condições e necessidades domésticas diferentes, desenvolveram maneiras notáveis de selecionar quem deveria ser admitido. O Brasil procurava imigrantes principalmente como mão de obra para a agricultura, enquanto os Estados Unidos tinham necessidade urgente de uma multidão de trabalhadores para acelerar sua Revolução Industrial. O presente ensaio vai examinar e abordar a imigração para as duas nações, bem como algumas das características peculiares da recepção a imigrantes que existia no Estado de São Paulo e no porto de Nova York.

Brasil

O Brasil, ex-colônia portuguesa agora transformada em monarquia constitucional, recebera um fluxo regular de novos habitantes desde os dias de sua independência, sobretudo portugueses e espanhóis. Havia também um novo grupo de colonos que falavam alemão, milhares dos quais, estima-se, se estabeleceram como fazendeiros autônomos no Sul do país de 1820 em diante. Um século depois, na década de 1920, um número ainda maior de alemães chegaria aos portos brasileiros.

Antes de 1870, o Brasil não tinha motivos suficientes para encorajar a migração em massa. Com cerca de 150 a 250 mil escravos africanos trabalhando nos latifúndios do café,[1] os fazendeiros brasileiros tinham pouco interesse na importação de trabalhadores estrangeiros. Mas, com o fim do tráfico de escravos em 1850 e um crescente movimento abolicionista capaz de influenciar a opinião pública, os ventos da mudança estavam soprando. Em 1871, o Congresso Brasileiro promulgou a Lei do Ventre Livre, dando a todos os filhos de escravos a liberdade ao nascer. Embora essa lei não libertasse nenhum dos trabalhadores já escravizados, representava pelo menos um passo para o movimento abolicionista e acabaria pavimentando o caminho para a abolição total da escravatura. Enquanto isso, da década de 1860 até a de 1880, o número de escravos estava diminuindo devido às altas taxas de mortalidade, à falta de novas importações e às alforrias particulares. Por fim, em 13 de maio de 1888, a Lei Áurea, que emancipava todos os escravos brasileiros, entrou em vigor ao receber o consentimento real da princesa Isabel, regente do Brasil. Ao notar o contínuo declínio do sistema escravagista antes da efetivação desse estatuto, o historiador Seymour Drescher escreve que ele foi simplesmente a "sentença de morte de uma estrutura já em colapso".[2] Semanas depois da emancipação, a falta de mão de obra atingiu as propriedades cafeeiras. Para solucionar esse problema, o Estado

---

1 Herbert S. Klein, *The Atlantic Slave Trade* (Cambridge: Cambridge University Press, 1999), p. 42.

2 Seymour Drescher, "Brazilian Abolition in Comparative Perspective", in *The Hispanic American Historical Review*, 68 (3), Duke University Press, agosto de 1988, pp. 429–460.

de São Paulo decidiu alavancar a imigração europeia para o Brasil mediante um plano de subsídio de transporte já existente.

A POLÍTICA DE SUBSÍDIOS (1881–1928)

A elite de São Paulo vinha se preparando para a eventual libertação de seus escravos desde o final da década de 1870. Ela começou a pressionar as autoridades estaduais para que a ajudasse em sua busca por um grande número de trabalhadores braçais voluntários. Em 1881, o Estado de São Paulo introduziu uma política de subsídios de transporte que oferecia o pagamento das despesas de viagem – isto é, passagens em vapores transatlânticos e de trem, ao chegar ao Brasil – para europeus que quisessem se estabelecer no Estado. Seu objetivo era trazer mão de obra barata para trabalhar nas fazendas de café e algodão do interior. Como resultado dessa política – enquanto as vantagens de imigrar para o Brasil estavam sendo amplamente propagandeadas e promovidas pelas companhias marítimas –, cerca de 800 mil trabalhadores italianos, de 1887 a 1902, vieram para trabalhar nas fazendas. Embora os italianos fossem, de longe, o maior grupo a responder à oferta, espanhóis, portugueses e, mais tarde, japoneses e europeus orientais também participariam. Assim, os efeitos foram significativos. De 1890 a 1913, 1.451.047 imigrantes chegaram, dos quais 893.659, ou 62%, haviam sido subsidiados. O programa claramente atingiu a meta desejada pelo Estado: de fato, durante as quatro décadas seguintes, São Paulo recebeu, em geral, 50% ou mais de toda a imigração para o Brasil. Satisfeito com os resultados benéficos, o governo estadual gastava até 5% de seu orçamento anual para financiar o programa; em algumas ocasiões, esse percentual foi excedido e, num ano recorde, 1895, 14,5% do orçamento estadual foi canalizado para o programa de subsídios ao transporte. Embora o financiamento fosse interrompido em 1928, foi retomado em 1935.

Contratados pelas várias fazendas, os imigrantes tinham a garantia de moradia gratuita, um pagamento fixo pelo número de pés de café cuidados, um preço pelo café colhido, bem como pagamento por qualquer trabalho extra. Os trabalhadores, famílias em sua maioria, tinham de cuidar de um mínimo de 2 mil até mais de 15 mil pés; a média parecia ser de 5 mil pés. Eles também recebiam um lote gratuito de terra que podiam cultivar por conta própria.

RECEPÇÃO DE IMIGRANTES EM SÃO PAULO

Quando chegavam ao porto de Santos, os imigrantes eram levados de trem para a Hospedaria de Imigrantes, onde ficavam hospedados até poderem seguir viagem para a fazenda onde iriam morar e trabalhar. Exaustos, desgastados e, às vezes, doentes devido à longa viagem marítima, eles estavam mais do que dispostos a descansar e a se recuperar antes de aventurarem-se pelo estranho mundo das fazendas.

Localizada na cidade de São Paulo, a Hospedaria de Imigrantes era o mais importante complexo de registro e recepção de estrangeiros do Brasil. Ali, os imigrantes podiam guardar seus pertences em maleiros e receber quaisquer cuidados médicos imediatos de que precisassem. Seus nomes e informações pessoais eram anotados em livros de registro. As perguntas registradas incluíam: nome (prenomes e sobrenomes), nacionalidade, parentesco, sexo, idade, destino, embarcação, data da chegada, profissão, religião, alfabetizado (ou não), local de nascimento, porto de embarque e se seria repatriado (ou não).

Nutritivas refeições brasileiras eram servidas, e os recém-chegados eram alojados num grande dormitório que se dividia em baias fechadas onde mães e crianças dormiam; do lado de fora, diante da entrada de cada baia, fechada por uma cortina, ficava uma cama para o marido. Estavam à disposição 1.200 camas de ferro com cobertores apropriados. As refeições eram servidas conforme segue: café às 7 h; almoço, a partir das 10 h; jantar, a partir das 16 h; e, antes da hora de dormir, um lanche leve.

Além do registro e dos serviços descritos no parágrafo acima, a hospedaria contava com uma enfermaria, um centro de triagem médica e um hospital completo. O local atendia 3 mil imigrantes por semana; às vezes esse número aumentava consideravelmente, chegando até, em certas ocasiões, a 8 mil por semana.

Além da Hospedaria de Imigrantes em São Paulo, instituições similares gerenciadas pelo governo estadual foram montadas na cidade portuária de Santos, bem como nos Estados de Minas Gerais, Rio de Janeiro, Espírito Santo, Santa Catarina e Pará.

Estatísticas, destinos e colônias da imigração brasileira

Conforme mencionado acima, o Brasil recebeu cerca de 4,9 milhões de imigrantes durante o período de 1884 a 1957, a maior parte dos quais emigrou para o Estado de São Paulo. Desses, os 15 principais países de origem eram a Itália (1.510.078 ou 31,7%), Portugal (1.457.617 ou 30,6%), Espanha (657.744 ou 13,8%), Japão (209.184 ou 4,4%), Alemanha (192.574 ou 4,0%), Rússia (109.889 ou 2,3%), Áustria (88.789 ou 1,9%), Turquia (78.708 ou 1,7%), Polônia (53.555 ou 1,1%), França (41.495 ou 0,9%), Romênia (40.274 ou 0,8%), Estados Unidos (30.686 ou 0,6%), Inglaterra (28.771 ou 0,6%), Lituânia (28.665 ou 0,6%) e Argentina (25.616 ou 0,5%).[3] Havia também números significativos de imigrantes da Iugoslávia, Síria, Líbano, Hungria, Holanda, Grécia e Bélgica.

---

[3] T. Lynn Smith, *Brazil: People and Institutions* (Baton Rouge: Louisiana State University Press, 1963), p. 126.

Até São Paulo tomar a dianteira na recepção de imigrantes na década de 1880, os italianos se estabeleceram inicialmente nos Estados do Rio Grande do Sul, Santa Catarina, Paraná, Minas Gerais e Espírito Santo. Depois de 1902, a imigração italiana diminuiu drasticamente graças ao polêmico decreto do ministro italiano das relações exteriores, Giulio Prinetti, que proibia o Brasil de recrutar italianos como trabalhadores imigrantes pelo sistema de subsídios. Com o brusco declínio na imigração italiana, os portugueses mais uma vez recuperaram sua antiga supremacia. Os imigrantes lusitanos preferiam se estabelecer nas zonas urbanas do Brasil, em particular as grandes cidades do Rio de Janeiro e de São Paulo, onde trabalhavam como pequenos lojistas, trabalhadores braçais, criados domésticos e assim por diante. Os espanhóis se estabeleceram em São Paulo, na cidade do Rio de Janeiro, bem como em Minas Gerais, no Rio Grande do Sul e na Bahia. Os alemães formaram colônias importantes no Rio Grande do Sul, em Santa Catarina, em São Paulo e no Paraná, que continuaram a atrair novos colonos alemães até bem depois, no século XX. Os imigrantes poloneses também preferiam principalmente os Estados do Sul, e, assim como os alemães, também fizeram seus lares no Paraná, no Rio Grande do Sul, em Santa Catarina e em São Paulo; boa parte trabalhava em pequenas fazendas, especialmente no Paraná, que tinha a maior população de poloneses. Por fim, imigrantes asiáticos começaram a chegar ao país. Como resultado do Decreto Prinetti, que tirava do Brasil o direito de importar novos trabalhadores italianos, o Estado começou a contratar imigrantes do Japão. O primeiro contrato para importar mão de obra migratória japonesa foi firmado em 1907 entre o Estado de São Paulo e a Companhia Imperial Japonesa de Imigração. Contratos similares foram assinados em 1917 e 1925.[4]

[4] *Ibid.*, pp. 138–142.

A RESTRIÇÃO À IMIGRAÇÃO E O ESTADO NOVO DO PRESIDENTE VARGAS

A década de 1930 foi um período de mudança fundamental na atitude oficial do Brasil para com os estrangeiros e a imigração. Enquanto anteriormente essas pessoas eram vistas como trabalhadores exemplares, o novo regime do presidente Getúlio Vargas as encarava com suspeita e desaprovação cada vez maiores. Vargas, um nacionalista dedicado, reorganizou a estrutura política do país com a adoção da Constituição de 1934. Essa nova carta nacional introduziu cotas para os imigrantes, baseadas em sua nacionalidade. O parágrafo 6 do artigo 121 dizia: "A entrada de imigrantes no território nacional sofrerá as restrições necessárias à garantia da integração étnica e capacidade física e civil do imigrante, não podendo, porém, a corrente imigratória de cada país exceder, anualmente, o limite de dois por cento sobre o número total dos respectivos nacionais fixados no Brasil durante os últimos cinquenta anos". O mesmo requerimento foi conservado no artigo 151 da autoritária Constituição de 1937 do presidente Vargas.[5] Como resultado dessas mudanças, a imigração foi reduzida drasticamente e restrita a apenas 77.020 pessoas por ano. Embora Portugal também estivesse, inicialmente, sujeito a uma cota anual restrita por essa medida, ela foi ajustada em 1938, mostrando que o Brasil ainda favorecia os portugueses entre todas as outras nacionalidades.

Depois de 1938, Vargas impôs uma política de nacionalização aos estrangeiros, exigindo que eles falassem a língua portuguesa e aceitassem plenamente o Brasil como sua pátria, renunciando a todos os laços patrióticos com seus países de origem.

---

[5] Thomas E. Skidmore, "Racial Ideas and Social Policy in Brazil, 1870–1940", in Richard Graham (ed.), *The Idea of Race in Latin America, 1870–1940* (Austin: University of Texas Press, 1990), p. 25.

A SEGUNDA GUERRA MUNDIAL E O CONFINAMENTO DOS SÚDITOS DO EIXO

Depois dos ataques japoneses a Pearl Harbor em 7 de dezembro de 1941, o presidente Vargas declarou os japoneses, alemães e italianos que residiam no Brasil como *súditos do Eixo*. Um de seus objetivos era confiscar as economias bancárias de cidadãos ricos de países do Eixo e usá-las para atender às necessidades do governo brasileiro em tempos de guerra. Em janeiro de 1942, o presidente Vargas rompeu as relações diplomáticas com as potências do Eixo quando o Brasil saiu de sua neutralidade e entrou na guerra pelo lado do Império Britânico, dos Estados Unidos e seus aliados; o Brasil declarou oficialmente guerra às forças do Eixo em 31 de agosto de 1942. Durante a guerra, milhares de cidadãos de países do Eixo foram detidos como prisioneiros de guerra em campos de confinamento brasileiros, incluindo a lendária Hospedaria de Imigrantes de São Paulo.

Em resumo, a imigração para o Brasil foi promovida pelo programa altamente eficiente de subsídio ao transporte do Estado de São Paulo, uma política que tornou esse Estado o principal destino dos desejados trabalhadores imigrantes no país, cuja grande maioria era europeia. Além disso, o Brasil se beneficiou econômica, social e culturalmente da migração de milhões. Como a maioria dos recém-chegados era de origem latina – portugueses, espanhóis e italianos –, sua assimilação na sociedade brasileira foi relativamente tranquila, pelo menos com relação à língua, religião, hábitos e valores culturais em geral. Imigrantes não latinos, como os alemães, poloneses, japoneses e árabes, tendiam a ser assimilados mais lentamente e muitas vezes resistiam a aspectos da cultura brasileira, como, por exemplo, fluência na língua portuguesa.

Os Estados Unidos

Desde 1800, os Estados Unidos atraem mais imigrantes do que qualquer outro país do mundo. A tradição do país de promover a liberdade política e econômica, suas grandes áreas colonizáveis, a extraordinária riqueza e recursos da terra e a prosperidade geral de seus habitantes atraíram inúmeros *greenhorns* para seus portos.

A POLÍTICA DE IMIGRAÇÃO DO ESTADO DE NOVA YORK E CASTLE GARDEN

A partir da década de 1830, as ondas de imigrantes impulsionaram o crescimento do país: deram-lhe a força para atingir seus objetivos, um dos quais – e não o menos importante – era a abertura do Oeste para a colonização pelos brancos. Pouco depois da Guerra Civil, houve um declínio acentuado na imigração, devido a vários fatores, incluindo os efeitos de uma grave crise econômica em 1873. Mas a década seguinte viu um enorme aumento dos recém-chegados, a maioria entrando por meio do Centro de Recepção de Imigrantes de Castle Garden, em Nova York (1855–1890). Um motivo para esse desenvolvimento foi que grande parte deles estava vindo de um lugar inesperado: os reinos distantes da Europa Oriental e do Sul, terras que anteriormente mandavam poucos imigrantes. Conhecida como a "nova imigração", esse aporte de europeus era bem diferente da "velha imigração", que vinha de lugares como a Alemanha, Irlanda, Grã-Bretanha, Escandinávia, Áustria, Holanda, Bélgica, França e Norte da Itália. Para a América inglesa, essa gente familiar era bem-vinda, apesar de suas diferenças, enquanto os novos imigrantes de terras muito, muito distantes pareciam estrangeiros demais para serem bem assimilados pela sociedade americana.

Pior ainda era o fato de que os "novos imigrantes" eram quase todos católicos romanos, judeus ou cristãos ortodoxos orientais – crenças que facilmente despertavam a desconfiança e, às vezes, até a hostilidade declarada dos protestantes. Por essa e por outras razões, muitos americanos começaram a duvidar do valor da imigração em massa, e alguns até propuseram que estava na hora de fechar os portões de ouro.

Em 1882, o governo federal começou a implementar leis para barrar os imigrantes indesejáveis, mas para conquistar a anuência dos Estados, Washington decidiu recolher um "imposto *per capita*" de 50 centavos para cada estrangeiro que chegava; a arrecadação era então devolvida para os estados que faziam cumprir ativamente as normas federais. O estado de Nova York, naturalmente, recebia a maior parte desse fundo federal de amparo, o que o ajudava a continuar operando o centro de Castle Garden, bem como o Hospital Estadual do Imigrante e os prédios para refugiados em Wards Island. A mesma legislação barrava a entrada de "condenados, lunáticos, idiotas e pessoas que possam se tornar um fardo público". Outra lei adotada no mesmo ano foi a racista Lei de Exclusão Chinesa, que barrava a entrada de certos trabalhadores baseando-se apenas em sua etnia. Em 1885, outra lei foi aprovada, desta vez barrando todos os trabalhadores estrangeiros trazidos sob contrato. O governo federal promulgou essa lei para silenciar as reclamações ruidosas dos Knights of Labor e outros sindicatos de categorias, que alegavam que um grande número de trabalhadores estadunidenses estava perdendo empregos para a importação deliberada de mão de obra estrangeira. Essa lei era parcialmente dirigida aos italianos. Isso porque milhares desses latinos estavam sendo trazidos regularmente para o país por homens chamados *padrones*. Esses pequenos empreendedores ganhavam comissões lucrativas de fabricantes e outras empresas americanas que precisavam de trabalhadores confiáveis aos quais pudessem pagar os salários mais ínfimos sem ouvir muitas reclamações. Além disso, os imigrantes tutelados ainda pagavam aos *padrones* uma comissão sobre seus magros ganhos.

Os próprios *padrones* importavam há muito tempo italianos do Sul e gregos para trabalhar em seus próprios empreendimentos de pequena escala, como engraxates, músicos de rua e de cafés, vendedores de frutas e verduras e fabricantes de doces. Outras nacionalidades trazidas por seus próprios *padrones* incluíam croatas, mexicanos e japoneses.

Não é surpreendente que o Estado que tinha a maior dificuldade em satisfazer o governo federal na rejeição de indesejáveis também fosse o principal porto da nação. A cada ano, o porto de Nova York recebia até 75% de toda a imigração. Em consequência, quando a questão dos imigrantes surgia, os olhos do país se voltavam naturalmente para os comissários da Junta de Emigração do Estado de Nova York e seu centro de Castle Garden, na ponta sul de Manhattan.

O CONTROLE FEDERAL DA IMIGRAÇÃO E A INAUGURAÇÃO DA ILHA DE ELLIS

Washington considerava que o sistema de recepção de imigrantes de Nova York tinha sérias falhas. O que deixava o governo federal mais insatisfeito era a falta de qualquer triagem real: o que acontecia em Castle Garden não passava da mera tabulação e anotação de detalhes pessoais de cada imigrante em grandes livros de registro – não havia praticamente nenhuma filtragem. Além disso, más condições, como sujeira, desonestidade e corrupção, eram comuns. Algumas pessoas também reclamavam do trabalho dos missionários mórmons, que ajudavam milhares de europeus setentrionais e ocidentais a emigrar.

Como essa igreja advogava tradicionalmente a poligamia, muitos achavam que isso não deveria ser permitido.

Debates sobre essas e outras questões relacionadas levaram o governo federal a assumir o controle total da recepção a imigrantes: o Departamento do Tesouro dos Estados Unidos ficou encarregado disso. Burocraticamente, era uma decisão sensata, pois o Departamento do Tesouro já administrava o Serviço de Alfândega e o Hospital Marítimo, dois órgãos que desempenhavam suas funções nos portos marítimos domésticos. Com o consentimento do presidente Benjamin Harrison e do Congresso, o secretário do Tesouro aprovou planos para construir a primeira estação de inspeção federal na Ilha de Ellis, no Porto de Nova York. Enquanto isso, a recepção a imigrantes foi temporariamente transferida de Castle Garden para um prédio federal próximo, chamado de Barge Office. Em 1891, o Congresso criou uma nova agência do Departamento do Tesouro para regulamentar a imigração: a Agência de Imigração dos Estados Unidos. Na época, um novo conjunto de políticas para a imigração introduziu procedimentos totalmente novos, como a "inspeção de imigrantes", além de instruções sobre o que os intendentes dos vapores deveriam anotar nas listas de passageiros dos navios e normas precisas orientando a exclusão e deportação de estrangeiros indesejáveis ou inaceitáveis.

A mesma década presenciou uma imigração ainda maior de novos grupos étnicos: italianos do Sul, judeus ortodoxos, poloneses, eslovacos, lituanos, finlandeses, búlgaros, assim como gregos, portugueses, espanhóis, armênios, árabes sírios, turcos, hindus, sikhs, negros das Índias Ocidentais e ciganos; todos chegavam, navio após o outro, para grande consternação de um círculo crescente de estadunidenses que exigia leis de imigração bem mais rígidas.

De 1892 a 1910, um sistema de controle nacional de imigração foi posto em operação: uma rede de estações de inspeção de imigrantes foi montada em todos os portos e passagens de fronteira. Além da Ilha de Ellis, em Nova York, estações federais de imigração foram abertas em Boston, Filadélfia, Baltimore, Detroit, Chicago, Seattle, Portland, São Francisco, Los Angeles, Honolulu, El Paso, Galveston, Nova Orleans, Mobile, Jacksonville, Savannah, Norfolk, San Juan (Porto Rico), e nas cidades estrangeiras de Montreal, Toronto e Vancouver, o que precisou do consentimento do Domínio do Canadá.

Na virada do século, a imigração começou a aumentar e continuou crescendo num ritmo estarrecedor. A Ilha de Ellis estava tremendamente superlotada: até 50 mil estrangeiros precisavam ser examinados na pequena ilha a cada semana. Em resposta a essa situação, o governo começou a expandir apressadamente a ilha por meio de aterros; a isso se seguiu a construção do prédio médico e de outros de apoio, que eram uma necessidade urgente. Novas regras mais rígidas também foram implementadas. Os inspetores estavam cada vez mais à procura de estrangeiros indesejáveis, como prostitutas estrangeiras e seus gigolôs ("o tráfico de escravas brancas"), mães solteiras, aqueles que comprovadamente tivessem "físico fraco", "mente debilitada" ou sofressem da temida doença ocular conhecida como tracoma. Em 1903, "crenças políticas suspeitas" foram adicionadas a essa lista, quando anarquistas foram barrados pela Lei de Imigração daquele ano. Essa lei também aumentou a taxa *per capita* para 2 dólares e barrou a entrada de epilépticos e mendigos.

Enquanto isso, o fluxo de judeus europeus aumentou dramaticamente devido ao surgimento de centenas de terríveis massacres contra eles (1903 a 1906). A Agência de Imigração mandou vários inspetores de imigrantes, incluindo Philip Cowen, da Ilha de Ellis, para investigar as causas do massivo êxodo. No entanto, era aparente que, apesar do horrível ultraje dos massacres, o maior motivo da emigração judaica era o desejo ardente de escapar à secular pobreza que era seu destino havia gerações. Para eles, ir para a América era um sonho que se realizava.

As imigrações balcânica e oriental também cresceram naquela década. Gregos, romenos, sérvios, croatas, búlgaros, albaneses, bósnios e outros fizeram a longa viagem até a América. O fluxo de navios vinha de Marselha, Nápoles, Pátras, Pireu, Istambul e Alexandria, e também estavam cheios de esperançosos da Síria, Armênia, Turquia e Malta, enquanto mais emigrantes estavam partindo dos portos espanhóis e portugueses. Embora os motivos básicos da migração fossem praticamente os mesmos para todas essas pessoas, a saber, escapar da pobreza extrema e ajudar a própria família, havia outras causas, como fugir da discriminação, do radicalismo, do preconceito, da guerra, da violência, do serviço militar obrigatório, dos costumes e tradições do Velho Mundo ou de casamentos forçados.

Como era de se esperar, as companhias marítimas ganhavam um bom dinheiro com o lucrativo negócio de transportar emigrantes. Depois dos Estados Unidos, elas descobriram que Canadá, Argentina, Brasil, Austrália, Nova Zelândia e África do Sul eram destinos populares para os migrantes.

Em 1907, o governo federal, respondendo à oposição crescente aos imigrantes japoneses, entrou num entendimento diplomático com o império do Japão para bloquear a imigração dessa fonte. Chamado de "Acordo de Cavalheiros", consistia em promessas do governo dos Estados Unidos de não passar uma lei de exclusão contra os japoneses e do governo imperial japonês de impedir a imigração japonesa para os Estados Unidos.

Em 1910, refugiados do Sul da fronteira começaram a entrar pelo Texas, pelo Arizona e pela Califórnia, para escapar do tumulto e salvar suas vidas. Era a Revolução Mexicana, guerra civil que durou dez anos, durante os quais os Estados Unidos receberam 890 mil refugiados daquele país. Isso acabou levando à criação de uma nova agência federal em 1924, a Patrulha de Fronteira dos Estados Unidos. A tarefa dessa agência era bloquear a entrada ilegal pelas fronteiras mexicana e canadense.

RESTRIÇÃO À IMIGRAÇÃO

Nesse mesmo período, o movimento pela restrição à imigração ganhou força. A Primeira Guerra Mundial contribuiu muito para isso, criando uma flutuação na emigração em massa, indicando que os moinhos, minas, fábricas, canteiros, fazendas e outras grandes instalações da América podiam passar suficientemente bem sem um número enorme de recém-chegados para alavancar sua força de trabalho. Os restricionistas, inspirados pelo crescimento e rápida expansão dos movimentos anti-imigração – o grupo anticatólico Ku Klux Klan, por um lado, e o Movimento de Americanização nacional, representado por organizações respeitáveis como a ACM e a Igreja Episcopal Protestante, por outro –, marchavam para a vitória no *front* político. Em 1917, o Congresso instituiu a Lei da Alfabetização, que barrava a imigração de pessoas analfabetas. Seus apoiadores sabiam muito bem que a nova lei bloquearia a entrada de grupos conhecidos por terem baixos índices de alfabetização, como mulheres judias ortodoxas e camponeses cristãos do Sul da Itália, de Portugal e da Europa Oriental. Embora essa fosse uma lei importante, não satisfez os restricionistas, que tinham ambições bem maiores: queriam que o Congresso aprovasse leis para acabar de vez com a migração europeia em massa. Seu objetivo foi finalmente atingido com a aprovação das leis de cotas de imigração de 1921 e 1924. Das duas, a lei de 1924 era a mais rígida, pois reduziu a imigração para um mínimo até o fim da década.

No entanto, antes que a lei de maio de 1924 fosse adotada, os Estados Unidos já haviam recebido uma sobrecarga de novos imigrantes e refugiados, logo depois da guerra. De 1919 a 1924, milhares chegaram à Ilha de Ellis e a outras estações: alemães, austríacos, russos, húngaros, romenos, irlandeses, armênios, gregos, judeus, italianos e praticamente todas as outras nacionalidades do Velho Mundo estavam tentando ingressar antes que novas leis restritivas entrassem em vigor.

Quando a migração em massa chegou ao fim, a Agência de Imigração mudou muitas de suas operações. Com a menor necessidade de "inspeções de imigrantes" na Ilha de Ellis e em outros lugares, ela decidiu incrementar a aplicação doméstica da lei contra estrangeiros ilegais que residiam nos Estados Unidos. Designando a Ilha de Ellis como o quartel-general nacional para deportação e outros mandados, a agência aperfeiçoou um sistema para investigar, prender e transportar grandes números de estrangeiros que tivessem transgredido as leis do país. Essas "ações de deportação", como eram conhecidas, envolviam o uso de trens que viajavam pelo país, parando em áreas rurais e comunidades urbanas para recolher futuros deportados das mãos das autoridades locais. Os trens passavam com frequência de quatro a seis semanas e começavam suas jornadas rumo ao leste de dois pontos: São Francisco e Seattle. A tripulação consistia em homens chamados de "inspetores de imigrantes", bem como guardas armados, tutoras e médicos. O fim da linha era Jersey City, Nova Jersey, de onde os detentos eram transferidos para a Ilha de Ellis em barcos a vapor. Esses trens de deportação continuaram a ser uma parte importante da política dos Estados Unidos de 1920 até a década de 1940.

Durante a Grande Depressão da década de 1930, a imigração virtualmente desapareceu – até as limitadas cotas muitas vezes não eram alcançadas. De fato, pela primeira vez na história americana as estatísticas mostravam que mais estrangeiros partiam dos Estados Unidos do que chegavam. Naturalmente, a melhora gradual na economia começou a reverter essa tendência, especialmente quando as nuvens da guerra começaram a se acumular sobre a Ásia, Europa e leste da África pouco antes da eclosão da Segunda Guerra Mundial.

Enquanto o nacionalismo e a febre da guerra convenciam milhares de leais imigrantes alemães e italianos a voltar para suas amadas pátrias e apoiar o fascismo, milhares de pessoas na Europa, abominando os ventos de mudança que sopravam ali, começaram a fugir para os Estados Unidos, o Canadá, a Inglaterra, a Palestina, a América Latina e outros países. As conquistas vitoriosas de Hitler na Polônia, na Tchecoslováquia, na Dinamarca, na Noruega, na Bélgica, na Holanda, em Luxemburgo, na França, na Iugoslávia e na Grécia significavam que as centenas de milhares de refugiados daqueles lugares agora eram rotulados como estrangeiros "apátridas". A Ilha de Ellis se tornou uma estação de passagem para quem buscava refúgio nos Estados Unidos.

ESTRANGEIROS INIMIGOS EM TEMPO DE GUERRA

A guerra também cobrou um preço alto dos cidadãos alemães, italianos e japoneses que moravam nos Estados Unidos. Em dezembro de 1941, o presidente Roosevelt assinou uma ordem executiva declarando-os inimigos estrangeiros. Isso afetou mais de 900 mil pessoas. Milhares delas se viram sob a vigilância do FBI, e pelo menos 10 mil foram realmente presas e levadas a estações de imigração como a da Ilha de Ellis para investigação. De fato, nem cidadãos estadunidenses respeitáveis estavam a salvo: numa decisão claramente motivada pelo racismo e pela xenofobia, o presidente Roosevelt revogou os direitos civis de cidadãos dos Estados Unidos de descendentes de japoneses, assinando uma ordem executiva que os obrigava a sair de suas casas e ir para campos de confinamento em todos os Estados do Oeste.

PESSOAS DESLOCADAS E REFUGIADAS NO PÓS-GUERRA

Com o fim do conflito, o Congresso aprovou em 1945 a Lei das Esposas de Guerra, que permitia que cônjuges e filhos adotivos de militares estadunidenses ingressassem nos Estados Unidos sem precisar esperar vagas nas cotas. Enquanto isso, o presidente Roosevelt já havia instituído uma Junta de Refugiados de Guerra e subsequentes leis para ajudar refugiados europeus e pessoas deslocadas a entrarem mais facilmente nos Estados Unidos.

Em 1950, a Guerra Fria já estava em plena atividade, e o comunismo se tornara distintamente impopular. A Lei de Segurança Nacional proibiu a imigração de subversivos, comunistas e fascistas. A Ilha de Ellis mais uma vez entrou em jogo como a principal casa de detenção para quaisquer recém-chegados estrangeiros suspeitos ou conhecidos por estarem envolvidos em atividades subversivas. Talvez os casos mais notáveis tenham sido Ignatz Mezei, "o homem sem pátria", que ficou detido 43 meses, e Ellen Knauff, uma esposa de guerra detida por 22 meses; depois de uma longa batalha, os dois acabaram ganhando seus recursos e foram liberados. A Ilha de Ellis foi declarada grande e cara demais para operar e foi fechada permanentemente em 12 de novembro de 1954, encerrando a primeira grande era do controle federal de imigração nos Estados Unidos.

Conclusão

Vimos que o Brasil e os Estados Unidos sofreram significativas mudanças demográficas com a migração em massa. Nos dois países, a migração foi vista durante muito tempo primariamente como um meio de impulsionar a economia doméstica, mas as consequências provaram ser profundas em outras esferas também, incluindo a cultural, a social e a política.

Também vimos como cada país lidou com a imigração mediante a adoção de legislação e o estabelecimento de estruturas burocráticas para regulamentar a entrada de migrantes. No Estado de Nova York, Castle Garden serviu como o primeiro centro de recepção de imigrantes a ser estabelecido: recebeu 8 milhões de imigrantes de 1855 a 1890. Similarmente, de 1886 a 1888, o Estado de São Paulo planejou e abriu a Hospedaria de Imigrantes para receber e abrigar temporariamente aqueles que chegavam ao país. Em 1891, o governo federal dos Estados Unidos tomou o controle das imigrações do Estado de Nova York e no ano seguinte estabeleceu a Estação de Imigração da Ilha de Ellis no Porto de Nova York como a principal porta de entrada de imigrantes no país. Ambas as nações adotaram procedimentos precisos de registro, exames médicos e serviços de transporte dentro de suas respectivas instalações. No entanto, apesar desses fenômenos semelhantes, também houve diferenças marcantes. Enquanto o Brasil praticava uma forma altamente seletiva de imigração, por meio de seu programa de subsídios à mão de obra contratada, os Estados Unidos proibiam firmemente a entrada de trabalhadores contratados (1885) e também barravam outros estrangeiros indesejáveis, mais notavelmente trabalhadores chineses (1882), "pessoas que possam se tornar um fardo público" (1891), anarquistas e epilépticos (1903) e analfabetos (1917). Em decorrência disso, os imigrantes eram cuidadosamente triados na Ilha de Ellis, e qualquer um que despertasse dúvidas estava sujeito à detenção, à investigação e à possível exclusão.

Nos anos que se seguiram ao fim da Primeira Guerra Mundial, os dois países adotaram cotas restritivas nacionais – os Estados Unidos em 1921 e 1924, e o Brasil em 1934 e 1937. Ambos pressionaram pela assimilação de seus recém-chegados, exigindo que aprendessem inglês e português, respectivamente, e que aceitassem os costumes, valores e tradições de suas novas pátrias, e, depois de qualificados, que solicitassem a naturalização. Durante a Segunda Guerra Mundial, os dois países foram aliados e adotaram políticas agressivas contra seus inimigos de guerra – Alemanha, Japão e Itália – e contra os imigrantes que habitavam dentro de suas fronteiras e que haviam vindo desses países. Programas também foram instituídos para processar prisioneiros de guerra e estrangeiros inimigos. Embora se deva reconhecer que cada país tem seu perfil único e próprio como receptor de imigrantes, também é justo dizer que, quando as duas histórias são comparadas, semelhanças marcantes são claramente percebidas, o que demonstra que sua herança é verdadeiramente compartilhada.

Leitura complementar

CORSI, Edward. *In the Shadow of Liberty: the Chronicle of Ellis Island.* Nova York: The Macmillan Company, 1935.

DEMARTINI, Zeila de Brito Fabri. "Immigration in Brazil: the Insertion of Different Groups". Em Uma A. Segal, Doreen Elliot & Nazneen S. Mayadas (ed.), *Immigration Worldwide: Policies, Practices and Trends.* Nova York: Oxford University Press, 2010.

GOVERNO DO ESTADO DE SÃO PAULO / Secretaria de Estado da Cultura. *Breve história da Hospedaria de Imigrantes e da imigração para São Paulo* (3. ed.), Série Resumos, n. 7. São Paulo: Memorial do Imigrante, 2004.

KLEIN, Herbert S. "European and Asian Migration to Brazil". Em Robin Cohen (ed.), *The Cambridge Survey of World Migration.* Cambridge: Cambridge University Press, 1995.

KNAUF, Diethelm. "To Govern Is to Populate! Migration to Latin America". Em Diethelm Knauf & Barry Moreno (ed.), *Leaving Home: Migration Yesterday and Today.* Bremen: Edition Temmen, 2010.

MORENO, Barry. *Castle Garden and Battery Park.* Charleston: Arcádia Publishing, 2007.

______________. *Gateway to America: the World of Ellis Island.* Nova York: Sterling Publishing, 2012.

PITKIN, Thomas M. *Keepers of the Gate: a History of Ellis Island.* Nova York: New York University Press, 1975.

SCHULZ, Karin (ed.). *Hoffnung Amerika: Europäische Auswanderung in die Neue Welt.* Bremerhaven: Nordwestdeutsche Verlagsgesellschaft, 1994.

O jornalismo no continente americano

Carlos Eduardo Lins da Silva*

Vinte e cinco anos atrás, eu realizei um trabalho acadêmico em nível de pós-doutorado no programa latino-americano do Woodrow Wilson Center (ainda não havia sido criado o *Brazil Institute* naquela entidade), em Washington, para pesquisar e entender como o modelo de jornalismo dos Estados Unidos da América vinha influenciando a maneira como se praticava o jornalismo no Brasil.

O texto que dele resultou foi publicado em forma de livro em 1990, com o título *O adiantado da hora*,[1] referência a um poema de Carlos Drummond de Andrade e às contradições entre os diversos e diferentes tempos históricos, econômicos, sociais, tecnológicos e profissionais que havia entre o jornalismo americano e o brasileiro naquela época.

Um quarto de século sempre – mas especialmente no caso da virada do XX para o XXI – pode implicar grandes transformações, em particular na área da indústria da comunicação, que, neste período, viveu, sem exagero, o maior conjunto de mudanças de sua história desde a invenção do tipo móvel para impressão, em meados do século XV.

* Carlos Eduardo Lins da Silva é atualmente presidente do Projor (Observatório da Imprensa), editor da *Revista Política Externa* e editor da *Revista de Jornalismo ESPM*. Livre-docente e doutor em Ciências da Comunicação pela Universidade de São Paulo e mestre em Comunicação pela Universidade Estadual de Michigan (título obtido com uma bolsa de estudos da Comissão Fulbright), faz parte do corpo docente do curso de mestrado em jornalismo da ESPM. Foi diretor adjunto de Redação dos jornais *Valor Econômico* e *Folha de S.Paulo*, onde também desempenhou as funções de correspondente nos EUA e *ombudsman*.

1 Carlos Eduardo Lins da Silva, *O adiantado da hora: a influência americana sobre o jornalismo brasileiro* (São Paulo: Editora Summus, 1990).

Em 1987, ainda não havia internet para uso público em geral. Os telefones celulares, raros e caríssimos, pesavam em torno de 1 kg e tinham cerca de 25 cm de comprimento. O fax era o que os jornalistas tinham de mais moderno à sua disposição para enviar seus textos à distância. A televisão paga apenas engatinhava na maior parte dos países do mundo. Jornais e revistas impressos eram os incontestáveis veículos de máximo prestígio, como já o vinham sendo havia pelo menos 150 anos.

O Brasil experimentava a democracia pela primeira vez de verdade em sua vida com o primeiro governo civil em duas décadas e com o frenesi cívico em torno da Assembleia Nacional Constituinte. A imprensa desfrutava da mais completa liberdade possível, algo também inédito.

Mesmo assim, a autoestima dos brasileiros, historicamente – e até hoje – um fenômeno de personalidade coletiva comparável ao da bipolaridade nos indivíduos, andava baixíssima naqueles tempos.

Milhares de pessoas, receosas da hiperinflação e frustradas pelo fato de que o fim do regime militar não gerou imediatamente a felicidade nacional absoluta, tentavam emigrar do país, muitas delas para os Estados Unidos, país visto, mais do que nunca, como sinônimo de modernidade, desenvolvimento, inovação e progresso entre as classes médias do Brasil.

O jornalismo não era exceção nesse conjunto de atitudes. O modelo dos Estados Unidos, que desde o fim da Segunda Guerra Mundial substituíra o português e o francês como principal fonte de inspiração para os praticantes da atividade no Brasil, se consolidou como hegemônico, quase absoluto.

O jornalismo impresso, foco central da pesquisa de 25 anos atrás, assim como deste texto, foi a última entre as principais modalidades no Brasil a seguir o modelo americano com maior vigor, o que já se fazia no rádio e na televisão do Brasil desde praticamente o início dessas atividades (em 1922, no caso do rádio, e em 1950, no da televisão).

O rádio brasileiro, entre 1922 e 1932, experimentou o sistema britânico, pelo qual os ouvintes pagavam uma taxa para usufruir do privilégio de receber os sinais das poucas emissoras existentes, quase todas públicas ou estatais. Mas após esse período, o rádio adotou o sistema de financiamento da programação por meio da publicidade – a exemplo do que ocorria nos Estados Unidos, o que passou a ser o ponto de referência de todo o conteúdo radiofônico, inclusive o jornalístico, no qual o *Repórter Esso* despontava como grande líder.

Com a televisão, o predomínio americano se deu desde a inauguração da primeira emissora, a PRF3-TV Difusora, canal 3, de São Paulo, a cuja cerimônia compareceram Nelson Rockefeller e David Sarnoff, o pioneiro do rádio nos Estados Unidos, de onde o Brasil importou as fórmulas para praticamente todos os gêneros de sua programação televisiva, o jornalismo entre eles.

A influência americana tornou-se ainda mais decisiva décadas após o surgimento desses veículos no Brasil. Novidades editoriais como o *USA Today* e sua estrutura de textos curtos e muitas imagens ou as edições regionais do *Los Angeles Times* tiveram grande importância sobre decisões tomadas em jornais brasileiros no final do século passado com vistas a manter e ampliar os negócios e o público.

Mas de lá para cá, o Muro de Berlim caiu, o Consenso de Washington foi estabelecido (e depois desmantelado pela crise financeira global de 2008) e o governo de George W. Bush ganhou, durante a Guerra ao Terror iniciada em 2001, apoio quase irrestrito do *establishment* do jornalismo americano, o que fora antes negado a seus antecessores na Guerra Fria. E, o mais importante para o tema deste texto, os meios de comunicação impressos entraram em parafuso com a disseminação incessante e voluptuosa das tecnologias e veículos derivados da internet. E, mais recentemente, os Estados Unidos tiveram seu poder político e econômico global, aparentemente sem limites após a derrocada do império soviético, estruturalmente ameaçado com o fracasso de sua intervenção militar no Iraque e com a debacle econômica do *subprime* e suas consequências.

O Brasil, ao contrário, ascendeu a uma posição de destaque sem precedente na geopolítica mundial (talvez sem fundamentos necessariamente sólidos), graças a fatores diversos, tais quais o aumento de exportações, a expansão do mercado de consumo interno, a presença destacada dele e de outros países emergentes em fóruns internacionais, o protagonismo inédito em iniciativas de política externa, o relativo êxito interno no combate à crise financeira global e também o sucesso de seus produtos simbólicos (cinema, música, *design* e alguns itens de consumo pessoal) em diversos mercados.

Apesar dessas e de outras mudanças dramáticas, o jornalismo brasileiro – quase tão desorientado quanto o americano diante dos novos desafios, mesmo que menos afetado materialmente do que aquele (ao menos por enquanto, pois a universalização dos novos meios ainda não ocorreu por aqui como lá) – ainda usa como paradigma básico o modelo americano.

Isso pode ser constatado atualmente apesar da grande dificuldade em abordar qualquer forma de produzir um bem cultural como algo absolutamente individual em qualquer sociedade, dados os sempre crescentes cruzamentos e as mútuas influências verificadas na produção intelectual (cinema, teatro, música, televisão, publicidade, dança, fotografia, literatura, rádio, artes plásticas e, claro, também, jornalismo).

Os grandes periódicos do país estudam as decisões dos seus similares ao Norte e em geral as adotam, ainda que com algumas variações (ou, no mínimo, as analisam detalhadamente): *paywalls* para o acesso ao conteúdo na internet, fusão das redações de online e de impresso e sinergia na produção em diversas plataformas.

Algumas das mais interessantes novidades editoriais neste século, como a revista *Piauí* (que começou a circular em 2006), claramente bebem na fonte do jornalismo dos Estados Unidos; no caso, a revista *The New Yorker*.

É verdade que experiências ocorridas em outras nações também têm tido grande repercussão no jornalismo brasileiro (como a realizada pelo jornal britânico *The Guardian* ao radicalizar sua vertente virtual em contraste com a impressa), mas muito menos do que a obtida pelas tentativas americanas.

Por exemplo, é quase ignorado no Brasil o sucesso obtido por veículos como o finlandês *Sanoma*, o norueguês *Schibsted* e o grupo suíço Gossweiler Media na maneira como foram capazes de se adequar à nova realidade tecnológica; enquanto experimentos nos Estados Unidos menos bem-sucedidos, embora relativamente exitosos, como os do *Christian Science Monitor*, *Patch* (AOL), *ProPublica* e *Politico* recebem muita atenção no ambiente profissional e acadêmico do jornalismo brasileiro.

A adoção do modelo americano como paradigma de sistema jornalístico se deu aos poucos, a partir do século XIX, e firmou-se definitivamente desde o fim do regime militar em 1985, em especial após a Constituição de 1988, graças a seus dispositivos de garantia à liberdade de expressão claramente derivados da Primeira Emenda da Constituição dos Estados Unidos – e que vão até além das oferecidas por ela, como quando asseguram o direito de o jornalista manter secreta a identidade de suas fontes ou que partes que se sintam prejudicadas pela atividade jornalística tenham direito de resposta.

Como qualquer adoção de modelo entre sociedades fundamentalmente distintas, essa também apresentava inevitáveis contradições. O jornalismo nos Estados Unidos se formou como decorrência das características próprias que a sociedade ali forjou. Por exemplo, ainda no século XIX, alfabetização universal, classes médias vastas e fortes, urbanização generalizada, instituições democráticas sólidas e antigas e noções essenciais de cidadania enraizadas. Não seria possível transplantar um sistema jornalístico que decorreu dessas condições para outra sociedade em que elas simplesmente não existiam.

José do Patrocínio, por exemplo, tentou em 1887 fazer do seu *Cidade do Rio* um jornal que fosse a reprodução tropical do *New York Herald*. Dizia ele: "Com um pouco de trabalho, um bocado de esforço, acharemos o veio da mina".[2] Seu sonho, evidentemente, se tornou pesadelo.

Só muito mais tarde, a partir dos anos 1950 e mais ainda dos anos 1970, é que foi possível fazer jornais minimamente semelhantes aos americanos e com algum sucesso do ponto de vista empresarial, como o *Jornal do Brasil*, *O Globo*, a *Folha de S.Paulo*, *O Estado de S. Paulo* e a *Gazeta Mercantil*.

A imprensa chegou à América do Norte em 1638, ou seja, 170 anos antes de chegar ao Brasil. O primeiro jornal, em Boston, começou a

---

[2] Juarez Bahia, *Três fases da Imprensa Brasileira* (Santos: Presença, 1960), p. 57.

circular por iniciativa particular em 1690; no Brasil, os dois pioneiros surgiram em 1808 – um, o *Correio Braziliense*, era clandestino, impresso na Inglaterra, e o outro, a *Gazeta do Rio de Janeiro*, pertencia ao governo.

Jornais se espalharam pelos Estados Unidos. Como costuma dizer Alberto Dines, em todas as cidades americanas no século XIX, havia pelo menos um xerife, um *saloon* e um jornal. No Brasil, até agora a imprensa regional é muito frágil e foi quase inexistente ao longo de quase toda a história do país.

Na década de 1830, segundo Michael Schudson, o jornalismo americano passou por uma revolução, que "levou ao triunfo da notícia sobre o editorial, dos fatos sobre a opinião, uma mudança que foi moldada pela expansão da democracia e do mercado".[3] Foi nessa época que o modelo inglês, até então predominante no jornalismo americano, foi substituído por algo próprio.

Desde os seus primórdios como nação, no entanto, os Estados Unidos já tinham traços que tornariam natural esse rompimento com o jornalismo inglês, partidarizado e editorializado: as divisões de classe ali nunca foram tão radicais quanto na Inglaterra, a tecnologia de imprensa de massa se desenvolveu mais rapidamente do que na Inglaterra, jornalistas nos Estados Unidos raramente eram intelectuais como quase todos na Inglaterra (e, por isso, os americanos tinham uma perspectiva menos ideologizada de seu trabalho). Além disso, sempre houve um consenso muito maior da opinião pública americana em torno de alguns princípios políticos essenciais do que na Inglaterra, o que resultou também em partidos políticos muito

---

[3] Michael Schudson, *Discovering the News* (New York: Basic Books, 1978). p. 6.

menos antagônicos doutrinariamente – Democrata e Republicano – do que os ingleses – Trabalhista e Conservador.

O traço mais decisivo, no entanto, foi o fato de se ter criado rapidamente nos Estados Unidos um amplo mercado consumidor relativamente democrático de produtos e serviços, composto por pessoas que tinham tempo, dinheiro e cultura para pagar por um bem (a notícia) que lhe era trazido por um veículo (um jornal ou uma revista, inicialmente), o qual podia vender o seu público (os leitores) a anunciantes interessados em aumentar a venda de seus próprios produtos (roupas, comida, sabonete, etc.).

Na segunda metade do século XIX, o número de títulos e de exemplares de jornais nos Estados Unidos já era muitas vezes superior ao que haveria no Brasil no final do século XX, pelo simples fato de que a audiência com condições de pagar por jornais e os bens neles anunciados era muitas vezes superior à brasileira. Havia nos Estados Unidos de 150 anos atrás uma "sociedade de mercado democrática" que só começa a timidamente se esboçar no Brasil neste século XXI.

Os "jornais de notícias" e os valores políticos e sociais a eles associados foram o resultado desse processo na área da indústria da comunicação social nos Estados Unidos. Eles foram importados pelo Brasil quando a sociedade brasileira não tinha as características da americana naquele período. Isso fez com que viessem a adquirir contornos diversos e próprios – nem melhores nem piores – se comparados àqueles que lhes serviram de modelo.

O jornalismo no Brasil sempre foi uma atividade que se dirigiu às elites, já que a maioria da população era analfabeta até poucas décadas atrás e a tradição de oralidade imperou também até há pouco tempo. A pobreza material continua a ser dominante para uma enorme parcela dos brasileiros, e o rádio e a TV se disseminaram antes que o hábito da leitura de jornais se estabelecesse entre a maior parte das pessoas, fazendo do Brasil ainda um dos poucos países do mundo em que os jornais de maior circulação são os "de prestígio", não os "populares".

Somente no século XXI, jornais com as mesmas características dos "tabloides" da imprensa americana como ênfase em notícias sobre crimes, personalidades e sexo, começaram a fazer sucesso comercialmente, como clara decorrência da ascensão econômica de setores de baixa renda da população, que finalmente passaram a ter dinheiro para gastar com notícias e os produtos anunciados nos meios de comunicação impressos. Aliás, o crescimento desses títulos "populares" é uma das razões principais pelas quais o setor de veículos impressos no Brasil não apresenta, como nos Estados Unidos, declínio total de circulação.

O curioso é que, apesar dessas diferenças estruturais básicas entre as duas sociedades, jornais e revistas brasileiras adotaram princípios filosóficos, estilísticos e técnicos próprios dos Estados Unidos, o que levou a alterações radicais da maneira como veículos jornalísticos chegam ao público e como os jornalistas se comportam no desempenho de suas atividades.

A influência americana é muito mais rápida atualmente do que em qualquer outro momento da história – hoje se pode ter acesso instantâneo a praticamente tudo que é feito no mundo. Mas essa influência é antiga: vem provavelmente desde Hipólito da Costa Pereira, o patrono do jornalismo brasileiro, fundador do *Correio Braziliense*. Ele viveu alguns anos nos Estados Unidos e, embora viesse a fazer um jornal claramente partidário e opinativo, como pregava a tradição da Inglaterra – onde se estabeleceu e de onde mandava o *Correio* para o Brasil –, tinha especial apreço pela precisão das informações que registrava, não apenas no jornal como até em seu próprio diário, à maneira como – ao menos em princípio – o jornalismo americano viria a adotar como norma.

Gilberto Freyre, Herbert Moses, Edgard Leuenroth, Nestor Rangel Pestana, Alceu Amoroso Lima, Monteiro Lobato, Antônio Torres, Agripino Grieco e Carlos Alberto Nóbrega da Cunha foram alguns dos agentes precursores da influência americana sobre o jornalismo brasileiro na primeira metade do século XX.

A partir da Segunda Guerra Mundial, com o esforço do "imperialismo sedutor" (para usar o conceito consagrado e genial de Antonio Pedro Tota) dos Estados Unidos de Roosevelt sobre o Brasil, vários jornalistas brasileiros influentes passaram temporadas mais longas nos Estados Unidos e de lá voltaram dispostos a fazer mudanças articuladas nos veículos em que trabalhavam para assemelhá-los aos que viram nas cidades americanas em que ficaram. Entre eles, Pompeu de Souza, Alberto Dines, Samuel Wainer e Mauro Laria de Almeida.

Como tentei mostrar em *O adiantado da hora*,[4] o jornalismo impresso no Brasil, nas sete décadas em que a influência americana foi decisiva, não se tornou um pastiche do jornalismo dos Estados Unidos. Nunca ocorreu – e certamente não ocorrerá no futuro – reprodução mecânica ou idêntica de valores, sistemas, estilos e técnicas; ninguém de bom senso jamais tentou fazer isso.

Jornalistas brasileiros podem em diversas situações ter assumido alguns pressupostos de seus colegas americanos como os melhores e tentado seguir muitos de seus exemplos. Alguns podem até tê-los copiado acriticamente, mas quase todos sempre tiveram consciência

---

[4] Carlos Eduardo Lins da Silva, *O adiantado da hora: a influência americana sobre o jornalismo brasileiro*, cit.

de que era necessário adaptá-los às suas próprias condições, características e conveniências, assim como sabiam que algo muito diverso do original resultaria desse processo, como de fato resultou.

As mudanças decorrentes da globalização da economia e da digitalização da cultura, ocorridas com maior intensidade na década de 1990, tornaram ainda mais complexo esse processo de mútua influência na produção cultural em todas as suas facetas, inclusive a jornalística. Ficará a cada dia mais difícil identificar quais aspectos de qualquer determinado bem simbólico podem ter sido inspirados por algum modelo nacional específico. Cada vez mais a origem da influência é uma mistura de diversas fontes e o amálgama cultural composto por elementos diversos. Isso vale para diversos campos, assim como para o jornalismo.

É claro que a importância dos Estados Unidos para o Brasil nas diversas áreas da cultura continuará sendo grande enquanto forem importantes e intensas as relações entre pessoas dos dois países. E elas só têm crescido no século XXI – após uma breve retração depois do 11 de setembro de 2001 –, inclusive como decorrência do crescimento da economia brasileira e do declínio da americana: o número de turistas brasileiros nos Estados Unidos e de estudantes do Brasil em escolas americanas de ensino médio e superior tem aumentado a cada ano.

Ainda assim, ficará mais complicado analisar influências culturais porque a própria cultura nacional americana passa por transformações radicais com as mudanças demográficas que ali ocorrem. As previsões são de que em 2050 a população de origem hispânica no país será 29% do total (comparado com 14% em 2005) e brancos serão minoria (47%).

Provavelmente não fará mais sentido então o tipo de abordagem que orientou as premissas conceituais essenciais do estudo que realizei 25 anos atrás, resultado da comparação de modos e princípios da maneira de pensar ibero-americana em contraste com a anglo-saxônica a partir das conclusões do grande historiador americano e estudioso do Brasil, Richard Morse.[5] O jornalismo americano, em meados deste século, seguramente será algo muito diverso do que era na segunda metade do século XX. A tradição cultural de hispânicos, asiáticos e seus descendentes nos Estados Unidos e o intercâmbio que o jornalismo americano mantém com o que se faz em outros países, notadamente na Escandinávia e na Europa Ocidental, somados às alterações na vida política e institucional e nos padrões socioeconômicos que ocorrem e continuarão a ocorrer no país vão provocar tantas mudanças no jornalismo nos Estados Unidos que talvez venha a ser difícil considerá-lo o mesmo que existe atualmente.

Assim, o tema da influência do modelo americano de jornalismo sobre o brasileiro talvez venha a se tornar obsoleto e irrelevante.

---

5 Richard Morse, *O espelho de Próspero: cultura e ideia nas Américas* (São Paulo: Companhia Das Letras, 1995).

Heranças compartilhadas e diferenças culturais

Jeffrey Lesser*

Cheguei ao Bom Retiro pela primeira vez há mais de 25 anos, e de muitas maneiras esse bairro me ajudou a entender o Brasil. O Bom Retiro e muitos outros espaços como ele – a Liberdade, a 25 de Março e o Brás em São Paulo; o Bom Fim em Porto Alegre; o Saara e a Praça Onze no Rio de Janeiro – são familiares para quem foi criado nos Estados Unidos. São áreas consideradas espaços "de imigrantes" por gerações, ainda que a maioria de seus residentes sempre tenha sido brasileira nativa. Tais zonas são chamadas de "bairro coreano", "bairro judeu" ou "bairro italiano", mas os membros desses grupos nunca foram maioria entre os residentes. Áreas residenciais e comerciais como essas são muitas vezes alvo de inveja, pois seus supostos habitantes são vistos como esforçados e em ascensão, o que costuma provocar nos outros ansiedade.

Uma das minhas atividades favoritas é levar pessoas para passear a pé pelo Bom Retiro. Partimos da Estação da Luz e vamos até o antigo quartel-general do Deops, perto dali. Hoje, a história de repressão desse prédio é disfarçada pela arte da Estação Pinacoteca e revelada nas antigas celas de prisão que compõem o Memorial da Resistência. Perambulamos até o Jardim da Luz e discutimos como esse parque se transformou de lugar de lazer no começo do século XX em lugar

* Jeffrey Lesser é um historiador residente nos EUA, professor titular da cadeira de Samuel Candler Dobbs no Departamento de História da Universidade Emory. Antes disso, foi Professor Distinto Winship de Ciências Humanas. Ele é autor de três livros sobre etnicidade, imigração e identidade nacional no Brasil.

de medo na década de 1990 e, mais recentemente, novamente em espaço de lazer. Vemos crianças brincando e pessoas mais velhas conversando. Muitas vezes, ouvimos música sertaneja. Descemos a rua José Paulino e passamos da quietude do Jardim da Luz para o burburinho de ruas cheias de camelôs e moradores.

Quando levo brasileiros nesses passeios, eles costumam ficar chocados – ouviram dizer que o Bom Retiro é assustador, perigoso, que é impossível passear ali; ouviram dizer que é uma parte estrangeira da cidade, mas ao final da excursão estão maravilhados pela brasilidade frequentemente familiar do Bom Retiro. Os estadunidenses, em geral, têm uma reação diferente. Desde o momento em que entram no bairro, reconhecem o Bom Retiro e dizem coisas como "parece o Lower East Side de Nova York", "Koreatown, em Los Angeles, é igualzinha" ou ainda "isto me lembra a Buford Highway, em Atlanta". Quem vem dos Estados Unidos não fica surpreso com o Bom Retiro, mas muitas vezes se pergunta por que tão poucos brasileiros já o visitaram.

As reações variadas aos passeios no Bom Retiro ilustra uma variação fundamental no entendimento da imigração para os Estados Unidos e para o Brasil, tanto historicamente quanto no presente. Embora os dois países sejam descritos com frequência como "nações de imigrantes", as diferenças são significativas. Nos Estados Unidos, o mito da "terra prometida" sugere que os estrangeiros melhoram quando chegam porque a nação é intrinsecamente ótima. No Brasil, no entanto, muitos intelectuais, políticos e líderes culturais e econômicos viam (e veem) os imigrantes como pessoas que melhoram uma nação imperfeita, corrompida por seu histórico de colonialismo português e escravidão africana. Como resultado, os imigrantes no Brasil são, muitas vezes, saudados como salvadores, porque modificaram e melhoraram o país, e não o contrário.

A maioria dos estadunidenses e brasileiros entende a imigração de maneira elástica, desafiando aqueles que sugerem que a definição exclusiva de um imigrante é a de um indivíduo que se transfere voluntariamente de uma nação para outra. No Brasil, indivíduos apresentam-se e são rotulados como imigrantes de formas situacionais, algo que não é tão comum nos Estados Unidos, onde o *status* de imigrante em geral desaparece depois de uma geração. No Brasil, no entanto, a categoria de "imigrante" muitas vezes é ancestral ou herdada e pode permanecer mesmo entre aqueles que nasceram no país: categorias hifenizadas (como nipo-brasileiro ou ítalo-brasileiro) são raras. Em vez disso, os brasileiros enfatizam o local da origem ancestral, chamando e sendo chamados de japoneses ou de italianos. O anúncio de uma novela de sucesso da Rede Bandeirantes, *Os imigrantes*, de 1981, passa essa ideia de uma maneira que não encontraria paralelo nos Estados Unidos: "Portugueses, japoneses, espanhóis, italianos, árabes – não perca a novela mais brasileira da televisão".

Identidade nacional

Os imigrantes e a imigração, tanto nos Estados Unidos quanto no Brasil, incluem o assentamento de estrangeiros e a crença de que seus descendentes têm um impacto sobre a identidade nacional. A *ideia* da imigração, assim, ajudou as elites a verem um futuro diferente e melhor do que seu presente. Não admira que muitos imigrantes e seus descendentes em geral concordassem com as elites. Mais revelador é o fato de que as não-elites muitas vezes também assumiam a mesma posição, mesmo quando não tinham contato direto com os imigrantes ou seus descendentes. No entanto, as reações nos dois países diferem entre si. Quando os moradores dos Estados Unidos dizem que vivem numa "união perfeita", estão sugerindo que os imigrantes têm o potencial de arruiná-la. Quando os brasileiros alegam, por outro lado, que moram no "país do futuro", estão sugerindo que a sua identidade nacional mudará para melhor.

Duas propagandas ilustram esse fenômeno. A primeira é um anúncio da fabricante brasileira de eletrodomésticos Brastemp, produzida em 2008, que promove um sentimento nacionalista ("compre produtos brasileiros") a partir da ideia de que nada é mais brasileiro do que "um árabe casado com uma japonesa". O que torna esta imagem particularmente interessante é que a japonesa veste o que parece ser um cheongsam chinês, enquanto o árabe aparenta estar vestindo uma guayabera, camisa comumente usada no Caribe e na América Central. A propaganda nos sugere que a "estrangeiridade" é um traço nacional brasileiro.

Uma abordagem muito diferente encontramos na segunda propaganda, que revela a hifenização e o desaparecimento do status de imigrante dos Estados Unidos. A fotografia mostra o interior de uma bodega e taqueria mexicana na cidade de Nova York. Chama a nossa atenção a bandeira dos Estados Unidos colada na vitrine que abriga o refrigerante Jarritos, fabricado no México e que se tornou um símbolo da cultura latina nos Estados Unidos. A mensagem é que o *status* de imigrante desapareceu diante da identidade nacional multicultural dos Estados Unidos. As duas imagens, então, apresentam um argumento crítico para o entendimento da imigração contemporânea.

Bodega e taqueria mexicana em Nova York. Galperina, Marina; Quigley, Jane-Claire, "Five Things: Tehuitzingo Deli Grocery", in Animal Network. Acesso: 01-08-2012. Fonte: http://www.animalnewyork.com/2012/five-things-tehuitzingo-deli-grocery.

No Brasil, ser "imigrante" é uma condição permanente, não necessariamente vinculada ao local de nascimento, enquanto o contrário é amplamente verdade nos Estados Unidos. Diferentemente, alguém nascido no Brasil pode ser considerado um "imigrante", enquanto alguém nascido nos Estados Unidos não o será.

Essas diferenças culturais fundamentais sobre o lugar dos imigrantes significam que a frase usada recentemente pelo secretário nacional de Justiça, Paulo Abrão, e pelo presidente dos Estados Unidos, Barack Obama, de que ambos viviam "num país de imigrantes", aponta para algo diferente em cada um dos dois países. Esses entendimentos divergentes ficaram claros para mim alguns anos atrás justamente no Bom Retiro, quando fui almoçar no Malcha's, uma lanchonete especializada em faláfel pertencente a uma mulher que dizem ter saído do Iêmen para se estabelecer primeiro em Israel e depois no Brasil. Embora o pequeno restaurante pareça representar a herança "judaica" do bairro, um olhar mais cuidadoso nos conta uma história mais ampla. O cardápio é escrito em português, hebraico e coreano, para sua clientela multilinguística.

Naquele dia, quando fui almoçar, o Malcha's estava fechado. Por isso, entrei num pequeno restaurante coreano ao lado. O homem na porta insistiu que eu não iria gostar da comida. Quando me recusei a aceitar não como resposta (eu estava com muita fome!), fui informado num português enrolado que eles só tinham cardápios em coreano. Como eu sabia o nome coreano do prato que queria comer e conseguia reconhecer os caracteres coreanos no cardápio, fui levado a uma mesa. Depois de uma refeição deliciosa, o garçom veio falar comigo e disse que eu era o primeiro "brasileiro" a comer ali. "Eu não sou brasileiro", falei, "eu vim dos Estados Unidos". Houve uma mudança instantânea de idioma, e o garçom disse, em inglês sem sotaque: "Cara, acabei de me mudar da Califórnia pra cá". Depois de concluir sua graduação na Universidade da Califórnia (Los Angeles), ele fora enviado a São Paulo para ajudar com um negócio da família e estava morando com primos cujos filhos aprendiam hebraico numa escola judaica do bairro. Agora ele estava tentando entender por que todos o chamavam de "japonês".

Essa perspectiva comparativa da imigração para o Brasil e para os Estados Unidos é crucial quando pensamos nos desafios históricos e contemporâneos. Em meados do século XIX, as Américas do Norte e do Sul haviam se tornado destinos de imigrantes, onde Estados Unidos, Canadá, Argentina e Brasil recebiam o maior número deles. Entre 1870 e 1930, algo entre 2 e 3 milhões de imigrantes vieram para o Brasil, enquanto os Estados Unidos acomodaram mais de 20 milhões. Mas os números absolutos das chegadas não são a única estatística importante. A presença e as atitudes de pessoas escravizadas foram de igual importância às de pessoas livres na criação da identidade nacional dessas duas nações multiculturais formadas nas costas de escravos africanos e de seus descendentes. Nos dois países, elites nacionais acreditavam que os imigrantes iriam "clarear" a população e criar novas formas de crescimento econômico, que muitas vezes privavam mais os não brancos, mesmo após a abolição. Ambos os países são hoje ímãs de imigrantes de todo o mundo.

Embora a maioria dos imigrantes livres que vieram para as Américas seja proveniente da Europa, um número significativo chegou de outras partes do mundo. As origens múltiplas nos lembram que recém-chegados da Ásia, do Oriente Médio e mesmo da Europa – e mais recentemente da América Central, dos Andes e da África – tiveram papéis cruciais na formação da identidade nacional. Os padrões históricos similares de imigração criados no contexto da escravidão começaram com imigrantes da Europa Central, que chegaram nos primeiros anos do século XIX. Eles foram seguidos por um grande número de europeus do Sul, especialmente italianos, e os dois países tiveram numerosas décadas de intensa imigração asiática. Os imigrantes, no entanto, não eram escravos, mesmo sendo frequentemente maltratados. Muitos imigrantes se diferenciavam, em geral agressivamente, de escravos ou descendentes livres de africanos. Essa diferenciação era contínua e dinâmica: enquanto alguns imigrantes "tornavam-se brancos" por se distanciarem dos negros e dos indígenas, outros seguiam uma direção diferente, casando-se com um não branco ou não cumprindo certas expectativas sociais e ocupacionais. Aqueles que não preenchiam a condição de branco por meio da autossegregação muitas vezes perdiam as vantagens de ser um "imigrante". As novas identidades étnicas que emergiam entre os descendentes de imigrantes nas Américas, portanto, devem ser entendidas em relação a atitudes mais amplas do que a separação racial, social e política dos descendentes de africanos.

Há também diferenças importantes entre os dois países. O histórico de trezentos anos do Brasil como colônia de Portugal (de 1500 a 1822) habitada sobretudo por escravos africanos dá inflexões únicas a tudo, do idioma à comida. Os Estados Unidos foram colônia por um período de tempo relativamente curto, e a "americanidade" é muito mais ambígua que a "brasilidade". O Brasil tem um claro "mito das três raças", no qual africanos, índigenas e europeus supostamente se fundiram para formar uma "raça" brasileira única e peculiar, enquanto os Estados Unidos muitas vezes experimentam idas e vindas entre a preponderância branca e o pluralismo cultural.

Essas diferenças estão resumidas nas ilustrações da página seguinte. Na primeira, a nação americana abrange os imigrantes, enquanto na segunda, de um selo brasileiro, os imigrantes criam a nação. Essa posição foi sintetizada para mim numa entrevista com o político

Uma imagem da seção sobre imigração do site *Teach the Children Well*. Fonte: http://www.teachthechildrenwell.com/social.html#imm. Acesso: 01-08-2012.

"Correntes Migratórias". Selo de 1974 comemorando a imigração para o Brasil.

William Woo, que me disse em 2001: "Minha mãe é japonesa, meu pai é chinês e minha esposa é coreana. Eu sou o melhor brasileiro de todos".

As representações de etnicidade e de nação também são diferentes nos dois países. Por exemplo, a "comida chinesa" (na verdade um híbrido sino-americano inexistente na China) tornou-se comum nos Estados Unidos, mas ainda é com frequência imaginada como "estrangeira". Essa ideia fica clara no cartaz ao lado, divulgando um ritual religioso entre judeus dos Estados Unidos que incluía comida chinesa. A frase "Shabbat na China" deixa claro que os judeus são estadunidenses e, comendo comida chinesa, estão metaforicamente indo para outro país (a China) enquanto mantêm sua identidade nacional (americana).

Compare as imagens de "Shabbat na China" com outro cartaz promovendo um evento judaico usando comida. Esse é do Brasil, e aqui a mensagem é diferente: a condição de estrangeiro faz parte da brasilidade, não está separada dela. De fato, o cartaz expressa três

Anúncio usado por uma sinagoga ortodoxa no Estado da Pensilvânia, EUA.

Anúncio usado por uma sinagoga ortodoxa no Rio de Janeiro, Brasil.

ideias brasileiras normativas sobre a relação da identidade nacional com a comida, todas ligadas a grupos de imigrantes; o ritual judeu, a "maior festa de sushi da cidade" e os "cachorros-quentes", que, naturalmente, foram trazidos da Europa.

Padrões de imigração

As semelhanças e diferenças históricas entre os Estados Unidos e o Brasil durante o período que antecedeu a Segunda Guerra Mundial tiveram influência, como era de se esperar, nos padrões de imigração do pós-guerra. A continuidade comparativa mais marcante é a quantidade; nas décadas seguintes a 1945, os Estados Unidos continuaram a receber muito mais imigrantes do que o Brasil. No entanto, essa semelhança ampla deve ser inserida no contexto ulterior da expansão do ingresso nos Estados Unidos e da diminuição do ingresso no Brasil no pós-guerra, aumentando mais ainda a diferença entre os números.

Um exemplo contrário revelador e impactante surge quando observamos a imigração japonesa para os dois países. No Brasil, houve um ingresso significativo de imigrantes originários de Okinawa depois da guerra, em grande parte porque a ocupação militar estadunidense direta daquelas ilhas (que continuaria até 1972) criou intensos deslocamentos e pressão emigratória. Os Estados Unidos, no entanto, proibiram a imigração japonesa no pós-guerra, e a Lei de Imigração e Nacionalidade de 1952 (também conhecida como Lei McCarran-Walter) excluía a maioria dos imigrantes dos antigos países do Eixo. Em decorrência disso, a já grande população brasileira de origem japonesa aumentou notavelmente, enquanto nos Estados Unidos ela permaneceu estática.

Esse exemplo em particular envolve mais do que números. Por causa da proibição estadunidense do ingresso de japoneses e da aceitação brasileira de okinawanos depois de 1945, o Brasil se tornou um dos centros da diáspora okinawana.

Nos Estados Unidos, ser okinawano costuma estar ligado a antepassados havaianos e muitas vezes enfoca padrões de comida e de casamento. Já no Brasil, a "okinawanidade" é muito mais abrasileirada, e vice-versa. Muitos políticos "japoneses" no Brasil são de origem okinawana e têm uma visão fascinante sobre seu sucesso, muitas vezes propondo que a Okinawa histórica era uma espécie de Brasil ao invocar sua localização tropical e sua cultura social, que envolvia comer e tomar uma bebida alcoólica chamada *awamori*, muito comparada com a cachaça. Esses políticos brasileiros, assim, alegam que suas raízes okinawanas os tornam brasileiros particularmente bons. De fato, a niponização do Brasil e o abrasileiramento dos japoneses tornaram-se tropos públicos importantes, algo não visto nos Estados Unidos. Anunciantes usam frequentemente frases como "nossos japoneses são melhores que os outros" ou "precisamos de mais brasileiros como esse japonês", refletindo tanto o desejo de imigrantes quanto a ideia de que os japoneses são, de alguma forma, os melhores imigrantes.

A mais famosa dessas propagandas é a da Semp Toshiba, cujo slogan diz: "Os nossos japoneses são mais criativos que os japoneses dos outros"[1]. O anúncio foi criado pela agência Talent em 1992 e é um dos mais comentados na propaganda brasileira. A linguagem reflete a complexa relação entre o Brasil e o Japão, ligada à identidade nacional de um milhão de cidadãos brasileiros de ascendência japonesa.

O lugar de destaque dos imigrantes japoneses e de seus descendentes no Brasil e dos imigrantes chineses e de seus descendentes nos Estados Unidos causam impacto em imigrantes asiáticos mais recentes que se estabelecem nos dois países. Nos Estados Unidos, presume-se muitas vezes que imigrantes do Leste da Ásia sejam chineses, que assim se encaixam numa herança de discriminação, o que inclui a Lei de Exclusão Chinesa de 1882, proibição da entrada de chineses que emergiu da combinação de temor salarial e racismo, especialmente entre os trabalhadores brancos da Califórnia. No Brasil, todos os imigrantes asiáticos são vistos como japoneses e assim se encaixam na esfera pública dentro de uma categoria de imigrantes excelentes.

A recente entrada e o estabelecimento de imigrantes coreanos e chineses no Brasil e nos Estados Unidos são reveladores. Nos dois

[1] Os editores não receberam autorização para a publicação da imagem da agência Talent. No entanto, os leitores podem encontrá-la, assim como uma análise mais profunda, em Jeffrey Lesser, *Uma diápora descontente: os nipo-brasileiros e os signficados da militância étnica, 1960-1980* (São Paulo: Editora Paz e Terra, 2008), pp. 20-21.

países, imigrantes coreanos frequentemente chegam com alguma educação universitária e têm subsídios do governo coreano para sua saída do país. Muitos coreanos são profundamente devotos à fé e aos ritos de filiação cristã protestante, tanto como orientação religiosa quanto como exercício de construção de uma comunidade. Os ritos são muitas vezes ministrados tanto em coreano (como um esforço de manutenção) quanto em português e inglês (como um esforço de aculturação). Imigrantes coreanos nos Estados Unidos e no Brasil costumam ingressar na classe média rapidamente, na maioria dos casos porque chegam com algum capital disponível para investir. Não foi assim com muitos imigrantes chineses que foram para os Estados Unidos depois da Segunda Guerra Mundial e mais recentemente começaram a migrar para o Brasil em grande número. Nos dois países, imigrantes chineses costumam morar em grandes cidades, onde trabalham em indústrias de artigos baratos (confecções, por exemplo) como produtores, revendedores, ou as duas coisas. Outros se concentram no varejo e atacado de produtos importados baratos, como brinquedos, materiais de escritório, relógios de pulso e artigos eletrônicos. Embora muitos entrem em ambos os países sem documentação, os programas frequentes de anistia do Brasil não encontram paralelo nos Estados Unidos.

Apesar das diferenças de classe, os imigrantes asiáticos nos dois países têm em geral ambições educacionais elevadas para seus filhos, que frequentam cada vez mais escolas em bairros de classe média baixa. Esse crescimento da população asiática e descendente tem reflexos interessantes no censo. Nos Estados Unidos, o recenseamento é feito por raça e etnicidade, e a população de asiáticos e descendentes está crescendo (como a de todos aqueles que se definem "não brancos"). O censo brasileiro de 2010, que usa um método de recenseamento por cor, mostrou 1 milhão a mais de pessoas declarando sua raça como "amarela" do que o censo de 2000. Alguns explicaram o aumento pela imigração, mas outros sugeriram que os brasileiros estão cada vez mais se definindo "amarelos" como uma afirmação cultural, e não de herança.

Tanto nos Estados Unidos quanto no Brasil, novos imigrantes, independentemente do lugar de origem, muitas vezes moram em bairros que abrigam imigrantes há muitas décadas. Muitas lojas dos antigos bairros "árabes" de São Paulo, Rio de Janeiro e Porto Alegre agora são de imigrantes chineses. Isso reproduz um fenômeno dos Estados Unidos no qual bairros imigrantes assim se mantêm por longos períodos de tempo, até quando os próprios grupos que os ocupam se mudam. O exemplo mais conhecido é apenas um entre muitos: o East Side de Nova York passou ao longo das décadas de concentração de italianos para judeus europeus, depois chineses e mais recentemente vietnamitas. A constância dos imigrantes ocupando os mesmos espaços residenciais e comerciais faz sentido nos Estados Unidos pelo mesmo motivo que no Brasil. Os bairros tendem a ser de baixo custo e ter prédios que são tanto residenciais quanto comerciais.

Boa parte do comércio nos bairros de imigrantes é de caráter alimentar e, como resultado, as Américas muitas vezes levam novas abordagens culinárias a um público mais amplo.

Nos Estados Unidos, a cozinha "típica" americana inclui *taco* (da América Central), *lo mein* (da China) e *blintz* (da Europa Oriental). No Brasil, muitas das lanchonetes nos centros urbanos e ao redor de terminais de ônibus servem esfirras "árabes", *yakisoba* "japonês" e sopa *wonton* "chinesa" junto com a arquetípica feijoada brasileira, que, naturalmente, tem raízes africanas.

Emigração

Uma das principais diferenças contemporâneas entre os dois países envolve a emigração. Os Estados Unidos têm uma emigração muito pequena de cidadãos, embora, à medida que a economia começou a piorar com George W. Bush na presidência, muitos imigrantes decidiram não ficar. Isso se nota mais entre aqueles do México e da América Central, cujos índices de entrada e saída atualmente se equivalem.

A falta de emigração dos Estados Unidos não tem equivalente no Brasil, que nos últimos trinta anos se tornou um importante país de envio. Mesmo com a melhora na economia, no início do século XXI, muitos brasileiros continuam a se mudar para o exterior. A maioria dos brasileiros que emigra trabalha em funções subalternas, embora um porcentual significativo deles seja capacitado e com educação superior. Em 2010, o Ministério da Justiça do Brasil estimava que 4 milhões de brasileiros vivessem no exterior, com grandes grupos nos Estados Unidos, Paraguai, Japão, Reino Unido, Portugal, Itália, Suíça e Angola. O número de emigrantes brasileiros desde o ano 2000 foi em média de 100 mil por ano, com cerca de 50% oriundos dos Estados de Minas Gerais, Paraná, São Paulo e Goiás.

A emigração do Brasil é o resultado de uma confluência de fatores. Obviamente, começa com o salário e o desejo de ascensão econômica e social, fatores que motivavam tantos a imigrarem para as Américas antes da Segunda Guerra Mundial. As remessas do exterior, portanto, têm um papel importante na economia brasileira – em 2002, por exemplo, 4,6 bilhões de dólares foram enviados ao Brasil por cidadãos residentes no exterior, representando 1% do produto interno bruto do Brasil.

Outro fator foi que a economia de Portugal cresceu com sua entrada no Mercado Comum Europeu em 1986. Um resultado do tradicional livre fluxo entre esse país e sua ex-colônia é uma grande população de brasileiros em Portugal, uma inversão da antiga grande população de portugueses no Brasil. Além disso, tornou-se relativamente fácil para os filhos ou netos de imigrantes a obtenção de um segundo passaporte em alguns países europeus. Como resultado, os emigrantes brasileiros muitas vezes são os descendentes de imigrantes para o Brasil, fato atestado pelas filas na porta dos consulados italianos, cheias de brasileiros ansiosos para se tornarem cidadãos da União Europeia.

A emigração brasileira para os Estados Unidos é particularmente grande, embora os números nem sempre sejam claros. No ano 2000, o Ministério das Relações Exteriores do Brasil estimava que houvesse quase 800 mil brasileiros nos Estados Unidos, enquanto o censo americano daquele ano apresentava o seu número em 212.430. A população em 2008, de acordo com a Agência do Censo dos Estados Unidos, era de 351.914 brasileiros, embora outras estimativas pusessem a população mais perto de 1 milhão.

Os brasileiros são imigrantes latino-americanos incomuns, devido ao seu alto nível educacional, que em geral inclui o diploma do ensino médio. Em outros aspectos, são típicos, migrando ponto a ponto, de uma cidade específica no Brasil para outra nos Estados

Brazil Barber Shop (Barbearia Brazil), de chineses que migraram para o Brasil e depois para os Estados Unidos, Nova York, 2012. Fotografia de Aron Shavitt Lesser, usada com permissão do autor.

Unidos. Assim, a região de Boston tem um número muito grande de imigrantes de Minas Gerais, geralmente da área de Governador Valadares, onde várias empresas da Nova Inglaterra exploravam pedras semipreciosas na década de 1950. Em Atlanta, a maioria dos imigrantes brasileiros é do Estado de Goiás e chega por intermédio de igrejas.

Outro foco da emigração brasileira é o Japão, onde o fenômeno decasségui (palavra de origem japonesa que significa "trabalhando longe de casa" e passou a definir os descendentes de japoneses e suas famílias que migraram para o Japão) começou a ganhar força em 1990. A população brasileira no Japão passa de um quarto de milhão, e essa migração não foi muito diferente daquela da Europa para o Brasil um século antes. Bancos brasileiros abriram agências para facilitar remessas. O Banco Itaú, por exemplo, incentiva que nikkeis no Brasil recebam, pelo banco, remessas de parentes emigrados no Japão. Em 2006, o banco afixou grandes outdoors em prédios no bairro da Liberdade, em São Paulo, mostrando um par de mãos convertendo ienes em dólares, como que num passe de mágica.[2] Em 2013, o mesmo banco disponibilizou imagens em seu site dedicado aos japoneses no Brasil (http://www.itau.co.jp/), mostrando o que parecem ser dólares dos Estados Unidos que voam pelo oceano, do Japão para o Brasil. Devido aos interesses comerciais, não é uma surpresa que os corretores de emigração vendam constantemente uma visão do Japão exageradamente positiva. Ao chegarem ao Japão, no entanto, muitos imigrantes brasileiros se sentiam maltratados tanto nos espaços de trabalho quanto nos sociais. Os filhos e netos de

---

[2] Os editores não receberam permissão para a publicação desta imagem, porém os leitores podem encontrá-la, assim como uma análise mais profunda, em Jeffrey Lesser, *Immigration, Ethnicity and National Identity in Brazil* (São Paulo and New York: Cambridge University Press, 2013), p. 194.

imigrantes japoneses ficavam surpresos ao descobrir que se esperava que eles agissem como "japoneses", mesmo sendo brasileiros.

Conclusão

Uma das mais importantes heranças compartilhadas entre Estados Unidos e Brasil é o movimento de pessoas. Comparar os dois países nos lembra que tudo, da etnicidade à imaginação e a ligação entre identidade pessoal e cidadania nacional, está em jogo quando a pessoa decide migrar. Embora muitos imigrantes acreditassem (e acreditem) que estavam migrando para os Estados Unidos e o Brasil temporariamente, a fim de acumular riquezas e voltar para casa, com o tempo eles estabeleceram novas vidas, formaram famílias e permaneceram. Em muitos casos, passaram a ver sua antiga terra natal como estrangeira e sentir-se à vontade na nova pátria. Os nativos também são modificados pela imigração. Nos Estados Unidos, o Cinco de Maio e o Dia de São Patrício são festas estadunidenses, enquanto um ditado comum diz que um paulistano típico é "um japonês que fala português com sotaque italiano enquanto come uma esfirra". Ainda assim, racismo e discriminação existem nos dois países, junto com a crença de que os imigrantes estão ajudando a criar um país melhor.

Hoje em dia, residentes nascidos no exterior continuam sendo um componente importante das duas populações. Nos Estados Unidos, mais de 10% da população nasceu no exterior. No Brasil, de acordo com o Ministério da Justiça, existe quase 1 milhão de residentes estrangeiros legais. Nos dois países, há um grande número de pessoas sem documentação formal, mas os movimentos para deportar imigrantes são característicos dos Estados Unidos, enquanto o Brasil é conhecido por seus programas regulares de anistia. As últimas três anistias no Brasil regularizaram a situação de mais de 100 mil residentes estrangeiros, dos quais mais de 40 mil vêm da Bolívia e quase 25 mil da China. Outros grupos significativos representados vêm do Líbano, Coreia do Sul e Peru.

Existem muitas diferenças nas tendências atuais de entrada nos dois países. No Brasil, o maior número de imigrantes continua sendo de grupos tradicionais – portugueses (270 mil), japoneses (92 mil), italianos (69 mil), espanhóis (58 mil) e alemães (28 mil) – enquanto novos grupos de imigrantes são representados pelos argentinos (39 mil), bolivianos (33 mil), uruguaios (28 mil), americanos (28 mil), chineses (27 mil), coreanos (16 mil), franceses (16 mil), libaneses (13 mil) e peruanos (10 mil).[3] Paraguaios estão chegando em número crescente, assim como angolanos – que começaram a imigrar quando seu país se tornou independente de Portugal em 1975 – e nigerianos – que fazem parte de uma diáspora crescente encontrada por todas as Américas.

Nos Estados Unidos, as populações são de origens diferentes. Imigrantes nascidos no México totalizam cerca de 30% de todos os residentes estrangeiros nos Estados Unidos, seguidos por filipinos, indianos e chineses. Outros grandes grupos vêm do Vietnã (3%), El Salvador (3%), Coreia do Sul (2,6%), Cuba (2,6%), Canadá (2,1%) e República Dominicana (2,1%). Esses números representam uma mudança em relação ao período anterior a 1960, quando imigrantes vinham mais provavelmente de países europeus, notadamente Itália e Alemanha.

---

[3] Brasil, Ministério da Justiça, "Anistia a estrangeiros irregulares atende expectativa do governo", 07-01-2010, disponível em: http://portal.mj.gov.br/data/Pages/MJA5F550A5ITEMIDBA915BD3AC384F6C81A1AC4AF88BE2D0PTBRNN.htm. Acesso: 20-11-2012.

No fim das contas, a imigração nos ensina sobre as heranças compartilhadas e diferentes. Ela nos lembra que todos os países do Novo Mundo trouxeram imigrantes como parte do fim da escravidão e, como resultado, os recém-chegados viveram dentro de contextos culturais mais amplos, não totalmente criados por eles. Hoje, o Brasil e os Estados Unidos continuam a receber imigrantes, e o fluxo entre os países, tanto temporário quanto permanente, está aumentando. Os brasileiro-americanos são um grupo étnico discernível nos Estados Unidos. Talvez os americano-brasileiros também se tornem um grupo étnico no Brasil.

FOTOS CONTEMPORÂNEAS
CONTEMPORARY PICTURES

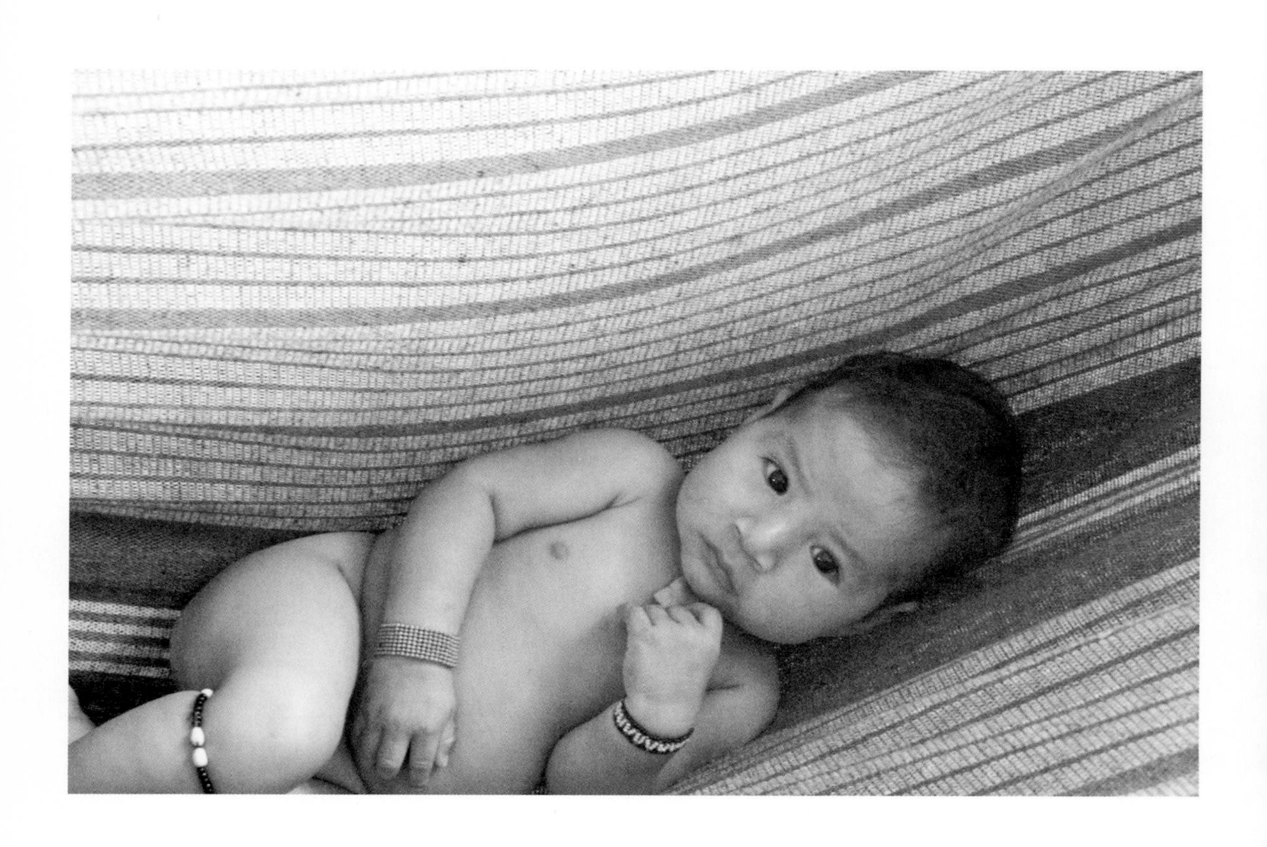

(página anterior, acima e ao lado)

Walter Bigbee Comanche. São Paulo, SP (BR). 2007.

Walter Bigbee Comanche. São Paulo, SP (BR). 2007.

Walter Bigbee Comanche. São Paulo, SP (BR). 2007.

Walter Bigbee Comanche. São Paulo, SP (BR). 2007.

Caimi Waiassé Xavante. Flórida (EUA). 2007.
Caimi Waiassé Xavante. Florida (USA). 2007.

Caimi Waiassé Xavante. Flórida (EUA). 2007.

Caimi Waiassé Xavante. Florida (USA). 2007.

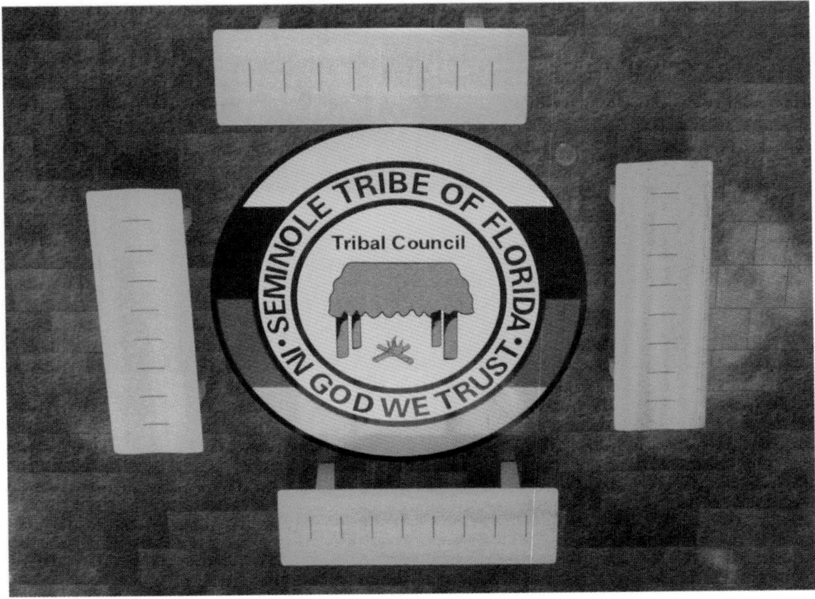

Caimi Waiassé Xavante. Flórida (EUA). 2007.

Caimi Waiassé Xavante. Florida (USA). 2007.

Dudley Brooks. Salvador, BA (BR). 2005.

Dudley Brooks. Salvador, BA (BR). 2005.

Dudley Brooks. Salvador, BA (BR). 2005.

Dudley Brooks. Salvador, BA (BR). 2005.

Dudley Brooks. Salvador, BA (BR). 2005.

Dudley Brooks. Salvador, BA (BR). 2005.

Dudley Brooks. Salvador, BA (BR). 2005.

Dudley Brooks. Salvador, BA (BR). 2005.

Denise Camargo. Nova Orleans, LA (EUA). 2005.
Denise Camargo. New Orleans, LA (USA). 2005.

Denise Camargo. Nova Orleans, LA (EUA). 2005.
Denise Camargo. New Orleans, LA (USA). 2005.

Denise Camargo. Nova Orleans, LA (EUA). 2005.
Denise Camargo. New Orleans, LA (USA). 2005.

Denise Camargo. Nova Orleans, LA (EUA). 2005.
Denise Camargo. New Orleans, LA (USA). 2005.

André Cypriano. Nova York, NY (EUA). 2010.
André Cypriano. New York, NY (USA). 2010.

André Cypriano. Nova York, NY (EUA). 2010.
André Cypriano. New York, NY (USA). 2010.

André Cypriano. Nova York, NY (EUA). 2010.
André Cypriano. New York, NY (USA). 2010.

André Cypriano. Nova York, NY (EUA). 2010.

André Cypriano. New York, NY (USA). 2010.

(acima e ao lado)

Jay Colton. São Paulo, SP (BR). 2010.

Jay Colton. São Paulo, SP (BR). 2010.

Lembrança
do
Bixiga

Jay Colton. São Paulo, SP (BR). 2010.

Jay Colton. São Paulo, SP (BR). 2010.

Jay Colton. São Paulo, SP (BR). 2010.

Jay Colton. São Paulo, SP (BR). 2010.

(acima e ao lado)

Marlene Bergamo. Nova York, NY (EUA). 2012.

Marlene Bergamo. New York, NY (USA). 2012.

M. Elena

Marlene Bergamo. Nova York, NY (EUA). 2012.
Marlene Bergamo. New York, NY (USA). 2012.

Marlene Bergamo. Nova York, NY (EUA). 2012.

Marlene Bergamo. New York, NY (USA). 2012.

Tyrone Turner. São Paulo, SP (BR). 2012.
Tyrone Turner. São Paulo, SP (BR). 2012.

Tyrone Turner. São Paulo, SP (BR). 2012.

Tyrone Turner. São Paulo, SP (BR). 2012.

Tyrone Turner. São Paulo, SP (BR). 2012.

Tyrone Turner. São Paulo, SP (BR). 2012.

Tyrone Turner. São Paulo, SP (BR). 2012.

Tyrone Turner. São Paulo, SP (BR). 2012.

Marlene Bergamo. Nova York, NY (EUA). 2012.
Marlene Bergamo. New York, NY (USA). 2012.